POÉTIQUE DU ROMAN

VINCENT JOUVE

4e édition

CURSUS **LETTRES**

Du même auteur

- *La Littérature selon Barthes*, Minuit, coll. « Arguments », 1986.
- *La Lecture*, Hachette, coll. « Contours littéraires », 1993.
- *L'Effet-Personnage dans le roman*, PUF, coll. « Écriture », 2e édition, 1998.
- *Poétique des valeurs*, PUF, coll. « Écriture », 2001.
- *L'Expérience de lecture* (direction d'ouvrage), L'Improviste, 2005.
- *Les Lieux du réalisme* (direction d'ouvrage, en collaboration avec Alain Pagès), Presses Sorbonne Nouvelle, 2005.
- *Pourquoi étudier la littérature ?*, Armand Colin, 2010.

© Armand Colin, Paris, 2015
© Armand Colin, Paris, 2010
Armand Colin est une marque de Dunod Éditeur,
5, rue Laromiguière, 75005 Paris
Internet : http://www.armand-colin.com

ISBN : 978-2-200-60074-7

SOMMAIRE

AVERTISSEMENT ||||||||||||||||||||||||||||||||||||||||||||||

Ce livre est la refonte, à la fois mise à jour et augmentée, d'un volume portant le même titre, paru en 1997 dans la collection « Campus/Lettres » des éditions Sedes. Le développement, ces quinze dernières années, de la poétique et de la théorie littéraire imposait une nouvelle version. Certaines questions (comme l'« incipit » ou l'« ironie ») font l'objet d'une analyse plus fouillée et l'ouvrage comprend désormais un chapitre sur la « fin ». On s'est également efforcé d'approfondir deux approches – la psychocritique et la sociocritique – qui, malgré leur importance, n'étaient évoquées que très brièvement dans l'ancien volume. Une présentation des études culturelles, vu l'intérêt qu'elles accordent au roman, s'est imposée naturellement. Une place particulière est toujours accordée aux théories de la lecture qui, aujourd'hui encore, demeurent l'un des secteurs les plus novateurs de la théorie littéraire. Pour rester au plus près de la recherche en cours, on a ajouté un chapitre sur le plaisir narratif.

Les modifications apportées (parfois très importantes) visent à rester fidèle à l'esprit du manuel précédent : présenter une synthèse à la fois claire et rigoureuse des principales approches du texte romanesque.

AVANT-PROPOS ||||||||||||||||||||||||||||||||||||||||||||||||||||||

L'ambition de ce livre est d'initier le lecteur à la poétique du roman. Le terme « poétique » est entendu ici dans son acception la plus générale d'« étude des procédés internes du texte littéraire ». Il est en effet difficile aujourd'hui de rendre compte d'un texte sans s'interroger sur les techniques qu'il met en œuvre et les éléments qui le constituent. L'approche interne est devenue le complément (sinon le préalable) indispensable à toute étude externe qui, d'inspiration biographique ou historique, vise à resituer l'œuvre dans son environnement.

Existe-t-il, comme l'affirmaient les formalistes russes (qui voyaient d'abord le texte comme une réalité verbale), des procédés spécifiquement littéraires ? La question reste ouverte, mais il demeure hors de doute que les grands genres obéissent à des règles précises qui permettent de les définir. La poésie, le théâtre et le récit ne fonctionnent pas de la même façon. À l'intérieur même du champ narratif, qui fut et demeure, du moins en France, l'objet privilégié des approches « formelles », il existe des types de textes très différents. Lorsque la narratologie est passée de l'étude des récits courts, comme le conte ou la nouvelle, à l'analyse des romans, elle a, significativement, dû repenser beaucoup de ses concepts.

En raison de ses caractéristiques (longueur et complexité), le roman, qui reste le genre le plus étudié, présente en effet l'avantage de ne pas se laisser enfermer dans des modèles abusivement simplificateurs. Plus que tout autre, le corpus romanesque permet d'éprouver la pertinence des différents outils proposés pour l'analyse des textes.

« Approche interne » n'est cependant pas synonyme d'« approche strictement descriptive ». Si, comme le signalait R. Jakobson en 1919 dans un des textes fondateurs du formalisme, « les études littéraires [qui] veulent devenir science [...] doivent reconnaître le *procédé* comme leur "personnage" unique », il ajoutait aussitôt : « la question fondamentale est celle de l'application, de la justification du procédé »[1]. Cette démarche, qui allie description et interprétation, sera celle

---

1. R. Jakobson, « La nouvelle poésie russe », *in Huit questions de poétique*, trad. fse, Paris, Éd. du Seuil, coll. « Points », 1977, p. 17.

du présent volume. Si les exemples seront prioritairement empruntés au roman, on se reportera aussi aux passages narratifs de textes non romanesques.

La poétique, telle qu'elle est entendue dans cet ouvrage, se réfère donc aux différents modèles théoriques qui intègrent l'analyse formelle dans leur démarche. Seront évoqués non seulement les approches narratologiques et sémiotiques, mais aussi les derniers développements de la psychocritique et de la sociocritique, ainsi que les apports les plus récents de la linguistique de l'énonciation et des théories de la lecture.

La visée de ce manuel étant de rendre compte des différentes dimensions du roman, chaque chapitre sera consacré à un aspect particulier du récit romanesque.

Le premier chapitre (« Au seuil du roman : le contrat de lecture ») se penchera sur les procédures par lesquelles le roman indique, dès l'ouverture, pourquoi et comment il doit être lu.

Le deuxième chapitre (« Le corps du roman : les structures du récit ») aura pour objet la narratologie classique qui, dans le sillage de G. Genette, s'intéresse au signifiant, au récit tel qu'il se présente à la lecture.

Le troisième chapitre (« Le cœur du roman : l'histoire ») analysera la logique de l'intrigue en s'appuyant sur les travaux de sémantique structurale d'A.-J. Greimas. On prolongera la réflexion en examinant les modalités et les enjeux du dénouement et en s'interrogeant sur la force d'attraction des histoires.

Le quatrième chapitre (« Le moteur du roman : les personnages ») dressera un bilan des études concernant les acteurs du récit.

Le cinquième chapitre (« Le discours du roman : l'énonciation ») s'attachera au jeu des voix et à ce qu'un énoncé révèle de la situation – toujours particulière – dans laquelle il est émis.

Le sixième chapitre (« Le réel du roman : l'inscription du hors-texte ») s'intéressera aux marques que laissent dans le texte, d'une part le sujet (l'imaginaire de l'auteur), d'autre part l'Histoire (l'époque et le contexte social). On rappellera à ce propos la place (importante) que les *études culturelles* accordent au roman.

Le septième chapitre (« Le lecteur dans le roman ») examinera les procédés par lesquels un texte programme sa réception.

Le huitième chapitre (« Le plaisir du roman ») se penchera sur les ressorts du plaisir narratif. Dans la lignée de la narratologie « post-classique », on se demandera, en conjuguant analyse rhétorique et approche cognitive, ce qui nous attire dans un récit et quels sont les principaux *stimuli* de l'émotion et de l'intérêt.

La deuxième partie du volume présentera, à titre d'illustration et en correspondance avec les différents chapitres, une série d'exercices pratiques.

CHAPITRE 1

AU SEUIL DU ROMAN : LE CONTRAT DE LECTURE

Tout roman, d'une certaine manière, propose à la fois une histoire et son mode d'emploi : une série de signaux indiquent selon quelles conventions le livre demande à être lu. L'ensemble de ces indications constitue ce qu'on appelle le « pacte » ou le « contrat » de lecture. Il se noue à deux emplacements privilégiés : le paratexte et l'incipit.

LE PARATEXTE : TITRE ET PRÉFACE

Le « paratexte » désigne le discours d'escorte qui accompagne tout texte. Il joue un rôle majeur dans l'« horizon d'attente » du lecteur.

LE PARATEXTE
DÉFINITION

Par paratexte, G. Genette *(Seuils)* désigne « un certain nombre de productions, elles-mêmes verbales ou non, comme un nom d'auteur, un titre, une préface, des illustrations, dont on ne sait pas toujours si l'on doit ou non considérer qu'elles […] appartiennent [au texte], mais qui en tout cas l'entourent et le prolongent, précisément pour le présenter » (p. 7). Le paratexte renvoie donc à tout ce qui entoure le texte sans être le texte proprement dit. Aux éléments évoqués ci-dessus, on peut ajouter la table des matières, les notes, les titres de chapitres, les intertitres, le nom de l'éditeur, le titre de la collection, les préfaces et les postfaces.

LE CONTRAT DE LECTURE

Eu égard à sa fonction de présentation, le paratexte est le lieu où se noue explicitement le « contrat de lecture ». Pour éclairer cette notion, rappelons qu'on ne lit pas tous les textes de la même manière : un roman policier ne suscite pas les mêmes attentes qu'un roman historique ; un roman réaliste ne respecte pas les mêmes règles qu'un roman fantastique. Le paratexte, en donnant des indications sur la nature du livre, aide le lecteur à se placer dans la perspective adéquate. L'inscription « roman historique » sur une couverture signifie que l'auteur s'engage à ne pas contredire l'Histoire officielle : on se sentirait légitimement floué si *Quatrevingt-treize,* roman historique de Victor Hugo, s'achevait sur la victoire de l'insurrection vendéenne contre le gouvernement révolutionnaire. Un titre comme *Madame Bovary* invite le lecteur à accorder une importance particulière à la situation conjugale de l'héroïne. Des illustrations comme celles que l'on trouve sur la couverture du *Petit Prince* de Saint-Exupéry imposent une représentation du personnage principal et du monde où il évolue : la naïveté du trait et le recours aux couleurs primaires tracent les contours d'un univers enfantin qui reçoit la pleine adhésion de l'auteur.

L'HORIZON D'ATTENTE

À travers ces quelques exemples, on voit que la notion de « contrat de lecture » a pour corollaire celle d'« horizon d'attente ». Toutes les indications données par le texte avant que ne commence la lecture dessinent un champ de possibles que le lecteur identifie plus ou moins consciemment. Si cet horizon d'attente est déçu par le texte, il y a violation du pacte de lecture et la communication ne fonctionne plus. Ainsi acceptera-t-on sans difficulté de voir des morts ressusciter dans un récit fantastique, alors qu'on ne le tolérera pas dans un roman policier. Si l'évasion de Louis XVI la veille de son exécution sera refusée dans un roman historique, elle aura éventuellement sa place dans un récit fantaisiste ou onirique. La lecture est structurée par des conventions qui, pour n'être pas explicites, n'en pèsent pas moins lourdement sur notre relation au texte.

PÉRITEXTE ET ÉPITEXTE

Genette, s'appuyant sur le critère de l'emplacement, distingue deux sortes de paratexte : le paratexte situé à l'intérieur du livre (titre, préface, notes, titres de chapitre) auquel il donne le nom de *péritexte*, et le paratexte situé (du moins, à l'origine) à l'extérieur du livre (entretiens, correspondance, journaux intimes) qu'il baptise *épitexte*. Si le péritexte n'est jamais séparé du texte, l'épitexte ne lui est souvent adjoint qu'*a posteriori*, à la faveur d'une édition érudite et pour donner un éclairage contextuel et biographique. L'édition Gallimard de *La Mise à mort* d'Aragon joint ainsi au texte originel paru en 1965 un *après-dire*, « Le Mérou », datant de 1970 : l'auteur y revient sur la genèse de son texte, en particulier sur la façon dont Elsa Triolet a servi de modèle au personnage de Fougère. Si, dans ce cas particulier, l'adjonction de l'épitexte au texte tient explicitement à la volonté de l'écrivain, la présence de lettres ou d'ébauches à la périphérie du texte relève, en général, plus de la responsabilité du commentateur ou de l'éditeur que de celle de l'auteur.

On s'intéressera donc essentiellement au péritexte et, plus particulièrement, à deux éléments qui jouent un rôle primordial dans le pacte de lecture romanesque : le titre et, lorsqu'elle est présente, la préface.

LE TITRE

Le rôle fondamental du titre dans la relation du lecteur au texte n'est pas à démontrer. En l'absence d'une connaissance précise de l'auteur, c'est souvent en fonction du titre qu'on choisira de lire ou non un roman : il est des titres qui « accrochent » et des titres qui rebutent, des titres qui surprennent et des titres qui choquent, des titres qui enchantent et des titres qui agacent.

Titre et horizon d'attente

« Si lire un roman est réellement le déchiffrement d'un fictif secret constitué puis résorbé par le récit même, alors le titre, toujours équivoque et mystérieux, est ce signe par lequel le livre *s'ouvre* : la question romanesque se trouve dès lors posée, l'horizon de lecture désigné, la réponse promise. *Dès le titre, l'ignorance et l'exigence de son résorbement simultanément s'imposent.* L'activité de lecture, ce désir de savoir ce qui se désigne dès l'abord comme manque à savoir et possibilité de le connaître (donc avec intérêt), est lancée. »

Charles Grivel, *Production de l'intérêt romanesque*, Paris-La Haye, Mouton, 1973, p. 173.

Plus précisément, le titre remplit quatre fonctions essentielles qui en font un élément paratextuel de première importance.

LA FONCTION D'IDENTIFICATION

Le titre sert d'abord à désigner un livre, à le nommer (comme le nom propre désigne un individu). Si l'on excepte les cas d'homonymie, relativement marginaux, le titre se présente comme le nom du livre, sa carte d'identité. Il est rarement nécessaire de préciser l'auteur lorsqu'on demande *La Chartreuse de Parme* ou *Eugénie Grandet* à un libraire. Le titre est, la plupart du temps, un critère suffisant d'identification.

LA FONCTION DESCRIPTIVE

Le titre donne également des renseignements sur le contenu et/ou sur la forme de l'ouvrage. Si *Les Misérables* renvoie aux différents protagonistes de l'épopée hugolienne (donc, au contenu du livre), un titre comme *Notes d'un souterrain* (Dostoïevski) désigne le texte en tant que tel, dans sa réalité matérielle. Selon la terminologie proposée par Genette, on a affaire dans le premier cas à un titre *thématique* (évoquant le contenu) et dans le second à un titre *rhématique* (décrivant la forme). Rappelons que, pour les linguistes, le *thème* désigne ce dont on parle et le *rhème* ce qu'on en dit. Le titre *rhématique* peut ainsi renvoyer, par extension, à ce qu'on *fait* d'une histoire et, plus précisément, à ce qu'on *en écrit*. *Le Livre du rire et de l'oubli* de Milan Kundera est à la fois thématique (le texte traite du rire et de l'oubli) et rhématique (« Le Livre » est ce que Kundera a *fait* de ses réflexions sur le rire et l'oubli).

Les titres *thématiques* (qui désignent le thème de l'ouvrage, ce dont on parle) peuvent être de plusieurs sortes :

– Les titres *littéraux* renvoient au sujet central du roman. *Le Tour du monde en quatre-vingts jours* annonce avec précision la teneur de l'aventure qui va suivre ; *Guerre et paix* de Tolstoï traite des guerres napoléoniennes en Russie ; *Paul et Virginie* de Bernardin de Saint-Pierre a pour protagonistes les deux personnages ainsi prénommés.

– Les titres *métonymiques* s'attachent à un élément ou à un personnage secondaire de l'histoire. Dans *Le Père Goriot* de Balzac, le héros véritable du roman est Rastignac : c'est lui, et non le vieillard déchu mourant de l'ingratitude de ses filles, qui est, du début à la fin, au centre de l'histoire. Quant au protagoniste des *Trois Mousquetaires* de Dumas, c'est, on le sait, d'Artagnan.

– Les titres *métaphoriques* décrivent le contenu du texte de façon symbolique. *Le Rouge et le noir* désigne les deux carrières susceptibles de répondre à l'ambition sociale de Julien Sorel : la carrière militaire (le rouge) et la carrière ecclésiastique (le noir). *Le Lys dans la vallée* désigne métaphoriquement Henriette de Mortsauf, objet de la passion amoureuse de Félix de Vandenesse. *Voyage au bout de la nuit* de Céline renvoie à l'itinéraire intérieur du protagoniste qui, au fil de ses déplacements autour du monde, est confronté à sa propre opacité comme aux ténèbres de la société et de l'époque dans lesquelles il évolue.

– Les titres *antiphrastiques*, enfin, présentent ironiquement le contenu du texte. *La Joie de vivre*, qui fait le portrait d'un névrosé obsédé par l'idée de la mort, est le titre d'un des romans les plus noirs de Zola. *L'Enfance d'un chef*, la nouvelle de Sartre, raconte l'adolescence d'un être complexé et mal dans sa peau qui cherche à s'affirmer dans l'activisme d'extrême droite.

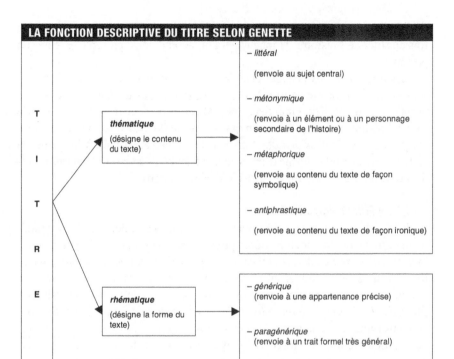

Les titres *rhématiques*, se référant au texte comme objet, ne désignent plus ce dont on parle, mais la façon dont on l'écrit. Ils se laissent classer sur une échelle allant du plus précis au plus vague. Schématiquement, on peut distinguer entre les titres *génériques*, qui désignent une appartenance précise *(Le Roman comique)*, et les titres *paragénériques*, qui renvoient à un trait formel beaucoup plus général *(Le Décaméron)*. Alors que le titre choisi par Scarron désigne son texte à travers son identité générique (roman), le titre choisi par Boccace renseigne également sur la forme de l'œuvre *(Le Décaméron* est une suite de dix journées dont chacune est constituée de dix nouvelles), mais sans la rattacher à un modèle aussi connu que le roman. De la même façon, on désigne sous le titre *Heptaméron* (sept journées de dix nouvelles, plus deux qui commencent une huitième journée) les soixante-douze histoires de Marguerite de Navarre.

Les titres *mixtes* comprennent à la fois un élément thématique et un élément rhématique. Tel est le cas du *Livre du rire et de l'oubli* évoqué plus haut.

On citera également *Portrait du joueur* de Philippe Sollers, qui renvoie à la fois au sujet de l'histoire (le joueur) et à la façon dont se présente le texte (un portrait).

Les titres *ambigus* peuvent désigner l'ouvrage lui-même ou son contenu, sans qu'il soit possible de trancher. *Une page d'amour* de Zola peut désigner la liaison entre Hélène Grandjean (née Mouret) et le docteur Henri Deberle (donc, l'histoire), comme le roman qui la raconte (le texte que nous avons sous les yeux). *Les Confessions* de Rousseau renvoient aussi bien à la forme du texte (le livre prend la forme d'un aveu au lecteur) qu'à son contenu (les confidences d'un individu nommé Jean-Jacques Rousseau).

LA VALEUR CONNOTATIVE

Elle renvoie à toutes les significations annexes véhiculées par le titre indépendamment de sa fonction descriptive. Les connotations d'un titre sont, bien sûr, d'ordre très divers et il est impossible d'en donner une liste exhaustive. Un titre peut évoquer aussi bien la manière propre à un auteur qu'une époque ou un genre particuliers, voire, avec ironie ou déférence, une filiation littéraire. *Le Labyrinthe aux olives, Le Mystère de la crypte ensorcelée* sont devenus typiques de la manière de Mendoza : la détermination du substantif par l'article défini, la référence appuyée à l'énigme, le caractère déconcertant, voire incongru, du référent désignent les textes en question comme des détournements ironiques de romans policiers. Les titres qui comprennent une référence datée – *Quatrevingt-Treize* de Hugo, *Les Chouans ou la Bretagne en 1799* de Balzac – connotent souvent le genre « roman historique ». *Histoire de la grandeur et de la décadence de César Birotteau, marchand parfumeur* […], titre d'un roman de Balzac, évoque deux ouvrages illustres : *Considérations sur les causes de la grandeur des Romains et de leur décadence* de Montesquieu et *Histoire de la décadence et de la chute de l'Empire romain* de l'historien anglais Gibbon.

LA FONCTION SÉDUCTIVE

L'un des rôles majeurs du titre est de mettre en valeur l'ouvrage, de séduire un public. Il peut le faire aussi bien par sa forme que par son contenu. Le jeu sur les sonorités (*Les Filles du feu* de Nerval), le recours à des images évocatrices ou insolites (*Le Charme noir* de Queffélec), l'excès dans la longueur (*Pantagruel roy des Dipsodes restitué à son naturel avec ses faicts et prouesses espoventables* de Rabelais) ou la concision (*Désert* de Le Clézio) peuvent être des facteurs de séduction. Sur le plan du contenu, certaines thématiques visent, par leur universalité, un public qui soit le plus large possible (*L'Amant de Duras*). Le titre peut également jouer sur le désir de transgression et attirer l'attention en choquant le lecteur (*Histoire de Juliette ou les prospérités du vice de Sade*). Les critères de séduction varient bien sûr selon les époques et le type de lectorat visé.

LA PRÉFACE AUCTORIALE

La préface est, avec le titre, un élément paratextuel de première importance. Située avant le texte qu'elle présente et commente, elle a pour visée explicite d'en orienter la réception.

La préface *auctoriale originale* (écrite par l'auteur au moment de la première parution du livre), préface la plus fréquente, s'acquitte de ce rôle en remplissant deux fonctions : l'incitation à la lecture et la programmation de la lecture. Il s'agit d'expliquer au lecteur *pourquoi* et *comment* il doit lire.

Les fonctions de la préface

« La préface auctoriale assomptive originale, que nous abrégerons donc en *préface originale*, a pour fonction cardinale d*'assurer au texte une bonne lecture*. Cette formule simplette est plus complexe qu'il n'y peut sembler, car elle se laisse analyser en deux actions, dont la première conditionne, sans nullement la garantir, la seconde, comme une condition nécessaire et non suffisante : 1. *obtenir une lecture*, et 2. *obtenir que cette lecture soit bonne.* »

Gérard Genette, *Seuils*, Paris, Éd. du Seuil, coll. « Poétique », 1987, p. 183.

OBTENIR LA LECTURE

La première fonction de la préface – obtenir la lecture – suppose une certaine habileté de la part de l'auteur. Ce dernier est confronté au problème suivant : comment valoriser son texte sans indisposer le lecteur par une valorisation trop visible de lui-même ? Comme l'ont montré les travaux de E. Goffman sur la psychologie sociale *(Les Rites d'interaction)*, une valorisation trop explicite de soi est facilement reçue par l'interlocuteur comme une forme d'agression. C'est la fameuse théorie des « faces ». Dans la vie en société, chacun a un double but : défendre son territoire (sa *face négative*) et valoriser sa propre image aux yeux d'autrui (sa *face positive*). Ce double but ne peut être atteint que si chacun ménage en retour les faces positive et négative d'autrui. Or, lorsqu'un auteur propose une œuvre au public, il menace clairement la face négative de ses lecteurs potentiels. Publier un livre est une incursion caractérisée dans le territoire d'autrui : qu'est-ce qui justifie la prétention exorbitante de se faire lire moyennant finance ? La stratégie consiste pour l'auteur à défendre son œuvre sans se mettre en avant. Aussi, dans la plupart des préfaces, l'insistance sur l'intérêt du livre va-t-elle de pair avec une modestie (feinte, le plus souvent) du romancier quant à son talent.

Il y a plusieurs façons de valoriser le sujet.

La première est d'insister sur l'importance de la question traitée et, donc, sur l'*utilité* qu'il y a à lire l'ouvrage. Il s'agira, selon les cas, d'une utilité :

– documentaire (*L'Homme qui rit* de Hugo, par le biais du tableau du patriciat anglais, se veut une réflexion sur l'aristocratie);

– intellectuelle (Rousseau, dans *Les Confessions*, se propose de montrer un homme dans la vérité de sa nature);

– morale (Barbey d'Aurevilly explique que *Les Diaboliques* ont été écrites par « un moraliste chrétien »);

– religieuse, sociale ou politique (*Les Misérables* se veut utile à la société en tant que protestation contre les injustices qui la traversent).

L'auteur peut également souligner, selon les goûts supposés du public auquel le texte s'adresse :

– l'*originalité* de l'œuvre ou son *respect de la tradition* (Rousseau, dans *Les Confessions*, met l'accent sur la singularité absolue de son projet, alors que Balzac, dans l'« Avertissement du *Gars* » s'inscrit – malgré quelques réserves – dans la lignée de Walter Scott);

– son *unité* ou sa *diversité* (la ligne de partage est, sur ce point, assez nette entre les classiques et les modernes);

– sa *véridicité* (la sincérité est une des valorisations préférées de Sade).

Ces valorisations sont contrebalancées par des « aveux » du romancier sur ses insuffisances, aveux que Genette rattache à une fonction corollaire, significativement baptisée « fonction paratonnerre ». Il s'agit pour le préfacier de prévenir les effets négatifs d'une célébration trop explicite de l'ouvrage qu'il propose au lecteur. La modestie, réelle ou feinte, lui permet de désamorcer les accusations de prétention ou de vanité.

ORIENTER LA LECTURE

La seconde fonction de la préface ne concerne pas le *pourquoi*, mais le *comment* de la lecture : elle consiste à guider le lecteur dans sa relation au texte, autrement dit à nouer avec lui le « pacte » défini plus haut. Un des rôles de la préface est de « cadrer » le rapport au texte. Là encore, l'auteur dispose de nombreux moyens pour orienter la réception du roman. Parmi les principaux figurent :

– les *informations sur la genèse* de l'œuvre (éléments biographiques, indication des sources, remerciements divers) ;
– le *choix d'un public* (lecteurs souhaités, lecteurs refusés, public idéal) ;
– le *commentaire du titre* ;
– le *contrat de fiction* (« ce que vous lisez est pure invention ») ;
– l'*indication de l'ordre de lecture* ;
– les *précisions sur le contexte* ;
– les *déclarations d'intention* ;
– la *définition du genre.*

Lesage affirme ainsi que *Gil Blas* n'est pas un roman à clés *(contrat de fiction)* mais un tableau de la nature humaine dans ce qu'elle a de plus général, tandis que Nabokov s'explique sur les modifications qu'il a apportées à la version anglaise de *Roi, dame, valet* par rapport à la version russe *(informations sur la genèse)*. Barthes, dans *Fragments d'un discours amoureux*, explique qu'il a voulu libérer le discours amoureux de la solitude dans laquelle il est aujourd'hui tenu *(déclaration d'intention)* et précise pourquoi il a choisi pour son livre l'ordre du dictionnaire *(indication de l'ordre de lecture)*. Toutes ces indications tracent un horizon d'attente qui oblige à lire le livre dans une perspective particulière.

Pour les préfaces, comme pour les titres, tous les détournements ironiques sont, bien sûr, possibles. Mais les éléments préfaciels renvoient toujours à l'une ou l'autre de ces deux fonctions cardinales : susciter et programmer la lecture.

LES AUTRES TYPES DE PRÉFACE

Outre la *préface auctoriale originale*, Genette mentionne :
– les préfaces *ultérieures* (dont la fonction est de répondre aux critiques) ;
– les préfaces *tardives* (qui proposent un bilan) ;
– les préfaces *allographes* (qui, écrites par un tiers, recommandent plus qu'elles ne valorisent et présentent plus qu'elles ne guident) ;
– les préfaces *fictionnelles* (qui, simulant les préfaces sérieuses, attribuent le texte à un auteur fictif).

Aragon écrit ainsi une préface ultérieure pour *Aurélien* ; Huymans une préface tardive pour *À rebours* et l'abbé Prévost une préface fictionnelle (signée par M. de Renoncour) pour *Manon Lescaut.*

L'INCIPIT

Le pacte de lecture, proposé explicitement dans les préfaces, est noué de façon plus implicite dans les *incipit*. Lorsque le paratexte ne suffit pas, ce sont les premières lignes du roman qui, précisant la nature du récit, indiquent la position de lecture à adopter. Rappelons que le « pacte de lecture » dépend principalement du genre auquel le texte appartient. Si le genre n'est pas indiqué sur la couverture, c'est le début du texte qui permet de l'identifier. Un début comme « Dans les premiers jours de l'an VIII, au commencement de vendémiaire… » annonce un roman historique. En revanche, la phrase d'ouverture suivante : « Jinn et Phyllis passaient des vacances merveilleuses, dans l'espace, le plus loin possible des astres habités » signale un récit d'anticipation dont les principes sont, bien sûr, très différents. Dans le premier cas (*Les Chouans* de Balzac), on s'attend à un récit conforme à ce que l'on sait, par les livres d'Histoire, de la fin de la Révolution. Dans le second cas (*La Planète des singes* de Pierre Boulle), on acceptera sans réticence la mention d'événements aujourd'hui impossibles. Le début de roman, en inscrivant le texte dans un genre particulier, trace un horizon d'attente sur le fond duquel s'établit la communication avec le lecteur.

Plus précisément, l'incipit remplit trois fonctions : il informe, intéresse et propose un pacte de lecture.

INFORMER ET INTÉRESSER

On peut déceler dans tout incipit une tension entre ces deux fonctions, en partie contradictoires. Si informer consiste à expliquer et décrire (ce qui retarde d'autant l'histoire proprement dite), intéresser suppose d'entrer au plus vite au cœur de l'action. Qui informe trop risque d'ennuyer, mais qui veut trop intéresser risque de mal informer.

L'exposition et l'amorce

« L'exposition consiste en une série d'informations de base ; le romancier donne là une actualisation, une mesure de la positivité. Cet *avant-récit* (dans le récit) réalise l'archétype conditionnant l'existence du livre comme négativité. C'est à partir de ce fond que l'aventure désorganisatrice peut arriver.

L'amorce, au contraire, provoque (ou multiplie) l'intérêt. Par elle, le récit négateur obtient un impact maximum.

Un début de roman comprend à la fois l'exposition donnant les termes de la narration et une amorce provoquant la lecture. Ces deux obligations *contradictoires* expliquent la variété des mouvements inauguraux : qui expose n'intrigue guère (alors qu'à une période précédente du roman l'auteur y parvenait) et qui intrigue se voit bientôt contraint de cesser d'intriguer pour exposer. »

Charles Grivel, *Production de l'intérêt romanesque*, op. cit., p. 91.

INFORMER

Informer, pour l'incipit, consiste à répondre aux trois questions que se pose tout lecteur lorsqu'il aborde une histoire : qui ? où ? quand ? Autrement dit, le début de roman, dans sa présentation de l'intrigue, renseigne le lecteur sur les personnages principaux, le lieu et l'époque de l'action. En commençant *Le Médecin de campagne* par la phrase suivante : « En 1829, par une jolie matinée de printemps, un homme âgé d'environ cinquante ans suivait à cheval un chemin montagneux qui mène à un gros bourg situé près de la Grande-Chartreuse », Balzac présente d'emblée l'époque, le lieu et un personnage – Genestas – qui va lui servir de fil conducteur. Le lecteur, informé dès les premières lignes du type d'histoire qu'on va lui raconter, peut adopter la position de lecture requise.

INTÉRESSER

Intéresser consiste à susciter la curiosité du lecteur, à le prendre au piège du récit. Pour cela, le texte doit d'emblée camper une atmosphère, susciter des questions, laisser présager un conflit et annoncer une thématique. Voici l'incipit du *Procès-Verbal* de Le Clézio : « Il y avait une petite fois, pendant la canicule, un type qui était assis devant une fenêtre ouverte ; c'était un garçon démesuré, un peu voûté, et il s'appelait Adam ; Adam Pollo. » Le ton du récit témoigne d'une distance un peu désinvolte (voir la reprise parodique de la formule liminaire des contes pour enfants), qui contraste avec l'évocation de la chaleur. La canicule suggère en effet une atmosphère étouffante et lourde de tensions. Qui est ce « type », au physique assez commun, mais capable de susciter un récit ? Pourquoi le narrateur en fait-il un personnage de premier plan ? Que lire derrière cet étrange nom (Adam Pollo) qui semble avoir une dimension symbolique ? Telles sont les questions posées par ces quelques lignes et qui incitent à lire la suite. On s'attend à voir développer des thèmes comme la solitude ou l'attente, et, au-delà, une réflexion plus générale sur l'existence.

Si informer et intéresser sont deux exigences qui, à un degré ou l'autre, sont toujours respectées, le narrateur choisit souvent d'en privilégier une. Schématiquement, le choix est entre l'exposition explicative (dont la visée première est d'informer) et l'entrée *in medias res* – « au cœur de l'action » – (dont le but est d'intéresser le lecteur en jouant sur le ressort dramatique). Entre les longues introductions, essentiellement descriptives, qui s'étendent sur plusieurs pages (*Le Rouge et le Noir* commence par une description minutieuse de la petite ville de Verrières) et l'entrée brutale dans l'histoire telle qu'on la trouve, par exemple, dans *Madame Bovary* (« Nous étions à l'étude, quand le Proviseur entra… »), de nombreux paliers sont bien sûr possibles.

L'incipit du Rouge et le Noir

La petite ville de Verrières peut passer pour l'une des plus jolies de Franche-Comté. Ses maisons blanches avec leurs toits pointus de tuiles rouges s'étendent sur la pente d'une colline, dont des touffes de vigoureux châtaigniers marquent les moindres sinuosités. Le Doubs coule à quelques centaines de pieds au-dessous de ses fortifications, bâties jadis par les Espagnols, et maintenant ruinées.

Verrières est abritée du côté du nord par une haute montagne, c'est une des branches du Jura. Les cimes brisées du Verra se couvrent de neige dès les premiers froids d'octobre. Un torrent, qui se précipite de la montagne, traverse Verrières avant de se jeter dans le Doubs et donne le mouvement à un grand nombre de scies à bois ; c'est une industrie fort simple et qui procure un certain bien-être à la majeure partie des habitants plus paysans que bourgeois. Ce ne sont pas cependant les scies à bois qui ont enrichi cette petite ville. C'est à la fabrique des toiles peintes, dites de Mulhouse, que l'on doit l'aisance générale qui, depuis la chute de Napoléon, a fait rebâtir les façades de presque toutes les maisons de Verrières.

Stendhal, *Le Rouge et le Noir* (1830), Paris, Garnier-Flammarion, 1964, p. 33.

NOUER LE CONTRAT DE LECTURE

Proposer un contrat de lecture, c'est, pour l'incipit comme pour le paratexte, suggérer au lecteur comment il doit lire et, donc, l'informer sur le type de texte auquel il a affaire. En principe, une série de signaux indiquent, dès les premières lignes, la nature du récit.

Il est, on l'a vu, facile d'identifier rapidement un roman historique ou un roman d'anticipation. C'est également vrai des autres sous-genres romanesques. Un des cas les plus étudiés est celui du roman réaliste.

LE CONTRAT RÉALISTE

L'incipit d'un roman réaliste se caractérise, en général, par la référence à une date et des lieux précis qui ancrent le récit dans un monde familier. À cette procédure sommaire viennent s'ajouter une série de techniques destinées à faire oublier le caractère fictif du roman. L'objectif est d'effacer les signes de la narration pour donner l'illusion que l'histoire racontée se confond avec la réalité. Dans cette perspective, le début *in medias res* est un procédé particulièrement efficace. En plongeant d'emblée le lecteur dans une action en cours, il suppose que celle-ci a commencé avant que ne débute l'histoire, ce qui authentifie l'ensemble de la fiction. Voici l'incipit des *Noces barbares* de Yann Queffélec :

« Le bain refroidissait, Nicole émergea. Ruisselante, elle décrocha la serviette-éponge et se frictionna longuement. » Le lecteur a l'illusion que le personnage et la situation évoqués par le récit ne l'ont pas attendu pour exister.

Charles Grivel *(Production de l'intérêt romanesque)* a mis en évidence le rôle majeur de la *temporalisation* et de la *localisation* dans l'authentification du roman.

Raconter une histoire au passé (cas le plus général des romans réalistes), c'est suggérer un retard du récit par rapport à l'événement et, donc, une antériorité de l'événement par rapport au récit, comme si l'existence, la « réalité » de l'histoire étaient indépendantes de sa mise en texte.

De même si le roman, dès la première page, fait référence à un lieu réel, c'est parce qu'il sait que le lecteur, reconnaissant *dans le texte* ce qui existe *hors du texte*, sera poussé à recevoir l'ensemble de l'histoire comme issu de la réalité. Pour produire un tel effet, il suffit qu'un nom soit vraisemblable : pour peu qu'il imite la forme linguistique établie du nom de lieu, il passera pour vrai. Deux types d'espace sont particulièrement avantageux pour dissimuler le caractère fictif du roman : la petite localité de province (son éloignement ne permet pas de contrôler son existence) et la très grande ville (son étendue empêche toute vérification). Dostoïevski utilise le premier procédé dans *Les Possédés* : le narrateur y explique que son entreprise est « de décrire les événements étranges qui se sont déroulés récemment dans notre ville, où, jusqu'ici, il ne s'était jamais rien passé de remarquable ». Perec utilise le second dans *La Vie mode d'emploi*, récit dont le cadre est un immeuble parisien situé au 11, rue Simon-Crubellier.

LES DIFFÉRENTS TOPOÏ

Une série de *topoï* sont employés par les romanciers réalistes pour « motiver » (rendre naturelle) l'entrée dans la fiction. Parmi les plus utilisés, figurent :

– le *topos de l'inconnu* (le narrateur, pour faire oublier qu'il contrôle le récit, feint de tout ignorer de son personnage) ;

– le *topos du nouveau* (l'évocation d'un personnage découvrant, en même temps que le lecteur, le monde de l'histoire naturalise la présentation de l'univers fictif) ;

– le *topos du dévoilement* (la description de l'aube, du lever du jour, permet de dévoiler progressivement et « naturellement » l'espace de l'intrigue).

Le début de *La Peau de chagrin*, en présentant le protagoniste, Raphaël de Valentin, comme un personnage sur lequel le narrateur n'a guère plus d'informations que le lecteur, joue sur le *topos de l'inconnu* : « Vers la fin du mois d'octobre dernier, un jeune homme entra dans le Palais-Royal au moment où les maisons de jeu s'ouvraient, conformément à la loi qui protège une passion essentiellement coupable. » L'incipit de *Germinal*, en décrivant l'arrivée d'Étienne Lantier dans la mine au moment où, malgré la nuit, s'allument les premières lueurs des corons (ce qui permet de présenter l'espace de l'histoire sans quitter le point de vue du personnage), exploite simultanément les *topoï de l'inconnu*, du *nouveau* et du *dévoilement*.

Il ne s'agit là, bien sûr, que de quelques procédés, que chaque texte peut compléter, enrichir, voire subvertir selon le projet qu'il se fixe. Certains romans peuvent ainsi débuter dans la plus grande imprécision pour peu qu'ils en attendent un effet de lecture particulier. C'est le cas de *Molloy* de Beckett qui s'ouvre sur le discours d'un personnage dont on ne sait pratiquement rien si ce n'est qu'il occupe désormais la chambre de sa mère. La question de l'identité étant au cœur du récit, il est logique que le texte s'ouvre en minant les repères habituels du roman.

L'INCIPIT DE AU BONHEUR DES DAMES

Examinons, à titre d'exemple, l'incipit de *Au Bonheur des dames* (1883) de Zola :

> « Denise était venue à pied de la gare Saint-Lazare, où un train de Cherbourg l'avait débarquée avec ses deux frères, après une nuit passée sur la dure banquette d'un wagon de troisième classe. »
>
> Paris, Le Livre de poche, 1978, p. 5.

Cette première phrase inscrit clairement le texte dans une esthétique réaliste. Un espace commun (la gare), la mention d'une action banale (le voyage en train), la référence – par le biais de noms propres – à des lieux existant dans le hors-texte (« Saint-Lazare », « Cherbourg »), ancrent l'histoire dans une géographie connue, qui bénéficie de l'épaisseur de la réalité. Cette impression est confortée par le début *in medias res*. Le personnage nous est présenté en pleine action : Denise marche dans Paris où elle vient d'arriver. On ne sait encore ni où elle va ni pourquoi. Mais son histoire semble avoir commencé avant le récit. Le plus-que-parfait, utilisé à deux reprises (« était venue », « l'avait débarquée »), en établissant un lien entre présent et passé, donne à l'histoire qui commence une épaisseur temporelle qui vient s'ajouter à l'épaisseur spatiale. Le narrateur nous plonge ainsi dans une histoire qui, comme Denise, est déjà « en marche ». Ajoutons que cette désignation du personnage par un simple prénom (« Denise ») suggère qu'il est déjà connu du narrateur, ce qui le dote *de facto* d'une épaisseur existentielle. Le contrat de lecture est donc clair : comme tout récit réaliste, ce roman va tenter de nous faire croire à l'authenticité de l'histoire qu'il raconte. Tout se passe comme s'il se contentait de « découper » un morceau de réalité.

La dimension réaliste du texte est confirmée par les quelques informations qui nous sont livrées. Le personnage qui ouvre le roman est d'une condition sociale modeste (Denise a voyagé en troisième classe et c'est sans doute pour ne pas dépenser d'argent qu'elle est venue à pied de la gare). Il s'agit d'une figure ordinaire, accomplissant une action ordinaire.

La motivation de cette « ouverture » est particulièrement travaillée. La phrase condense les *topoï* du « nouveau » (débarquant à Paris, Denise découvre un nouvel espace), du « lever du jour » (l'histoire commence après la nuit passée dans le train) et de la « marche » (Denise entre dans Paris comme le lecteur entre dans la fiction). Ajoutons que, sur le plan de l'écriture, nous avons une phrase à la syntaxe simple (une principale suivie d'une subordonnée), dépourvue d'effets stylistiques voyants qui dénonceraient l'artificialité de la fiction. Le récit prend les allures d'un compte rendu neutre, qui se contente d'« enregistrer » la réalité.

Mais, pour être réaliste, le récit n'en est pas moins un roman. L'incipit ne peut donc se contenter de susciter un effet d'authenticité; il se doit aussi de séduire le lecteur, de le prendre au piège de l'histoire. De fait, cette première phrase cherche d'abord à « intéresser » (l'information nécessaire sera progressivement apportée par les paragraphes suivants). Pour nous donner envie de lire la suite, l'incipit ouvre d'emblée une perspective en présentant un personnage en mouvement, animé par un but (encore inconnu) et découvrant un nouvel univers. Il annonce déjà l'un des axes du livre : le volontarisme, l'énergie, qui permettront au personnage de dépasser sa condition initiale. Si le texte évoque une tension qui favorise l'identification (Denise, bien que fatiguée, doit poursuivre son chemin), il laisse déjà deviner sa force vitale et sa capacité de résistance. La jeune femme, d'abord passive (elle est « débarquée » par le train), prend rapidement son destin en main : elle sait précisément où elle va. Ce côté volontaire est souligné par le prénom « Denise », qui est le premier mot du livre. La sainte portant ce prénom est restée célèbre pour avoir répondu crânement au magistrat romain qui l'interrogeait : « Je ne te crains pas ; j'ai un ami beaucoup plus puissant que toi. »

Le manque initial, condition du récit à venir et source du potentiel dramatique, est clairement établi : une jeune femme vulnérable, fraîchement débarquée de sa province et de condition modeste, doit se débrouiller seule dans le milieu hostile de la capitale tout en veillant sur ses deux frères. Ce roman, qui commence au lever du jour, prend également une valeur exemplaire : c'est l'éternelle histoire de l'homme qui tente de sortir des ténèbres. Signe de l'optimisme du texte (la jeune femme, arrivée pauvre et solitaire, sera, à la fin du roman, comblée, riche et puissante), la nuit est déjà derrière Denise quand commence le récit.

Synthèse

Le paratexte est le lieu où se noue explicitement le *contrat de lecture*. Le titre remplit quatre fonctions essentielles : identification, description, connotation, séduction. La préface sert à obtenir la lecture et à guider le lecteur dans sa relation au texte. L'incipit, outre qu'il permet de préciser le genre du texte, a pour rôle d'informer et d'intéresser.

LECTURES CONSEILLÉES

Ch. GRIVEL

Production de l'intérêt romanesque, Paris-La Haye, Mouton, 1973.

À partir d'un corpus comprenant les romans publiés à Paris entre 1870 et 1880, cette étude sur le roman comprend un développement fouillé (p. 166-181) sur les formes et les enjeux de l'incipit.

G. GENETTE

Seuils, Paris, Éd. du Seuil, coll. « Poétique », 1987.

Cet ouvrage, consacré à l'étude du paratexte, contient deux chapitres fondamentaux sur les titres et la préface.

A. DEL LUNGO, *L'Incipit romanesque*, Paris, Éd. du Seuil, coll. « Poétique », 2003.

Ouvrage de référence sur cette frontière décisive du roman qu'est l'incipit. L'auteur s'intéresse à la poétique de l'incipit en analysant son statut et ses fonctions. Si la réflexion est émaillée de nombreux exemples, le corpus balzacien est privilégié.

CHAPITRE 2

LE CORPS DU ROMAN : LES STRUCTURES DU RÉCIT

Le « corps du roman » renvoie au « signifiant », au « support textuel » qui véhicule l'intrigue. Cette définition se réfère à la distinction établie par Genette entre le *récit* (discours oral ou écrit qui présente une intrigue), l'*histoire* (l'objet du récit, ce qu'il raconte) et la *narration* (acte producteur du récit qui, comme tel, prend en charge les choix techniques comme le rythme du récit ou l'ordre dans lequel l'histoire est racontée). Le corps du roman – le récit –, c'est donc ce qui s'offre directement au lecteur à travers une série de décisions concernant la figure du narrateur, les modes de représentation de l'histoire, et le traitement de l'espace et du temps.

LE NARRATEUR

Pour bien comprendre la tripartition de Genette entre *récit, histoire* et *narration*, on se reportera aux *Exercices de style* de Queneau. Le texte présente une série de variations sur une *histoire* qui, elle, ne change pas (un individu aperçoit devant la gare Saint-Lazare un personnage qu'il a auparavant remarqué dans un autobus). Si certaines de ces « réécritures » concernent le style et le registre de langue utilisé, d'autres, portant sur l'ordre dans lequel les événements sont évoqués, le point de vue à partir duquel ils sont rapportés, ou encore le degré d'implication du narrateur, relèvent clairement de la *narration*. Dans tous les cas, nous avons affaire à un *récit* différent.

Avant d'examiner les types de narrateur que l'on peut rencontrer dans un roman, il convient d'identifier avec précision les éléments du jeu narratif.

LES INSTANCES DE LA FICTION NARRATIVE

Les théoriciens du récit distinguent les *personnes réelles* qui participent à la communication littéraire (l'auteur et le lecteur) des *instances fictives* qui les représentent dans le texte (le narrateur et le narrataire).

L'auteur, qui existe (ou a existé) en chair et en os, n'appartient pas au monde de la fiction. C'est, par exemple, Madame de Lafayette, Denis Diderot ou Émile Zola. Son existence est avérée et ne se limite pas à sa production littéraire. Le narrateur, en revanche, n'existe qu'à l'intérieur du texte. C'est cette voix qui raconte l'histoire et à laquelle, au fil de la lecture, à travers ce qu'elle dit et la façon dont elle le dit, on peut attribuer certaines caractéristiques. Le narrateur des *Mémoires d'Hadrien* ne se confond pas avec Marguerite Yourcenar. Le narrateur du *Père Goriot*, qui dresse un tableau sans concession de la noblesse de la Restauration, ne se confond pas avec l'individu Balzac qui affiche, pour sa part, des opinions légitimistes.

La distinction lecteur/narrataire est symétrique de la distinction auteur/narrateur. Alors que le lecteur est l'individu réel, bien vivant, qui tient le livre entre ses mains, le narrataire n'a qu'une existence textuelle. C'est le destinataire postulé par le récit. À travers les thèmes abordés, le niveau de langue utilisé, les explications jugées nécessaires ou superflues, on peut le reconstruire assez précisément. Le narrataire du *Petit Poucet* n'a, par exemple, rien à voir avec le narrataire d'*À La Recherche du temps perdu* : la somme proustienne suppose chez son lecteur un savoir, une compétence et une maturité largement supérieurs à ceux que nécessite la compréhension du conte de Perrault.

Narrateur et narrataire

« Dès l'instant où l'on identifie le narrateur (au sens large) d'un livre, il faut reconnaître aussi l'existence de son "partenaire", celui à qui s'adresse le discours énoncé et qu'on appelle aujourd'hui le *narrataire*. Le narrataire n'est pas le lecteur réel, pas plus que le narrateur n'est l'auteur : il ne faut pas confondre le rôle avec l'acteur qui l'assume. Cette apparition simultanée n'est qu'une instance de la loi sémiotique générale selon laquelle "je" et "tu" (ou plutôt : l'émetteur et le récepteur d'un énoncé) sont toujours solidaires. »

Tzvetan Todorov, *Qu'est-ce que le structuralisme ?*, t. II, *Poétique*, Paris, Éd. du Seuil, coll. « Points », 1968, p. 67.

C'est donc le couple narrateur/narrataire qui intéresse la narratologie, et non le couple auteur/lecteur. De ce dernier, il est en effet très difficile de parler (même si, on le verra, les théories de la lecture ont fait des tentatives en ce sens). Le narrateur et le narrataire, en revanche, dans la mesure où ils n'ont qu'une réalité textuelle, s'inscrivent parfaitement dans la perspective formelle de la poétique.

LE STATUT DU NARRATEUR : LA VOIX DU RÉCIT

La narration, en tant qu'acte producteur du récit, suppose une instance à l'origine du texte. Pour dégager les enjeux d'un récit, il est donc indispensable d'identifier le statut du narrateur et les fonctions qu'il assume.

Tenter de répondre à la question « Qui raconte ? », c'est aborder le problème de la « voix ». Le statut du narrateur dépend de deux données : sa *relation à l'histoire* (est-il présent ou non comme personnage dans l'univers du roman ?) et le *niveau narratif* auquel il se situe (raconte-t-il son histoire en récit premier ou est-il lui-même objet d'un récit ?).

LA RELATION À L'HISTOIRE

Concernant la relation du narrateur à son histoire, deux cas peuvent se présenter. Pour reprendre la terminologie de Genette, on sera confronté soit à un narrateur *homodiégétique* (présent dans la diégèse, c'est-à-dire dans l'univers spatio-temporel du roman), soit à un narrateur *hétérodiégétique* (absent de la diégèse). Marcel, qui évoque son enfance dans *Du côté de chez Swann*, relève de la première catégorie ; les narrateurs du *Père Goriot* ou de *L'Éducation sentimentale*, anonymes et omniscients, relèvent de la seconde. Parmi les narrateurs homodiégétiques, on peut distinguer entre ceux qui jouent un rôle secondaire (ainsi Watson n'est que le témoin d'enquêtes dont le protagoniste est Sherlock Holmes) et ceux qui se présentent comme héros de l'histoire qu'ils racontent (tel Bardamu dans *Voyage au bout de la nuit*). On parlera, concernant ces derniers, de narrateurs *autodiégétiques*.

LE NIVEAU NARRATIF

Concernant le niveau narratif, la question est la suivante : le narrateur considéré est-il lui-même l'objet d'un récit fait par un autre narrateur ? En d'autres termes, il s'agit de s'interroger sur l'éventuel enchâssement du récit. L'exemple classique est celui des *Mille et Une Nuits* où Schéhérazade, narratrice de l'ensemble des contes qui composent l'œuvre, est elle-même le personnage d'un récit narré par un narrateur anonyme. Ce dernier raconte comment la jeune femme, pour préserver sa vie, va, durant mille et une nuits, conter des histoires au sultan. Il y a ainsi deux narrateurs dans les *Mille et Une Nuits* : le narrateur premier qui raconte l'histoire de Schéhérazade, et Schéhérazade qui raconte les contes des *Mille et Une Nuits*. Le premier sera qualifié de narrateur *extradiégétique* (il n'est lui-même objet d'aucun récit), la seconde de narratrice *intradiégétique* (elle ne narre qu'un récit second, étant elle-même objet d'un récit premier). La distinction narrateur extradiégétique/narrateur intradiégétique renvoie à une distinction symétrique entre narrataire extradiégétique et narrataire intradiégétique. Le narrateur anonyme des *Mille et Une Nuits* s'adresse à un destinataire absent de l'histoire (narrataire extradiégétique) ; Schéhérazade s'adresse, elle, à un destinataire présent dans l'histoire : le sultan (narrataire intradiégétique).

LES QUATRE STATUTS POSSIBLES

Les diverses combinaisons entre ces deux critères (relation à l'histoire et niveau narratif) mettent en évidence quatre statuts possibles pour le narrateur :
– extradiégétique-hétérodiégétique ;
– extradiégétique-homodiégétique ;
– intradiégétique-hétérodiégétique ;
– intradiégétique-homodiégétique.

Le narrateur extradiégétique-hétérodiégétique raconte en récit premier une histoire d'où il est absent. C'est le narrateur de *Germinal* narrant les aventures d'Étienne dans le monde de la mine.

Le narrateur extradiégétique-homodiégétique raconte en récit premier une histoire où il est présent : c'est Gil Blas évoquant son passé dans le roman de Lesage.

Le narrateur intradiégétique-hétérodiégétique raconte en récit second une histoire d'où il est absent : c'est Schéhérazade dans *Les Mille et Une Nuits*.

Le narrateur intradiégétique-homodiégétique raconte en récit second une histoire où il est présent : c'est des Grieux racontant sa passion pour Manon Lescaut à M. de Renoncour, narrateur du récit premier.

|||||| **Les statuts du narrateur**

Relation	Niveau	
	Extradiégétique	Intradiégétique
Hétérodiégétique	Le narrateur de *Germinal*	Schéhérazade
Homodiégétique	Gil Blas	Des Grieux

Le choix de tel ou tel type de narrateur a des conséquences déterminantes sur la présentation de l'histoire et le point de vue proposé au lecteur. Un narrateur qui raconte sa propre histoire en récit premier (dans le cadre d'une autobiographie, par exemple) s'interdit normalement toute omniscience et invite le lecteur à épouser son regard sur les choses. Un narrateur intradiégétique, révélant, par sa seule présence, l'emboîtement des récits, peut fragiliser l'illusion référentielle en dénonçant le jeu fictionnel. L'identification du statut du narrateur permet donc, indirectement, de dégager la finalité d'un récit.

LES FONCTIONS DU NARRATEUR

Tout narrateur assume un certain nombre de fonctions : si certaines sont indispensables à l'existence même du récit, d'autres sont facultatives.

LA FONCTION NARRATIVE

Le narrateur est d'abord là pour raconter une histoire. Si la fonction narrative peut être implicite (c'est le cas le plus fréquent), elle est parfois explicite. Une annonce liminaire comme « je vais raconter… », en attirant l'attention sur la figure du narrateur, est souvent l'indice d'un récit autoréflexif. Tel est le cas de *W ou le Souvenir d'enfance* de Perec, qui commence par ces lignes : « J'ai longtemps hésité avant d'entreprendre le récit de mon voyage à W. »

LA FONCTION DE RÉGIE

Aussi indispensable que la première, elle consiste à organiser le récit. Pour Genette, elle se manifeste à travers les références explicites du narrateur aux articulations internes de son texte ; mais on peut fort bien l'étendre à l'ensemble des procédures qui « structurent » un récit. C'est, par exemple, de la fonction de régie que relèvent les retours en arrière, les sauts en avant, les ellipses, les oppositions et les symétries. Le narrateur peut ainsi choisir de raconter son récit dans l'ordre, comme dans *Le Tour du monde en quatre-vingts jours* de Jules Verne, ou en commençant par la fin, comme dans *Molloy* de Beckett.

Outre ces deux fonctions consubstantielles à l'acte de raconter, on peut relever plusieurs fonctions facultatives.

LA FONCTION DE COMMUNICATION

Elle permet au narrateur d'établir un contact direct avec le destinataire. Ce sont ces fameuses adresses au lecteur que l'on trouve, par exemple, dans *Jacques le fataliste* ou dans *Le Rouge et le Noir* (voir *infra*, p. 155). Certains romans contemporains se sont amusés à privilégier cette fonction à des fins de détournement parodique. Dans *Si par une nuit d'hiver un voyageur* de Calvino, le lecteur est ainsi sollicité un chapitre sur deux à travers un « tu » qui le campe en protagoniste du récit.

LA FONCTION TESTIMONIALE

Elle renseigne sur le rapport particulier (affectif, moral, intellectuel) que le narrateur entretient avec l'histoire qu'il raconte. Elle peut renvoyer aux sentiments que tel épisode suscite en lui (émotion), aux jugements que lui inspire un personnage (évaluation), ou encore à des informations sur les sources de son récit (attestation). Le narrateur hugolien a un goût particulier pour la fonction testimoniale. Dans *Les Misérables*, on le voit faire part des sentiments qui l'animent lorsqu'il évoque la rédemption de Jean Valjean (émotion), juger positivement Cosette et négativement Thénardier (évaluation) et indiquer ses sources (le rapport Bruneseau) lorsqu'il expose l'histoire des égouts de Paris (attestation).

LA FONCTION IDÉOLOGIQUE

Elle apparaît lorsque le narrateur émet des jugements généraux (et qui dépassent le cadre du récit) sur le monde, la société et les hommes. Elle se signale, en général, par le recours au présent gnomique (à valeur intemporelle). Le narrateur balzacien, en particulier, aime à interrompre son récit pour faire part à son lecteur de son point de vue sur un problème social ou avancer des considérations psychologiques. On trouve, par exemple, dans *Le Père Goriot* : « [Les] sottises stéréotypées à l'usage des débutants paraissent toujours charmantes aux femmes, et ne sont pauvres que lues à froid. Le geste, l'accent, le regard d'un jeune homme, leur donnent d'incalculables valeurs » (Paris, Gallimard, coll. « Folio », 1971, p. 172).

LA FONCTION EXPLICATIVE

Comme l'ont proposé plusieurs narratologues, on peut ajouter une sixième fonction à la typologie de Genette. Très présente au XIXᵉ siècle, notamment dans les romans didactiques, la fonction explicative consiste, pour le narrateur, à livrer un certain nombre d'informations qu'il juge nécessaires à la compréhension de l'histoire. Zola nous explique ainsi le fonctionnement d'une locomotive dans *La Bête humaine* et Balzac nous donne, dans *Illusions perdues*, des indications sur les procédés d'impression et de fabrication du papier.

On remarquera que les fonctions de narration, de régie et de communication renvoient au *fonctionnement du récit*, alors que les fonctions testimoniale, idéologique et explicative concernent l'*interprétation de l'histoire*. L'accentuation des unes ou des autres permet de savoir si les visées du narrateur sont plutôt esthétiques ou plutôt idéologiques. Il n'est en effet pas indifférent qu'un récit comme celui de Calvino, fondé sur la mise à nu des procédés romanesques, privilégie les fonctions de *fonctionnement*, alors qu'un texte comme *Quatrevingt-treize* de Victor Hugo exploite essentiellement les fonctions d'*interprétation*.

LES MODES DE LA REPRÉSENTATION NARRATIVE

La notion de « mode » renvoie aux procédures de régulation de l'information narrative.

La notion de « mode narratif »

« On peut [...] raconter *plus ou moins* ce que l'on raconte, et le raconter *selon tel ou tel point de vue*; et c'est précisément cette capacité, et les modalités de son exercice, que vise notre catégorie du *mode narratif* : la "représentation", ou plus exactement l'information narrative a ses degrés; le récit peut fournir au lecteur plus ou moins de détails, et de façon plus ou moins directe, et sembler ainsi (pour reprendre une métaphore spatiale courante et commode, à condition de ne pas la prendre à la lettre) se tenir à plus ou moins grande *distance* de ce qu'il raconte; il peut aussi choisir de régler l'information qu'il livre, non plus par cette sorte de filtrage uniforme, mais selon les capacités de connaissance de telle ou telle des parties prenantes de l'histoire (personnage ou groupe de personnages), dont il adoptera ou feindra d'adopter ce que l'on nomme couramment la "vision" ou le "point de vue", semblant alors prendre à l'égard de l'histoire (pour continuer la métaphore spatiale) telle ou telle *perspective*. "Distance" et "perspective", ainsi provisoirement dénommées et définies, sont les deux modalités essentielles de cette *régulation de l'information narrative* qu'est le mode, comme la vision que j'ai d'un tableau dépend, en précision, de la distance qui m'en sépare, et en ampleur, de ma position par rapport à tel obstacle partiel qui lui fait plus ou moins écran. »

Gérard Genette, *Figures III*, Paris, Éd. du Seuil, coll. « Poétique », 1972, p. 183-184.

Les deux modes de la représentation narrative sont donc la *distance* (un récit peut livrer plus ou moins d'informations) et la *focalisation* (il peut raconter selon tel ou tel point de vue).

LA DISTANCE

Analyser la « distance », c'est évaluer le degré de précision des informations fournies par le récit. C'est une nouvelle façon d'aborder la vieille question de l'illusion mimétique. Le terme « distance » est, comme l'explique

Genette, à comprendre comme une métaphore spatiale : de la même façon qu'un tableau ne nous apparaît pas avec la même précision (et, donc, la même « consistance ») selon la distance qui nous sépare de lui, une histoire n'offrira pas la même « épaisseur » selon la distance que le narrateur choisit de prendre par rapport à elle. Si le narrateur reste « proche » des faits évoqués (comme le spectateur restant près du tableau), il proposera un récit précis et détaillé, donnant l'impression d'une très grande fidélité, donc d'une très grande objectivité. Si, au contraire, le narrateur « s'éloigne » de la réalité des faits (comme un spectateur se tenant à distance du tableau qu'il observe), il proposera un récit flou, donc infidèle et subjectif. Dans le premier cas, le récit attirera l'attention sur l'histoire ; dans le second, sur le narrateur. L'opposition entre « proximité » et « distance » renvoie donc à l'opposition entre « objectivité » et « subjectivité ». Elle s'inspire de l'ancienne distinction entre le mode *mimétique* (qui s'emploie à « montrer ») et le mode *diégétique* (qui préfère « raconter »). Les Anglo-Saxons, à la suite d'Henry James, parlent de *showing* et de *telling*.

Privilégier la proximité, c'est donc renforcer l'illusion mimétique en livrant, le plus discrètement possible, un maximum d'informations. Le lecteur a l'impression d'être confronté à une histoire « vivante » qui ne dépend d'aucun narrateur. Il a le sentiment qu'on lui « montre » les événements plus qu'on ne les lui « raconte ».

Privilégier la distance, c'est refuser l'illusion mimétique en livrant, le moins discrètement possible, un minimum d'informations. Le lecteur, confronté à un narrateur dont la présence est soulignée par le texte, ne peut oublier le caractère fictif du récit.

Les choix concernant la distance vont déterminer le mode de représentation des trois strates qui composent tout récit :
– les événements ;
– les paroles ;
– les pensées.

Que l'on ouvre au hasard n'importe quel roman, on tombera nécessairement sur l'évocation d'une situation, d'un discours ou d'une réflexion. Un récit ne peut, par nature, parler d'autre chose. La distinction « proximité »/« distance » va donc affecter chacun de ces trois domaines.

LE RÉCIT D'ÉVÉNEMENTS
Concernant les événements, si le narrateur décide de privilégier la proximité (autrement dit, l'illusion mimétique), trois procédés sont particulièrement efficaces.

L'effacement de l'instance narrative, en faisant oublier l'inévitable médiation du récit, donnera l'illusion que l'histoire se raconte toute seule.

Le caractère détaillé du texte transformera le récit en spectacle. Soucieux de rester au plus près des faits exposés, le narrateur renoncera aux sommaires au profit de scènes « montrant » l'action en train de se faire. Afin de permettre au lecteur de « visualiser » l'événement, il aura recours à des descriptions précises.

La mention de détails apparemment inutiles (comme la couleur d'une écharpe ou un numéro de téléphone) vraisemblabilisera le monde de la fiction en montrant qu'il présente la même contingence que le monde réel. C'est ce que R. Barthes appelle l'« effet de réel ».

En revanche, la distance (autrement dit, le rappel de la présence du narrateur et, donc, de la dimension textuelle de l'histoire) se signalera à travers la pratique du résumé et une tendance à substituer aux faits le commentaire sur les faits.

Lorsque Flaubert, à la fin de *Madame Bovary*, consacre plusieurs pages à décrire la mort d'Emma, il privilégie la proximité. En revanche, lorsqu'il évoque le destin de la petite Berthe en quelques lignes, il opte pour la distance.

Exemple de proximité : la mort d'Emma

« Sa poitrine aussitôt se mit à haleter rapidement. La langue tout entière se mit à lui sortir de la bouche : ses yeux, en roulant, pâlissaient comme deux globes de lampe qui s'éteignent, à la croire déjà morte, sans l'effrayante accélération de ses côtes, secouées par un souffle furieux, comme si l'âme eût fait des bonds pour se détacher. Félicité s'agenouilla devant le crucifix, et le pharmacien lui-même fléchit un peu les jarrets, tandis que M. Canivet regardait vaguement sur la place. Bournisien s'était remis en prière, la figure inclinée contre le bord de la couche, avec sa longue soutane noire qui traînait derrière lui dans l'appartement. Charles était de l'autre côté, à genoux, les bras étendus vers Emma. Il avait pris ses mains et il les serrait, tressaillant à chaque battement de son cœur, comme au contrecoup d'une ruine qui tombe. À mesure que le râle devenait plus fort, l'ecclésiastique précipitait ses oraisons : elles se mêlaient aux sanglots étouffés de Bovary, et quelquefois tout semblait disparaître dans le sourd murmure des syllabes latines, qui tintaient comme un glas de cloche. Tout à coup, on entendit sur le trottoir un bruit de gros sabots, avec le frôlement d'un bâton ; et une voix s'éleva, une voix rauque, qui chantait :

Souvent la chaleur d'un beau jour
Fait rêver fillette à l'amour.

Emma se releva comme un cadavre qui se galvanise, les cheveux dénoués, la prunelle fixe, béante.

> *Pour amasser diligemment*
> *Les épis que la faux moissonne,*
> *Ma Nanette va s'inclinant*
> *Vers le sillon qui nous les donne.*
>
> – L'Aveugle ! s'écria-t-elle.
>
> Et Emma se mit à rire, d'un rire atroce, frénétique, désespéré, croyant voir la face hideuse du misérable, qui se dressait dans les ténèbres éternelles comme un épouvantement.
>
> > *Il souffla bien fort ce jour-là*
> > *Et le jupon court s'envola !*
>
> Une convulsion la rabattit sur le matelas. Tous s'approchèrent. Elle n'existait plus. »

Flaubert, *Madame Bovary* (1857), Paris, Le Livre de poche, 1972, p. 382-383.

Exemple de distance : l'avenir de la petite Berthe

> « Quand tout fut vendu, il resta douze francs soixante et quinze centimes qui servirent à payer le voyage de Mlle Bovary chez sa grand-mère. La bonne femme mourut dans l'année même ; le père Rouault étant paralysé, ce fut une tante qui s'en chargea. Elle est pauvre et l'envoie, pour gagner sa vie, dans une filature de coton. »

Ibid., p. 410-411.

LE RÉCIT DE PAROLES

Concernant les paroles, l'illusion mimétique dépend du degré de littéralité dans la reproduction des discours. Le narrateur dispose en effet, pour restituer les mots d'un personnage, d'une série de techniques que l'on peut, à la suite de Genette, classer sur une échelle allant de la plus grande imprécision (distance maximale) à la plus grande précision (proximité maximale).

– Le *discours narrativisé* résume les paroles du personnage en les évoquant comme n'importe quel événement. Le récit demeure donc très éloigné des mots effectivement prononcés ; il se contente d'une référence très vague à leur contenu : « dans le fiacre, Octave avait brièvement raconté l'attaque de M. Vabre, sans cacher que Madame Duveyrier connaissait l'adresse de la rue de la Cerisaie » (Zola, *Pot-Bouille*, Paris, Le Livre de poche, 1977, p. 224).

– Le *discours transposé*, rapportant les paroles du personnage au style indirect, est un peu plus proche de l'exactitude des propos émis ; les mots prononcés par le personnage demeurent cependant filtrés par la voix narrative : « [Le confesseur de Julien] vint lui dire un jour, qu'à moins de tomber dans l'affreux péché du suicide, il devait faire toutes les démarches possibles pour obtenir sa grâce » (Stendhal, *Le Rouge et le Noir, op. cit.*, p. 497).

– Le *style indirect libre* n'est qu'une variante du discours transposé (respectant la concordance des temps, il ne s'en distingue que par l'omission de la formule introductive). Les propos évoqués gagnent cependant en autonomie, comme en témoigne le passage suivant (les phrases en italique sont au style indirect libre) : « Olivier admire immensément son ami. Il le sait de caractère résolu ; pourtant, il doute encore ; *à bout de ressources et pressé par le besoin bientôt, ne va-t-il pas chercher à rentrer ?* Bernard le rassure : *il tentera n'importe quoi plutôt que de retourner près des siens* » (Gide, *Les Faux-Monnayeurs*, Paris, Gallimard, coll. « Folio », 1925, p. 34).

– Le *discours rapporté*, citation littérale des paroles du personnage au style direct, abolit toute distance : « – Quel honnête et digne garçon ! dit Léon en désignant Giraud à Canalis » (Balzac, *Les Comédiens sans le savoir*, Paris, Le Livre de poche, 1971, p. 216).

– Le *discours immédiat* (en attendant l'invention d'une nouvelle technique ?) autorise le maximum de proximité. Il s'agit d'un style direct libre (présenté sans verbe introducteur). Seul le contexte permet de comprendre qu'il s'agit des paroles d'un personnage et non des propos du narrateur : « Il faut insister pour qu'à la fin ceci qui vous repousse demain vous attire, c'est ce qu'elle a cru comprendre que sa mère disait en la chassant. Elle insiste, elle le croit, elle marche, elle désespère : *Je suis trop petite encore, je reviendrai.* Si tu reviens, a dit la mère, je mettrai du poison dans ton riz pour te tuer » (Duras, *Le Vice-Consul*, Paris, Gallimard, 1966, p. 10). Les phrases en italique ne peuvent, vu le contexte, qu'être attribuées à la jeune fille chassée de son village.

Pour plus de clarté, examinons les variations que subira un énoncé si on utilise tour à tour ces différentes procédures :

– « Il lui apprit sa maladie » *(discours narrativisé)* ;
– « Il lui dit qu'il était malade » *(discours transposé)* ;
– « Il l'informa sur sa santé. *Il était malade* » (la phrase en italique est au *style indirect libre)* ;
– « Il lui dit : "je suis malade" » *(discours rapporté)* ;
– « Jean rencontra Paul. *Je suis malade.* Le malheureux ! pensa Jean » *(discours immédiat :* la déclaration de la seconde phrase ne peut, vu le contexte, qu'être attribuée à Paul).

LE RÉCIT DE PENSÉES

Concernant les pensées, il existe un débat assez complexe entre les poéticiens. À D. Cohn, qui, dans *La Transparence intérieure* (trad. fse, Paris, Éd. du Seuil, 1981), défend l'idée que la représentation de la vie psychique est l'objet d'un traitement spécifique de la part du récit, Genette répond dans *Nouveau discours du récit* : « le récit ne connaît que des événements ou des discours (qui sont une espèce particulière d'événements, la seule qui puisse être directement *citée* dans un récit verbal). La "vie psychique" ne peut être pour lui que de l'un, ou de l'autre » (p. 42). Autrement dit, Genette pense que le récit de pensées ne se distingue pas fondamentalement du récit de paroles. La pensée n'étant, à ses yeux, qu'une « parole silencieuse » (comment, dans un récit, restituer des pensées sans les verbaliser ?), les techniques recensées pour transcrire les paroles permettent aussi bien de rapporter les pensées : un personnage qui pense n'est jamais qu'un être qui se parle à lui-même.

Si la coexistence des systèmes de Genette et de Cohn pose problème, c'est non seulement parce qu'ils utilisent des termes identiques pour désigner des réalités différentes, mais surtout parce qu'ils n'abordent pas la question de la distance et de la proximité de la même façon.

Pour D. Cohn, qui distingue trois manières de représenter la vie psychique dans le roman, le choix entre distance et proximité n'est pas lié à l'utilisation de tel ou tel mode, mais se pose pour chacun d'eux.

– Le *psycho-récit* est la présentation par un narrateur omniscient de la vie intérieure d'un personnage. Il sera dit *à dissonance marquée* lorsqu'il privilégie la distance (c'est-à-dire lorsque le narrateur se désolidarise explicitement – par une évaluation subjective – du personnage dont il décrit l'intériorité) et *à consonance marquée* lorsqu'il favorise la proximité (c'est-à-dire la neutralité). Comparons ces deux énoncés (tous les exemples qui suivent sont empruntés à *Solal* d'Albert Cohen) :

> « Il imaginait les visages pâles d'envie avec un plaisir qu'il jugeait satanique et qui était celui d'un cher vieux naïf. »
>
> Paris, Gallimard, coll. « Folio », 1958, p. 27.

> « Si les cinq regardaient de haut ceux des Juifs de l'île qui étaient des sujets hellènes, par contre ils jalousaient quelque peu les Solal de la branche aînée. »
>
> *ibid.*, p. 34.

Si, dans le premier exemple, le narrateur se démarque de la vie intérieure qu'il décrit en évaluant subjectivement l'acteur romanesque (« un cher vieux naïf »), il se fait plus discret dans le second où il n'émet aucun jugement.

– Le *monologue narrativisé* renvoie au style indirect libre. Selon qu'il opte pour la distance ou la proximité (choix décelable dans les phrases qui lui servent de contexte immédiat), il sera dit *à tonalité ironique* ou à tonalité *non ironique* :

> « Il l'enlèverait plus tard, cette femme, et il l'emmènerait en Italie ! Mais comment faisait-on avec une femme nue ? Il rougit de nouveau et mordit sa lèvre sombre. »
>
> *ibid.*, p. 27.

> « Il passa la deuxième partie de son baccalauréat et reçut une lettre de son père qui, sans faire aucune allusion à la fugue, lui demanda de revenir aussitôt à Céphalonie. Retourner là-bas, pourquoi ? Le monde était large et il ne fallait pas perdre de temps. »
>
> *ibid.*, p. 109.

Dans le premier exemple, la phrase qui suit le passage au style indirect libre (« il rougit de nouveau ») témoigne d'un regard amusé qui permet de définir le monologue narrativisé comme ironique. Dans le second, la neutralité du narrateur quant au personnage dont il évoque les pensées signale la proximité.

– Le *monologue rapporté* désigne le discours mental du personnage cité tel quel. Il peut être présenté ironiquement ou avec neutralité :

> « Il fit ses ablutions, se regarda dans l'éclat de miroir accroché à la pompe et approuva la redingote noisette qu'il n'avait pu se décider à abandonner malgré les travaux agrestes qu'il dirigeait depuis plusieurs mois en Palestine. "En somme, mon ami, se dit-il, on est infiniment mieux en terre d'Israël qu'en cette ville du Saint Germanique ou comment l'appelles-tu, j'ai oublié". »
>
> *ibid.*, p. 423.

> « Je perds mon meilleur temps, pensait Solal. Au lieu d'être un de ceux dont on parle dans les livres ou qui écrivent un grand livre et puis ont un sourire de bonté, de lassitude et de mépris, je lis des livres. »
>
> *ibid.*, p. 404.

C'est le contexte immédiat (et la façon dont il présente le locuteur) qui permet de savoir si le narrateur privilégie la distance ou la proximité. Le récit de paroles est présenté avec humour dans le premier exemple, avec neutralité dans le second.

– Le *monologue autonome* (monologue intérieur) est, selon D. Cohn, une variante du monologue rapporté. Il s'agit toujours d'une citation directe des pensées du personnage, mais avec effacement du narrateur qui les rapporte. Ici encore, c'est la façon dont le personnage est désigné dans la phrase précédente qui permet de déceler une éventuelle ironie du narrateur.

« Il éprouvait devant cette femme endormie un sentiment puissant et mystérieux de reconnaissance. Oui, elle m'a frappé. Qu'elle soit bénie. Oui, j'ai souffert par elle. Qu'elle soit bénie en vérité. Elle a brisé ma vie. Qu'elle soit bénie et tous les hommes de la terre avec elle. »

ibid., p. 469.

« L'enfant devenait fou d'impatience et de convoitise. Cette carte était les beautés du monde refusé. La vie dangereuse commençait. Son destin allait se décider. "Il faut être fort et n'être pas sage. Haine aux moutons". »

ibid., p. 61.

Dans le premier exemple, le narrateur semble se laisser absorber par le personnage : la proximité l'emporte. Dans le second, la distance se fait entendre.

|||||| **Les modes de représentation de la vie psychique selon D. Cohn**

Le psycho-récit (présentation par le narrateur omniscient de la vie intérieure d'un personnage)	*Distance* (dissonance marquée)
	Proximité (consonance marquée)
Le monologue narrativisé (présentation des pensées d'un personnage au style indirect libre)	*Distance* (tonalité ironique)
	Proximité (tonalité non ironique)
Le monologue rapporté (citation exacte des pensées d'un personnage)	*Distance* (monologue rapporté ironiquement)
	Proximité (monologue rapporté sans ironie)

LA FOCALISATION

Second grand mode de la représentation narrative, la focalisation concerne le problème des points de vue. Si étudier la voix consiste à répondre à la question « Qui raconte ? », analyser la focalisation, c'est répondre à la question « Qui perçoit ? ». Les deux questions ne se recoupent pas : le narrateur d'un récit à la troisième personne peut choisir de présenter l'histoire selon son point de vue, à travers celui d'un personnage ou, encore, de façon neutre. Il n'y a pas de lien direct entre la personne qui raconte et le point de vue à partir duquel l'histoire est présentée. Dans *Ce que savait Maisie*, le roman de Henry James, ce n'est pas Maisie la narratrice (le roman parle d'elle à la troisième personne) ; mais l'histoire (la rupture de ses parents et ses conséquences) n'en est pas moins racontée à travers son point de vue : le narrateur s'interdit de rapporter des événements dont la petite fille n'aurait pas connaissance.

La notion de focalisation a été, elle aussi, au centre de débats théoriques importants. Ce n'est pas ici le lieu de retracer les étapes d'une discussion entre Mieke Bal *(Narratologie)* et Genette *(Nouveau discours du récit)*. Nous nous en tiendrons à la définition classique qui définit la focalisation comme la restriction de champ – ou, plus précisément, la sélection de l'information narrative – que s'impose un récit en choisissant de présenter l'histoire à partir d'un point de vue particulier. En focalisant son récit sur Maisie, le narrateur du roman de Henry James sélectionne, parmi les informations qu'il souhaite délivrer au lecteur, celles autorisées par la situation du personnage.

On distingue trois types de focalisation : la focalisation *zéro*, la focalisation *interne* et la focalisation *externe*.

LA FOCALISATION ZÉRO

On parlera de *focalisation zéro* lorsque le récit n'est focalisé sur aucun personnage. Il s'agit donc d'une absence de focalisation : le narrateur, n'ayant pas à adapter ce qu'il dit au point de vue de telle ou telle figure, ne pratique aucune restriction de champ et n'a donc pas à sélectionner l'information qu'il délivre au lecteur. Le seul point de vue qui, en focalisation zéro, organise le récit, est celui du narrateur omniscient. Reportons-nous au début d'*Anna Karénine* de Tolstoï *:*

> « Tout était sens dessus dessous dans la maison Oblonski. Prévenue que son mari entretenait une liaison avec l'ancienne institutrice française de leurs enfants, la princesse s'était refusée net à vivre sous le même toit que lui. Le tragique de cette situation, qui se prolongeait depuis tantôt trois jours, apparaissait dans toute son horreur tant aux époux eux-mêmes qu'aux autres habitants du logis. Tous, depuis les membres de la famille jusqu'aux domestiques, comprenaient que leur vie en commun n'avait plus de raison d'être ; tous se sentaient dorénavant plus étrangers l'un à l'autre que les hôtes fortuits d'une auberge. »

Paris, Gallimard, coll. « Folio », 1972, p. 21.

Le narrateur a accès aux sentiments de tous les membres de la maison Oblonski (les époux, la famille, les domestiques) et en informe le lecteur. Son omniscience lui permet de pénétrer dans l'intériorité de chaque personnage : il n'y a aucune restriction de champ. Nous sommes donc en focalisation zéro.

LA FOCALISATION INTERNE

On parlera de *focalisation interne* lorsque le narrateur adapte son récit au point de vue d'un personnage. C'est donc ici qu'il y a restriction de champ et sélection de l'information. Le narrateur ne transmet au lecteur que le savoir autorisé par la situation du personnage. En focalisation interne, le savoir du lecteur sur l'histoire ne peut donc excéder celui d'une figure particulière, comme dans cet extrait d'*Aurélien* d'Aragon :

> « Quand Aurélien cherchait à se représenter le corps de Bérénice, il ne pouvait y parvenir. Il se répétait qu'elle était petite, et c'était tout ce qui avait su se fixer d'elle dans sa mémoire. Il eût remarqué si elle avait été contrefaite sans doute, ou bien qu'elle avait la poitrine forte. Enfin, en se forçant, il retrouvait la couleur de la robe, rien de plus. »
> Paris, Gallimard, coll. « Folio », 1966, p. 32-33.

L'effet habituel de la focalisation interne est une identification au personnage dans la perspective duquel l'histoire est présentée. Dans notre exemple, Aurélien ne parvenant pas à se représenter précisément Bérénice, le portrait de la jeune femme restera également vague pour le lecteur. Le savoir délivré par le narrateur est strictement restreint au savoir d'Aurélien : on est bien en présence d'une focalisation interne.

LA FOCALISATION EXTERNE

On parlera de *focalisation externe* lorsque l'histoire est racontée d'une façon neutre comme si le récit se confondait avec l'œil d'une caméra. Alors qu'en focalisation zéro le narrateur en sait plus que le personnage et qu'en focalisation interne il en sait autant que lui, en focalisation externe il en sait moins que lui. Dans ce dernier cas, en effet, le narrateur, incapable de pénétrer les consciences, ne saisit que l'aspect extérieur des êtres et des événements. La restriction de champ et la sélection de l'information sont donc beaucoup plus poussées qu'en focalisation interne. Examinons ce passage de la fin des *Misérables* où il est question d'un vieil homme qui, dans le quartier du Marais, fait la même promenade tous les soirs :

« Peu à peu, ce vieillard cessa d'aller jusqu'à l'angle de la rue des Filles-du-Calvaire ; il s'arrêtait à mi-chemin dans la rue Saint-Louis ; tantôt un peu plus loin, tantôt un peu plus près. Un jour, il resta au coin de la rue Culture-Sainte-Catherine et regarda la rue des Filles-du-Calvaire de loin. Puis il hocha silencieusement la tête de droite à gauche, comme s'il se refusait quelque chose, et rebroussa chemin. »

Paris, Garnier-Flammarion, 1967, t. III, p. 455.

Nous avons, ici, une suite de constats objectifs qui se contentent de décrire une scène vue de l'extérieur. L'énoncé n'apporte pas plus d'informations que ne le ferait une caméra placée en un point de l'espace (la caméra fournirait même une image plus détaillée). À ce moment du roman, il s'agit, pour le narrateur, de souligner la solitude de Jean Valjean : le présenter de l'extérieur comme un inconnu est, dans cette optique, une technique efficace.

Pour résumer, examinons les trois phrases suivantes :

« Paul était angoissé. Il ne savait pas que Marie l'était autant » (1).

« Paul était angoissé. Et Marie, que ressentait-elle ? Il ne parvenait pas à le déceler » (2).

« L'homme marchait le long de la plage. Ses mains tremblaient légèrement. Une femme l'accompagnait » (3).

Dans l'exemple (1), si Paul ne sait pas ce que ressent Marie, le narrateur, lui, le sait et l'indique au lecteur. Il rend compte à la fois du point de vue de Paul et du point de vue de Marie. Son omniscience lui permet de pénétrer l'intériorité de chaque personnage, il n'y a aucune restriction de champ. Nous sommes donc en focalisation zéro.

Dans l'exemple (2), Paul ignorant ce que ressent Marie, le lecteur ne le saura pas non plus. Le savoir délivré par le narrateur est strictement restreint au savoir de Paul : on est en présence d'une focalisation interne.

Dans l'exemple (3), nous avons une suite de constats objectifs qui se contentent de décrire une scène vue de l'extérieur. Le savoir délivré par le narrateur ne portant pas sur les pensées et sentiments des personnages, nous sommes en focalisation externe.

Le choix par le narrateur de tel ou tel type de focalisation varie souvent selon les passages d'un même récit. Il n'est pas rare que la focalisation zéro cède la place, le temps d'une scène ou d'un chapitre, à la focalisation interne. Cette dernière peut d'ailleurs concerner successivement différents personnages d'un même récit. *Madame Bovary*, longtemps focalisé sur le personnage de

Charles, se focalise ensuite sur le personnage d'Emma. *La Condition humaine* de Malraux propose une série de focalisations internes sur des personnages différents. Le lecteur, conduit à s'identifier à diverses figures dont il épouse tour à tour le point de vue, perçoit ainsi « de l'intérieur » le cloisonnement des consciences. Le jeu sur les focalisations autorise, on le voit, toutes sortes d'effets de lecture.

Un exemple de focalisation interne dans L'Éducation sentimentale

« Ce fut comme une apparition :

Elle était assise, au milieu du banc, toute seule ; ou du moins il ne distingua personne, dans l'éblouissement que lui envoyèrent ses yeux. En même temps qu'il passait, elle leva la tête ; il fléchit involontairement les épaules ; et quand il se fut mis plus loin, du même côté, il la regarda.

Elle avait un large chapeau de paille, avec des rubans roses, qui palpitaient au vent, derrière elle. Ses bandeaux noirs, contournant la pointe de ses grands sourcils, descendaient très bas et semblaient presser amoureusement l'ovale de sa figure. Sa robe de mousseline claire, tachetée de petits pois, se répandait en plis nombreux. Elle était en train de broder quelque chose ; et son nez droit, son menton, toute sa personne se découpaient sur le fond de l'air bleu. […]

Jamais il n'avait vu cette splendeur de sa peau brune, la séduction de sa taille, ni cette finesse des doigts que la lumière traversait. Il considérait son panier à ouvrage avec ébahissement, comme une chose extraordinaire. Quels étaient son nom, sa demeure, sa vie, son passé ? Il souhaitait connaître les meubles de sa chambre, toutes les robes qu'elle avait portées, les gens qu'elle fréquentait ; et le désir de la possession physique même disparaissait sous une envie plus profonde, dans une curiosité douloureuse qui n'avait pas de limites. »

Flaubert, *L'Éducation sentimentale* (1869), Paris, Garnier-Flammarion, 1969, p. 40-41.

TEMPS ET ESPACE

La question du temps relève sans conteste des structures du récit : un narrateur peut consacrer plus ou moins de texte, c'est-à-dire plus ou moins de temps, au récit d'un événement. L'analyse de l'espace, en revanche, est habituellement exclue de la narratologie. En tant qu'élément du contenu (c'est-à-dire de l'histoire), l'espace n'a *a priori* pas sa place dans une étude de la forme. C'est aux théoriciens de la signification (comme, par exemple, Greimas) qu'il revient de s'en occuper. On notera cependant que, si les lieux, par leurs connotations et leurs valeurs symboliques, renvoient en effet au contenu, la description n'en est pas moins l'objet – comme l'a montré Ph. Hamon *(Introduction à l'analyse du descriptif)* – d'un travail de présentation à la surface du texte. Dès lors, elle concerne au moins autant le signifiant que le signifié. Dans ce chapitre sur les composantes du récit seront donc étudiées successivement les deux questions du temps et de l'espace.

LE TEMPS

L'analyse narratologique du temps consiste à s'interroger sur les relations entre le temps de l'histoire (mesurable en siècles, années, jours, heures, etc.) et le temps du récit (mesurable en nombre de lignes ou de pages). Il y a le temps raconté (un récit peut évoquer une journée ou, au contraire, plusieurs générations) et le temps mis à raconter (de quelques lignes à plusieurs volumes). Du jeu entre ces deux temps de nature différente (le temps de l'histoire et le temps du récit), le roman tire nombre d'effets de sens.

Le temps du récit

« Le récit est une séquence deux fois temporelle [...] : il y a le temps de la chose-racontée et le temps du récit (temps du signifié et temps du signifiant). Cette dualité n'est pas seulement ce qui rend possibles toutes les distorsions temporelles qu'il est banal de relever dans les récits (trois ans de la vie du héros résumés en deux phrases d'un roman, ou en quelques plans d'un montage "fréquentatif" du cinéma, etc.); plus fondamentalement, elle nous invite à constater que l'une des fonctions du récit est de monnayer un temps dans un autre temps. »
Christian Metz, *Essai sur la signification au cinéma*, Paris, Klincksieck, 1968, p. 27.

Quatre questions retiennent l'attention du poéticien : le *moment* de la narration, *la vitesse*, la *fréquence* et l'*ordre*.

LE MOMENT DE LA NARRATION

L'étude du moment de la narration revient à se demander quand est racontée l'histoire par rapport au moment où elle est censée s'être déroulée. Quatre possibilités se présentent : la narration peut être *ultérieure, antérieure, simultanée* ou *intercalée.*

– La narration *ultérieure* rapporte les événements après qu'ils ont eu lieu. C'est le cas le plus fréquent. Le récit, au passé, se présente comme postérieur aux événements rapportés : « Il y avait une grande affluence d'auditeurs, le 14 janvier 1862, à la séance de la société royale géographique de Londres, Waterloo place, 3 » (Jules Verne, *Cinq Semaines en ballon*, Paris, Le Livre de poche, 1966, p. 1).

– La narration *antérieure* consiste à mentionner les événements avant qu'ils ne se produisent. Il s'agit là d'un cas assez rare qui suppose un récit au futur. On rencontre en général ce type de narration dans des passages relativement circonscrits, beaucoup moins souvent dans des récits entiers. Cette procédure convient particulièrement aux énoncés prophétiques, telle cette formule du *Credo* catholique : « Il reviendra dans la gloire pour juger les vivants et les morts. » Mais elle permet aussi d'exprimer ce qu'a d'implacable l'éternel retour de l'identique, comme dans ce passage de *Moderato cantabile* de M. Duras où l'héroïne est prisonnière d'un rituel social qui transforme son avenir en destin :

> « Elle ira dans la chambre de son enfant, s'allongera par terre, au pied de son lit, sans égard pour ce magnolia qu'elle écrasera entre ses seins, il n'en restera rien. Et entre les temps sacrés de la respiration de son enfant, elle vomira là, longuement, la nourriture étrangère que ce soir elle fut forcée de prendre. »
>
> Paris, Éd. de Minuit, 1958, p. 112.

– La narration *simultanée* se signale par l'emploi du présent. Technique très prisée par le roman contemporain, elle donne l'illusion que le narrateur écrit au moment même de l'action (ce qui est, bien sûr, impossible) :

> « Je regarde dans le rétroviseur : toujours la même voiture qui ne peut me doubler à cause de la circulation en sens inverse. À côté du chauffeur est assise une femme ; pourquoi l'homme ne lui raconte-t-il pas quelque chose de drôle ? pourquoi ne pose-t-il pas la paume sur son genou ? Au lieu de cela, il maudit l'automobiliste qui, devant lui, ne roule pas assez vite, et la femme ne pense pas non plus à toucher le chauffeur de la main, elle conduit mentalement avec lui et me maudit elle aussi. »
>
> M. Kundera, *La Lenteur*, Paris, Gallimard, coll. « Folio », 1998, p. 12-13.

– La narration *intercalée* se situe entre les moments de l'action. Mixte de passé et de présent, on la rencontre essentiellement dans le journal intime :

> « Quand Rachel m'a quitté, j'ai pris la chose d'un cœur léger. Je continue d'ailleurs à juger cette rupture sans gravité, et même bénéfique d'un certain point de vue, parce que j'ai la conviction qu'elle ouvre la voie à de grands changements, à de grandes choses. Mais il y a un autre moi, le moi visqueux. Celui-là n'avait rien compris d'abord à cette histoire de rupture. Il ne comprend d'ailleurs jamais rien du premier coup. »
>
> M. Tournier, *Le Roi des Aulnes*, Paris, Gallimard, coll. « Folio », 1975, p. 41.

On voit comment, dans cet extrait, le récit au passé (narration ultérieure) s'interrompt de temps à autre pour un commentaire rétrospectif au présent : l'évocation des faits alterne avec le discours sur les faits.

LA VITESSE

L'étude de la vitesse permet de réfléchir sur le rythme du roman, ses accélérations et ses ralentissements. La vitesse du récit peut s'évaluer à partir de quatre modes fondamentaux.

– La *scène* donne l'illusion d'une coïncidence parfaite entre le temps qu'on met à lire l'épisode et le temps qu'il met à se dérouler. Le temps du récit étant égal au temps de l'histoire, on en rendra compte par la formule : TR (temps du récit) = TH (temps de l'histoire).

Le type canonique de la scène est le dialogue : le temps passé à lire un échange de répliques coïncide quasi parfaitement avec le temps couvert par l'échange en question. Le début du premier chapitre de *Là-bas* de Huysmans est composé d'une discussion entre deux personnages, Durtal et des Hermies, qui dressent le bilan du naturalisme ; comme on ne trouve que quelques indications sur les gestes ou le ton, le temps mis à lire le début du chapitre correspond à peu près au temps couvert par le dialogue des personnages.

Un exemple de scène : l'échange de propos

« – Mâtin, tu y vas, toi, répondit Durtal, d'un ton piqué. Il ralluma sa cigarette, puis : le matérialisme me répugne tout autant qu'à toi, mais ce n'est pas une raison pour nier les inoubliables services que les naturalistes ont rendus à l'art ; car enfin, ce sont eux qui nous ont débarrassés des inhumains fantoches du romantisme et qui ont extrait la littérature d'un idéalisme de ganache et d'une inanition de vieille fille exaltée par le célibat !

– En somme après Balzac, ils ont créé des êtres visibles et palpables et ils les ont mis en accord avec leurs alentours ; ils ont aidé au développement de la langue commencé par les romantiques ; ils ont connu le véritable rire et ont eu parfois même le don des larmes, enfin, ils n'ont pas toujours été soulevés par ce fanatisme de bassesse dont tu parles !

– Si, car ils aiment leur siècle et cela les juge !

– Mais que diable ! Ni Flaubert ni les de Goncourt ne l'aimaient, leur siècle ! »

J.K. Huysmans, *Là-bas* (1891), Paris, Garnier-Flammarion, 1978, p. 34.

– Le *sommaire* condense une longue durée d'histoire en quelques mots ou quelques pages : il produit donc un effet d'accélération. Le narrateur met moins de temps à raconter les faits qu'ils n'en ont mis à se dérouler. Le sommaire correspond à la formule : TR < TH. La fin de *Madame Bovary*, où l'avenir de la petite Berthe après la mort de ses parents est évoqué en quelques lignes, en est une parfaite illustration (voir encadré, p. 34).

– La *pause* désigne les passages où le récit se poursuit alors qu'il ne se passe rien sur le plan de l'histoire. Il s'agit de fragments non narratifs : descriptions ou commentaires du narrateur. La pause provoque un effet de ralentissement. Elle se traduit par la formule : TR = n ; TH = 0. Lorsque Victor Hugo interrompt l'histoire des *Misérables* pour se livrer à des considérations générales sur Louis-Philippe, ses réflexions font l'effet d'une pause narrative. Il en va de même lorsque Balzac, dans *Illusions perdues*, s'attache à décrire la ville d'Angoulême.

Un exemple de pause : la description

« Angoulême est une vieille ville, bâtie au sommet d'une roche en pain de sucre qui domine les prairies où se roule la Charente. Ce rocher tient vers le Périgord à une longue colline qu'il termine brusquement sur la route de Paris à Bordeaux, en formant une sorte de promontoire dessiné par trois pittoresques vallées. L'importance qu'avait cette ville au temps des guerres religieuses est attestée par ses remparts, par ses portes et par les restes d'une forteresse assise sur le piton du rocher. Sa situation en faisait jadis un point stratégique également précieux aux catholiques et aux calvinistes, mais sa force d'autrefois constitue sa faiblesse aujourd'hui : en l'empêchant de s'étaler sur la Charente, ses remparts et la pente trop rapide du rocher l'ont condamnée à la plus funeste immobilité. Vers le temps où cette histoire s'y passa, le Gouvernement essayait de pousser la ville vers le Périgord en bâtissant le long de la colline le palais de la préfecture, une école de marine, des établissements militaires, en préparant des routes. »

Balzac, *Illusions perdues* (1843), Paris, Garnier-Flammarion, 1966, p. 64.

– L'*ellipse*, enfin, entraîne une accélération maximale. Elle correspond à une durée d'histoire que le récit passe sous silence. La logique événementielle montre qu'il s'est produit quelque chose, mais le texte ne l'a pas mentionné. Le narrateur met donc infiniment moins de temps à raconter les faits qu'ils n'en ont mis à se dérouler, puisqu'il n'écrit rien alors qu'il s'est passé quelque chose. L'ellipse obéit à la formule : TR = 0 ; TH = n. Lorsque *Les Misérables* évoque sous le nom de Monsieur Madeleine le personnage que l'on connaissait jusque-là comme Jean Valjean, c'est qu'il s'est nécessairement produit une série d'événements dans la vie de l'ancien forçat. Que le texte choisisse de ne pas les mentionner et de nous confronter directement à la nouvelle identité du personnage provoque inévitablement un effet d'accélération.

On pourrait ajouter à ces quatre formes canoniques la *dilatation*, qui correspondrait à la formule TR > TH : lorsque le narrateur met beaucoup plus de temps à raconter un événement qu'il n'en met à se dérouler, l'histoire semble avancer au ralenti. Mais, selon Genette, les auteurs qui ont tenté ce genre d'expérience (comme Claude Mauriac qui, dans *L'Agrandissement*, raconte deux minutes en deux cents pages) procèdent par insertion de pauses plus que par dilatation de la durée.

Analyser la vitesse, c'est donc prendre en compte la relation dynamique entre ces différents modes, repérer l'endroit et le moment où ils apparaissent en dégageant les valeurs qui leur sont attachées. Le roman de Le Clézio, *Désert*, fondé sur la mise en regard de deux visions du temps (le temps linéaire et accéléré de l'Occident, le temps cyclique et lent du monde musulman) ne se prive pas d'exploiter les effets de sens liés à l'emploi de tel ou tel mode : si l'ellipse et le sommaire dominent quand il s'agit d'évoquer la rapidité du temps occidental, la pause et la scène expriment parfaitement le temps immobile des « hommes bleus ».

Le sommaire : la rapidité du temps occidental

« Au début, elle était encore toute marquée par le soleil brûlant du désert, et ses cheveux longs, noirs et bouclés, étaient tout pleins d'étincelles de soleil. Alors les gens la regardaient avec étonnement, comme si elle venait d'une autre planète. Mais maintenant, les mois ont passé, et Lalla s'est transformée. Elle a coupé ses cheveux courts, ils sont ternes, presque gris. Dans l'ombre des ruelles, dans le froid humide de l'appartement d'Aamma, la peau de Lalla s'est ternie aussi, elle est devenue pâle et grise. »

J.M.G. Le Clézio, *Désert*, Paris, Gallimard, coll. « Folio », 1980, p. 268.

La pause : le temps immobile des « hommes bleus »

« Mais c'était leur vrai monde. Ce sable, ces pierres, ce ciel, ce soleil, ce silence, cette douleur, et non pas les villes de métal et de ciment, où l'on entendait le bruit des fontaines et des voix humaines. C'était ici, l'ordre vide du désert, où tout était possible, où l'on marchait sans ombre au bord de sa propre mort. »

Ibid., p. 23.

Plutôt que de relever le type de mode utilisé par un narrateur, on peut aussi procéder de façon plus générale en confrontant, chapitre par chapitre, la durée couverte par l'histoire et le nombre de pages correspondant. On aura ainsi une idée très précise des endroits où le récit accélère et de ceux où il ralentit.

LA FRÉQUENCE

L'étude de la fréquence consiste à se demander combien de fois est raconté un événement. Les narratologues ont relevé trois possibilités : le mode *singulatif*, le mode *répétitif* et le mode *itératif*.

– Le mode *singulatif* est le mode le plus courant : le narrateur raconte une fois ce qui s'est passé une fois (ou *n* fois ce qui s'est passé *n* fois). C'est le mode privilégié des récits d'actions, qui jouent sur la dynamique narrative et le désir du lecteur de connaître la suite. Pour être aussi trépidant que l'aventure qu'il met en scène, le roman doit éviter de s'engluer dans la répétition. Le mode singulatif est ainsi le mode dominant dans les récits de Dumas ou de Jules Verne : « Mon oncle Lidenbrock s'aventura sous ces gigantesques taillis. Je le suivis, non sans une certaine appréhension » (*Voyage au centre de la terre*, Paris, Le Livre de poche, 1966, p. 191).

– Le mode *répétitif* consiste à raconter plusieurs fois ce qui s'est passé une fois. L'intérêt du procédé est de proposer plusieurs points de vue sur un même événement. On le rencontre souvent dans le roman épistolaire (un même épisode est narré par différents correspondants) et dans nombre de romans contemporains où l'action est considérée comme moins intéressante que le point de vue sur l'action. Examinons ces deux passages de *La Lenteur*. Une jeune femme se laisse tomber dans une piscine pour faire croire à une tentative de suicide :

> « […] elle se laisse tomber de nouveau. À ce moment une écharpe de sa robe se libère et flotte derrière elle comme flottent les souvenirs derrière les morts. »
>
> M. Kundera, *La Lenteur, op. cit.*, p. 151.

> « Sous ses yeux, la femme vêtue d'une robe blanche est tombée dans l'eau, et une écharpe s'est mise à flotter derrière elle avec quelques fleurs artificielles, bleues et roses. »
>
> *ibid.*, p. 152.

Les deux énoncés renvoient au même événement (qui est donc raconté deux fois). Mais le premier nous propose le point de vue ironique du narrateur, tandis que le second nous place dans la perspective d'un des personnages de l'histoire (un savant tchèque). L'intérêt est donc dans les variations qui distinguent les deux passages. La comparaison grandiloquente (« comme flottent les souvenirs derrière les morts ») exprime le côté théâtral de ce qui n'est qu'une mise en scène ; en revanche, la mention des couleurs (« blanches »,

« bleues », « roses ») témoigne qu'aux yeux du savant tchèque, l'illusion (qui ne lui est pourtant pas destinée) fonctionne à plein : il croit à la réalité d'un suicide dont la dimension esthétique renforce le caractère tragique. L'essentiel est donc moins dans l'événement que dans la façon dont il est ressenti par les différents acteurs.

– Le mode *itératif*, à l'inverse, consiste à raconter une fois ce qui s'est passé plusieurs fois. Utilisé pour évoquer la permanence et l'habitude, il se signale en général par l'imparfait ou le présent. Il évoque souvent un monde routinier, englué dans la répétition, d'où aucun événement ne se détache. Flaubert utilise le mode itératif dans *Madame Bovary* pour signifier l'étouffement d'une vie desséchante où il se passe toujours la même chose :

> « Tous les jours, à la même heure, le maître d'école, en bonnet de soie noire, ouvrait les auvents de sa maison, et le garde champêtre passait, portant son sabre sur sa blouse. Soir et matin, les chevaux de la poste, trois par trois, traversaient la rue pour aller boire à la mare. De temps à autre, la porte d'un cabaret faisait tinter sa sonnette, et, quand il y avait du vent, l'on entendait grincer sur leurs deux tringles les petites cuvettes en cuivre du perruquier, qui servaient d'enseigne à sa boutique. »
>
> *op. cit.*, p. 75.

Dans *La Quarantaine*, c'est pour évoquer une vie « hors du temps », où les jours se répètent sur le modèle cyclique de l'éternité, que Le Clézio recourt à un tel mode :

> « Quand la marée descend, Surya pêche le long du récif. C'est l'heure où la lumière décline et le vent faiblit. Elle est avec les oiseaux, les goélands, les macoas, les oiseaux-bœufs. Ils viennent du Diamant, elle marche au milieu d'eux sur le récif, entourée de leurs cris. Elle est une déesse de la mer. »
>
> Paris, Gallimard, 1995, p. 360.

L'ORDRE

L'étude de l'ordre, enfin, s'intéresse aux rapports entre l'enchaînement logique des événements présentés et l'ordre dans lequel ils sont racontés. Deux cas peuvent se présenter : soit il y a homologie entre les deux séries, soit il y a discordance.

Le premier cas est celui des récits linéaires, qui narrent les événements dans l'ordre chronologique. Il est rare que les récits courts, qui offrent une structure relativement simple, comme les contes ou les nouvelles, renoncent à présenter les faits dans leur succession. Ainsi, dans *La Parure*, Maupassant nous raconte-t-il dans l'ordre les étapes décisives de la vie des époux Loisel pour mettre en évidence le caractère implacable de la mécanique sociale qui finit par les broyer.

Le second cas – celui des discordances – est très fréquent dans le roman. Les « anachronies » narratives, pour reprendre le terme de Genette, peuvent être de deux sortes. On qualifiera de *prolepse* l'anachronie par anticipation (qui consiste à évoquer un événement à venir). On appellera *analepse* l'anachronie par rétrospection (qui consiste à revenir sur un événement passé – procédé que l'analyse filmique mentionne sous le nom de « flash-back »). Dans les faits, les romans peuvent difficilement se passer des sommaires explicatifs qui, bien souvent, prennent la forme d'un retour en arrière. Hugo a ainsi recours à l'analepse pour présenter, dans *Les Misérables*, le personnage de Marius :

> « La chambre que les Jondrette habitaient dans la masure Gorbeau était la dernière au bout du corridor. La cellule d'à côté était occupée par un jeune homme très pauvre qu'on nommait Monsieur Marius.
> Disons ce que c'était que Monsieur Marius. »
>
> *op. cit.*, t. I, p. 124.

S'ensuit, après un portrait de M. Gillenormand, le grand-père de Marius, un long retour en arrière sur l'enfance du personnage et ses relations avec sa famille.

Dans *Le Roi des Aulnes*, beaucoup d'affirmations du personnage principal (convaincu de sa destinée exceptionnelle) ont une dimension proleptique. Abel Tiffauges écrit ainsi dans son journal au début du roman : « l'avenir aura pour fonction essentielle de démontrer – ou plus exactement d'illustrer – le *sérieux* des lignes qui précèdent » (*op. cit.*, p. 15). Même si rien ne dit, à cet instant du récit, que ce sera effectivement le cas, de tels propos, en suscitant une attente, invitent le lecteur à anticiper la suite.

Les anachronies peuvent être *objectives* (lorsqu'elles sont assumées par le récit) ou *subjectives* (lorsqu'elles sont mises sur le compte d'un personnage). Dans *Les Misérables*, l'analepse est objective ; dans *Le Roi des Aulnes*, la prolepse est subjective.

Les anachronies peuvent être étudiées à travers leur *portée* (la distance – plus ou moins grande – qui les sépare du moment de l'histoire où elles apparaissent) et leur *amplitude* (la durée temporelle qu'elles recouvrent). Une phrase comme « cinq ans plus tôt, il avait enduré une maladie de trois mois » est une analepse (anachronie par rétrospection) d'une portée de cinq ans et d'une amplitude de trois mois.

L'ESPACE

S'interroger, d'un point de vue poéticien, sur l'espace, c'est examiner les techniques et les enjeux de la description. Le bilan présenté ici se fonde sur les travaux de Philippe Hamon *(Introduction à l'analyse du descriptif)* et de Jean-Michel Adam et André Petitjean *(Le Texte descriptif)*. La perspective du premier est plus poéticienne et celle des seconds plus linguistique.

Toute description se présente comme l'« expansion » d'une « dénomination ». Dans la mesure où cette dénomination (que le passage descriptif va développer) fonctionne comme le « thème » d'une conversation ou le titre d'un livre, J.-M. Adam et A. Petitjean proposent de l'appeler « thème-titre ». L'expansion du thème-titre peut prendre la forme d'une « nomenclature » ou passer par l'attribution de « prédicats ». La nomenclature se présente comme une liste de composants, tandis que les prédicats renvoient aux propriétés du thème-titre. Examinons la phrase suivante : « C'était une vaste et luxueuse demeure à la toiture flambant neuve. » La « demeure » est le thème-titre dont le locuteur évoque un composant (la « toiture ») et deux propriétés (« vaste » et « luxueuse »). N'importe quel composant de la nomenclature peut devenir un « sous-thème » qui peut être décrit, à son tour, à l'aide de composants et de propriétés. Ainsi, dans notre exemple, la « toiture » se présente comme un sous-thème auquel le narrateur attribue la propriété « flambant neuve ».

Selon Ph. Hamon, l'analyse d'une description se ramène à l'examen de trois questions : son *insertion* (comment s'inscrit-elle dans ce vaste ensemble que constitue le récit ?) ; son *fonctionnement* (comment s'organise-t-elle en tant qu'unité autonome ?) ; son *rôle* (à quoi sert-elle dans le roman ?).

L'INSERTION DE LA DESCRIPTION

L'étude de l'insertion comprend deux problèmes : comment est *désigné* le sujet décrit ? Comment le passage descriptif s'*intègre*-t-il au roman ? (son apparition dans le récit correspond-elle à une nécessité interne à l'histoire ?)

La désignation du thème-titre (le sujet décrit) peut se faire par *ancrage* ou par *affectation*.

– La désignation *par ancrage* consiste à mentionner le thème-titre au début du passage descriptif. On aura un énoncé du type : « Je contemplais l'église de Nadaillac : elle était petite, vétuste, etc. » La compréhension du texte en est facilitée dans la mesure où la dénomination initiale active chez le lecteur un savoir indépendant du texte (chacun peut se représenter une église avant que ne commence la description). Le passage descriptif permettra donc soit de confirmer, soit de modifier les inférences du lecteur. Examinons cet extrait de *La Recherche* :

> « Tellement distrait dans le monde que je n'appris que le surlendemain, par les journaux, qu'un orchestre tchèque avait joué toute la soirée et que, de minute en minute, s'étaient succédé les feux de Bengale, je retrouvai quelque faculté d'attention à la pensée d'aller voir le célèbre jet d'eau d'Hubert Robert.
>
> Dans une clairière réservée par de beaux arbres dont plusieurs étaient aussi anciens que lui, planté à l'écart, on le voyait de loin, svelte, immobile, durci, ne laissant agiter par la brise que la retombée plus légère de son panache pâle et frémissant [...]. »
>
> Proust, *Sodome et Gomorrhe*, Paris, Gallimard,
> coll. « Folio », 1989, p. 56.

Le thème-titre, « le jet d'eau d'Hubert Robert », est clairement indiqué au début du passage descriptif qui commence avec le second paragraphe. L'information apportée par la description sera donc confrontée, d'une part à ce que le lecteur peut savoir d'un jet d'eau, d'autre part à ce qu'il peut connaître de l'œuvre du peintre et paysagiste Hubert Robert.

– La désignation *par affectation*, en revanche, consiste à retarder l'indication du thème-titre qui, dans certains cas, n'interviendra qu'une fois la description achevée : « Je contemplais un bâtiment petit, vétuste, etc. C'était l'église de Nadaillac. » Outre l'inévitable effet d'attente, une telle disposition est particulièrement efficace pour susciter le mystère ou la surprise. Reportons-nous à ce texte de Jules Verne :

> « Vastes salles voûtées, caves profondes, corridors multiples, cours dont l'empierrement disparaissait sous la haute lisse des herbes, réduits souterrains où n'arrivait jamais la lumière du jour, escaliers dérobés dans l'épaisseur des murs, casemates éclairées par les étroites meurtrières de la courtine, donjon central à trois étages avec appartements suffisamment habitables, couronné d'une plate-forme crénelée, entre les diverses constructions de l'enceinte, d'interminables couloirs capricieusement enchevêtrés, montant jusqu'au terre-plein des bastions, descendant jusqu'aux entrailles de l'infrastructure, çà et là quelques citernes, où se recueillaient les eaux pluviales et

dont l'excédent s'écoulait vers le torrent du Nyad, enfin de longs tunnels, non bouchés comme on le croyait, et qui donnaient accès sur la route du col de Vulkan, – tel était l'ensemble de ce château des Carpathes, dont le plan géométral offrait un système aussi compliqué que ceux des labyrinthes de Porsenna, de Lemnos ou de Crète. »

Le Château des Carpathes, Paris,
Le Livre de poche, 1966, p. 191-192.

Le thème-titre, le « château des Carpathes », n'apparaît qu'à la fin du passage descriptif, ce qui accroît le sentiment d'incertitude : le lecteur, « désorienté », a du mal à reconstruire un tout à partir des multiples éléments mentionnés. La dimension « labyrinthique » du château est ainsi exprimée par le texte avant d'être signalée par le narrateur.

Si l'insertion de la description pose problème, c'est qu'apparaissant comme une pause dans l'action, elle menace toujours de dénoncer le caractère artificiel du récit. La *naturalisation* des passages descriptifs est donc une exigence pour les romanciers réalistes. Ils ont recours à deux opérations : le *camouflage* et la *motivation*.

– Le *camouflage* consiste à masquer le caractère statique de la description en la dynamisant. Cela peut se faire en la structurant sur le plan spatial ou temporel comme en l'animant par l'utilisation de verbes de mouvement.

La structuration donne l'illusion que la mention des différents éléments répond à une dynamique et à une progression. Sur le plan spatial, elle consistera à situer la réalité décrite verticalement (haut/bas), horizontalement (droite/ gauche) ou en profondeur (devant/derrière). Sur le plan temporel, le recours à des adverbes (ou à des locutions adverbiales) comme « d'abord », « puis », « enfin », etc. permettra de dynamiser la présentation en lui donnant une allure logique.

Animer la description revient à appliquer des verbes de mouvement (« s'étaler », « s'allonger », « s'élever », etc.) à des réalités inertes. La gradation (du flou à la précision du détail) est particulièrement bienvenue lorsque la description est prise en charge par le regard d'un personnage.

Examinons ce passage de *Là-bas* consacré à la description d'une tour de l'église Saint-Sulpice :

« Il avait beau explorer le plafond de la tour, il ne découvrait personne ; il finit pourtant par entrevoir une jambe lancée dans le vide qui culbutait l'une des deux pédales de bois attachées au bas de chaque cloche et, se couchant presque sous les madriers, il aperçut enfin le sonneur, retenu par les mains à deux crampons de fer, se balançant au-dessus du gouffre, les yeux au ciel. »

op. cit., p. 56.

Sur le plan géographique, c'est la dimension verticale de l'espace qui est ici privilégiée (« le plafond de la tour », « au bas de chaque cloche », « au-dessus du gouffre », « les yeux au ciel »). On trouve cependant quelques indications temporelles qui dynamisent la description (« il finit », « enfin »). Le procédé le plus marquant est probablement la gradation dans les verbes de perception (« explorer », « découvrait », « entrevoir », « aperçut ») qui, provoquant un effet de « zoom », nous rappelle que la description est prise en charge par le regard de Durtal.

– La *motivation* consiste à justifier la pause descriptive en la rattachant à la logique de l'histoire. Un des procédés les plus efficaces consiste à mettre la description sur le compte d'un personnage. Le narrateur, au lieu d'interrompre brutalement son récit, se borne à rapporter ce que voit, dit ou fait un des acteurs du roman. La description est ainsi introduite par un personnage qualifié pour voir (explorateur, peintre, photographe, espion, enquêteur), dire (professionnel, initié, expert) ou faire (technicien, ingénieur, spécialiste). Il est, généralement, situé dans un lieu propice (lieu ouvert sur l'extérieur, sommet d'une colline, cachette aménagée). Son observation répond à une motivation psychologique (curiosité, appréhension, réflexe professionnel) et s'explique par une cause (recherche d'un indice, découverte d'un lieu inconnu, tentative d'évasion).

Philippe Hamon a dégagé, pour les romans réalistes, une séquence type de cinq phases dont le rôle est de motiver l'insertion d'un passage descriptif dans le récit :

Personnage qualifié	+	Notation d'une suspension dans le récit	+	Verbe de perception, de communication ou d'action	+	Mention d'un lieu propice	+	Objet à décrire

À titre d'exemple, voici comment est introduite la description de la chambre du père Goriot dans le roman qui porte son nom : « Eugène, qui se trouvait pour la première fois chez le père Goriot, ne fut pas maître d'un mouvement de stupéfaction en voyant le bouge où vivait le père, après avoir admiré la toilette de la fille » (*Le Père Goriot, op. cit.*, p. 177). On a bien :

– la mention d'un *personnage qualifié* (Eugène, intrigué par les secrets du vieillard, épris de l'une de ses filles, est d'autant plus attentif qu'il « se trouv[e] pour la première fois chez le père Goriot ») ;

– la *notation d'une suspension dans le récit* (la « stupéfaction » du personnage qui entraîne un arrêt momentané de l'histoire) ;

– un *verbe de perception* (« en voyant ») ;

– la *mention d'un lieu propice* (« chez le père Goriot », à l'intérieur même de sa chambre qu'Eugène peut ainsi examiner en détail) ;

– la *référence à l'objet de la description* (« le bouge où vivait le père »).

L'interruption de la description doit, bien sûr, être aussi motivée que son apparition. Le passage descriptif s'achèvera une fois l'observation terminée ou lorsque le personnage ne peut ou ne veut plus la poursuivre. La description de la chambre de Goriot se clôt ainsi sur la phrase suivante : « Heureusement Goriot ne vit pas l'expression qui se peignit sur la physionomie d'Eugène quand celui-ci posa sa chandelle sur la table de nuit » (*ibid.*, p. 178). Le geste final de Rastignac (poser la chandelle) nous indique qu'il n'a plus besoin d'éclairer l'ensemble de la pièce et, donc, qu'il a fini d'observer la chambre de Goriot : dès lors, il est logique que la description se termine.

LE FONCTIONNEMENT DE LA DESCRIPTION

En tant qu'unité autonome, la description obéit à un fonctionnement particulier fondé sur deux macro-opérations : l'*aspectualisation* et la *mise en relation*. Il est en effet deux grandes façons de décrire une réalité : soit on mentionne ses différentes caractéristiques, soit on la compare aux autres objets du monde.

L'*aspectualisation* indique l'aspect de ce qui est décrit en mentionnant les propriétés (volume, taille, forme, couleur, etc.) et les composants (les éléments constitutifs). Examinons cette description qui ouvre *Le Docteur Pascal* de Zola : « Dans la chaleur de l'ardent après-midi de juillet, la salle, aux volets soigneusement clos, était pleine d'un grand calme. Il ne venait, des trois fenêtres, que de minces flèches de lumière, par les fentes des vieilles boiseries » (Le Livre de poche, 1975, p. 9). La réalité décrite – la « salle » – nous est présentée à travers l'une de ses propriétés (elle est « pleine d'un grand calme ») et plusieurs de ses composants (les « volets » et les « fenêtres »). Chaque composant peut, on l'a vu, faire l'objet d'un développement autonome en se voyant attribuer des propriétés ou en étant, à son tour, subdivisé en éléments constitutifs : il accède alors au rang de « sous-thème ». Ainsi, dans notre exemple, les « volets » sont évoqués à travers leurs propriétés (ils sont « clos ») et leurs composants (les « boiseries »).

La *mise en relation* vise à préciser le lien de l'objet décrit avec les autres objets du monde. Ses deux modalités sont l'assimilation et la mise en situation.

– L'assimilation consiste (au moyen de comparaisons, métaphores, négations ou reformulations) à rapprocher l'objet décrit de réalités plus familières au lecteur. Dans cette phrase de Yourcenar, « la terre scythe avait l'abondance un peu lourde d'un corps de femme étendue » (*Mémoires d'Hadrien*, Paris, Gallimard, coll. « Folio », 1974, p. 57), c'est par assimilation métaphorique que la réalité décrite – la « terre scythe » – est mise en relation avec un corps féminin.

– La mise en situation indique la place de l'objet décrit dans l'espace et dans le temps. Ainsi, dans le texte de Zola, la « salle » est, par sa situation, mise en relation avec « la chaleur de l'ardent après-midi de juillet » et les « minces flèches de lumière » qui proviennent de l'extérieur.

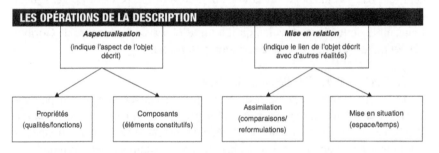

LES FONCTIONS DE LA DESCRIPTION

Considérée au sein du roman, la description peut assurer de nombreuses fonctions. Parmi les principales, on peut mentionner :
– la fonction *mimésique* ;
– la fonction *mathésique* ;
– la fonction *sémiosique* ;
– la fonction *esthétique*.

La fonction *mimésique* consiste à donner l'illusion de la réalité (la description, en ancrant l'histoire dans l'espace, renforce sa vraisemblance) et la fonction *mathésique* à diffuser un savoir sur le monde (l'auteur se sert de la description pour faire passer un certain nombre de connaissances).

La fonction *sémiosique* est essentielle : toute description est porteuse de significations. Une séquence descriptive peut avoir un rôle explicatif (en donnant des informations sur l'espace et les personnages), évaluatif (en exprimant obliquement un jugement sur l'objet décrit ou le personnage qui perçoit) ou symbolique (en représentant autre chose qu'elle-même).

Enfin, c'est par la façon dont elle est présentée, organisée et écrite, que la description a une fonction *esthétique* : si elle n'a plus nécessairement un rôle ornemental, elle se rattache toujours plus ou moins implicitement à un courant littéraire. La description romantique (où domine la métaphore) se distingue, par exemple, de la description réaliste (qui ne dédaigne pas les termes techniques) et de celle du Nouveau Roman (qui prend parfois l'aspect d'un compte rendu).

LES FONCTIONS DE LA DESCRIPTION

Mimésique	*Mathésique*	*Sémiosique*	*Esthétique*
(donner l'illusion de la réalité)	(diffuser un savoir sur le monde)	(éclairer le sens de l'histoire)	(répondre aux exigences d'un courant littéraire)

explication — évaluation — symbolisation

Ces différentes fonctions ne sont bien sûr pas exclusives les unes des autres. La description de la chambre du père Goriot remplit ainsi une fonction mimésique (le texte, en énumérant les éléments qui composent le bouge du vieillard, se présente, par sa précision et son exhaustivité, comme une citation du réel), une fonction sémiosique (le passage participe de l'évaluation du personnage de Goriot, campe une atmosphère pesante et dramatise le récit en créant un effet de contraste entre la vie luxueuse de Delphine de Nucingen et la vie misérable de son père), et une fonction esthétique (les procédures utilisées – et, notamment, le souci de motiver le passage descriptif – relèvent de l'écriture réaliste).

Synthèse

Il existe quatre statuts possibles pour le narrateur. Les fonctions qu'il assume peuvent porter sur le fonctionnement du récit ou sur l'interprétation de l'histoire. La « distance » (le degré de précision du récit) détermine la façon dont sont rapportés les événements, les paroles et les pensées. La « focalisation » (le point de vue à partir duquel l'histoire est racontée) se décline en trois modes : focalisation zéro, focalisation interne, focalisation externe. Concernant le temps, le narrateur dispose d'une série de possibilités quant au moment où il raconte son histoire, au rythme qu'il lui donne, à l'ordre dans lequel il présente les faits et au nombre de fois où il les mentionne. L'étude de la description consiste à s'interroger sur son inscription dans ce vaste ensemble que constitue le récit, sur son organisation en tant qu'unité autonome et sur son utilité dans le roman.

LECTURES CONSEILLÉES

G. GENETTE

Figures III, Paris, Éd. du Seuil, coll. « Poétique », 1972.

Ce livre constitue la référence majeure concernant la narratologie : on y trouve tout ce qu'il faut savoir sur le narrateur, les modes de la représentation narrative et le traitement du temps.

G. GENETTE

Nouveau discours du récit, Paris, Éd. Seuil, coll. « Poétique », 1983.

Écrit dix ans après *Figures III*, cet ouvrage en constitue un complément indispensable : il fait le point sur les débats théoriques suscités, une décennie durant, par la narratologie.

Ph. HAMON

Introduction à l'analyse du descriptif, Paris, Hachette, 1981.

Cet ouvrage analyse les techniques de la description et propose une méthode pour en étudier le fonctionnement et les enjeux dans un texte donné.

J.-M. ADAM et A. PETITJEAN

Le Texte descriptif, Paris, Nathan, 1989.

Étude très complète et riche en exemples qui propose une analyse du texte descriptif dans une perspective sémiotique et linguistique.

CHAPITRE 3 ||||||||||||||||||||||||||||||||||||||||||||||||||||||||||||||||||||||||||
LE CŒUR DU ROMAN :
L'HISTOIRE

Parallèlement à la narratologie qui s'intéresse aux structures du récit (du contenant), la sémiotique narrative se penche sur les structures de l'histoire (du contenu). Alors que la première analyse le matériau utilisé pour raconter, la seconde étudie ce qu'on raconte. Le postulat de la sémiotique est qu'on peut dégager des structures sur le plan du signifié comme sur celui du signifiant. Aussi son champ d'analyse déborde-t-il largement le domaine de la littérature : s'intéressant à l'histoire indépendamment du support qui la véhicule, elle prend ses exemples aussi bien dans le cinéma, le roman-photo ou la bande dessinée que dans les œuvres littéraires. L'histoire, de façon minimale, peut se définir comme une suite d'actions prise en charge par des acteurs. Deux questions sont donc au centre de la sémiotique : l'intrigue et les personnages. Dans l'analyse de l'intrigue, on s'attachera aux trois points suivants : la structure de l'histoire, les fins de roman et la double face du romanesque.

L'INTRIGUE

La sémiotique narrative part d'un constat : quels que soient le lieu et l'époque où elles sont nées, toutes les histoires se ressemblent. Entre l'*Odyssée*, *Le Père Goriot* et *Astérix*, les parentés sont évidentes : dans les trois cas, un personnage cherche à réaliser un but et doit, pour ce faire, affronter une série d'obstacles. Que le héros d'Homère ait à lutter contre des êtres mythologiques, le personnage de Balzac contre l'indifférence de ses filles ou le petit

Gaulois contre l'envahisseur romain ne change rien à la constance de la structure. Si, chaque fois qu'on raconte une histoire, on utilise les mêmes schémas, il est tentant de postuler que ces derniers, universels, sont constitutifs de l'imaginaire humain.

Le modèle théorique de la sémiotique n'est pas sans rappeler celui de la grammaire générative de Chomsky. Selon ce dernier, on retrouverait, derrière chaque langue particulière, les mêmes mécanismes universels. Autrement dit, l'homme pense toujours selon les mêmes modèles : seuls changent les moyens d'expression. On peut élargir ce constat aux récits : l'homme raconte toujours la même histoire ; seule change la façon dont il l'habille. De la même façon qu'au-delà des différences de surface, il existerait une grammaire fondamentale dont toutes les langues seraient dérivées, il y aurait une grammaire fondamentale du récit dont découleraient toutes les histoires. C'est ce modèle achronique (ou, si l'on préfère, « transculturel ») que la sémiotique narrative cherche à dégager. Le premier à avoir tenté ce type de recherche est le folkloriste russe V. Propp.

LE MODÈLE PROPPIEN

Lorsque Vladimir Propp *(Morphologie du conte)* se penche en 1928 sur l'étude des contes russes, il ne dispose que de connaissances très imprécises sur leur contexte culturel. Aussi n'a-t-il d'autre choix que de porter toute son attention aux textes. Il s'aperçoit ainsi qu'en dépit de leurs singularités, tous les récits merveilleux se ressemblent. Ils ont un socle commun constitué de trente et une fonctions (dont certaines sont facultatives) qui assurent à l'intrigue une charpente logique. Parmi ces dernières, on peut citer *l'interdiction, la transgression, la réparation* et *le mariage* qui, de fait, se retrouvent peu ou prou dans tout conte (russe ou non). L'*interdiction* et la *transgression* sont en effet des fonctions essentielles de *Cendrillon* (la jeune fille ne respecte pas la consigne de rentrer avant minuit), de *La Barbe-Bleue* (l'épouse du personnage éponyme ouvre, malgré l'interdit, la porte du cabinet secret) et de *La Chèvre de M. Seguin* (qui, malgré la défense de son maître, quitte son enclos).

L'intérêt des recherches de Propp est plus dans la démarche qui les anime que dans le relevé précis des fonctions. En montrant que l'important était moins ce que *sont* les personnages (leur identité varie d'un texte à l'autre) que ce qu'ils *font*, Propp a ouvert la voie à une nouvelle approche du texte narratif : avant d'être un *document*, l'œuvre est d'abord un *monument*, un ensemble dont on peut démonter les composantes et faire apparaître les jointures. Les successeurs de Propp ont tenté de simplifier son modèle et de le généraliser.

Leur but était d'identifier le noyau originel commun à tous les récits afin de montrer que l'unité de l'imaginaire humain était décelable, au-delà du corpus des contes merveilleux, dans l'ensemble des textes narratifs.

Propp et l'analyse morphologique

« Le mot de *morphologie* signifie l'étude des formes. En botanique, la morphologie comprend l'étude des parties constitutives d'une plante, de leur rapport les unes aux autres et à l'ensemble ; autrement dit, l'étude de la structure d'une plante.

Personne n'a pensé à la possibilité de la notion et du terme de *morphologie du conte*. Dans le domaine du conte populaire, folklorique, l'étude des formes et l'établissement des lois qui régissent la structure est pourtant possible, avec autant de précision que la morphologie des formations organiques. »

Vladimir Propp, *Morphologie du conte* (1928), trad. fse, Paris, Le Seuil, coll. « Points », 1970, p. 6.

LE SCHÉMA QUINAIRE

Parmi les recherches les plus récentes, c'est le modèle de Paul Larivaille (« L'analyse morphologique du récit », 1974) qui a fini par s'imposer : toute histoire se ramènerait à une suite logique constituée de cinq étapes. L'intrigue, une fois la structure profonde de l'histoire reconstruite par l'analyse, répondrait au modèle suivant, généralement présenté sous le nom de « schéma quinaire » :

(1) *Avant - État initial - Équilibre*

(2) *Provocation - Détonateur - Déclencheur*

(3) *Action*

(4) *Sanction - Conséquence*

(5) *Après - État final - Équilibre.*

Ce modèle, proposé à l'origine pour rendre compte de la séquence narrative élémentaire des contes, s'est révélé très efficace pour mettre au jour la logique profonde qui sous-tend l'intrigue de n'importe quel récit. Son interprétation est relativement simple : le récit se définit comme le passage d'un état à un autre. Cette *transformation*, qui correspond aux étapes (2), (3) et (4), suppose un élément qui l'enclenche *(la provocation)*, une dynamique qui l'effectue *(l'action)* et un épisode qui clôt le processus *(la sanction)*.

Si nous appliquons ce modèle à *Germinal*, nous obtenons :

(1) *Monde aliéné des mineurs* ;
(2) *Arrivée d'Étienne Lantier* ;
(3) *Mobilisation des mineurs contre la Direction* ;
(4) *Défaite des mineurs* ;
(5) *Dignité retrouvée des mineurs, malgré l'échec (espoir pour l'avenir).*

Cette reconstruction de la logique profonde de l'histoire a une incontestable valeur heuristique. Elle permet, en général, de saisir assez clairement les intentions d'un récit. S'agissant de *Germinal*, le schéma quinaire met en évidence le rôle christique d'Étienne. C'est son arrivée qui permet la prise de conscience des mineurs. Grâce à lui, ces derniers vont pouvoir triompher sur un autre plan que celui des revendications sociales. Étienne apparaît ainsi comme une sorte de messie porteur d'espoir qui, une fois son œuvre accomplie, disparaît. La valeur interprétative du modèle apparaît également lorsqu'on compare l'*état initial* à l'*état final* : on voit ce qui a été gagné ou perdu et, donc, ce que fut l'enjeu de l'histoire. Il suffit, par exemple, de mettre en regard l'état initial de *L'Éducation sentimentale*, présentant un Frédéric Moreau jeune, riche de projets et voguant vers l'avenir, avec l'état final où ce même personnage, vieilli et désabusé, médite au coin du feu sur les leçons de la vie, pour voir tout ce qui s'est joué dans les quelque quatre cents pages qui séparent les deux scènes.

L'état initial : Frédéric plein d'espoir

« Le 15 septembre 1840, vers six heures du matin, la *Ville-de-Montereau*, près de partir, fumait à gros tourbillons devant le quai Saint-Bernard.

Des gens arrivaient hors d'haleine ; des barriques, des câbles, des corbeilles de linge gênaient la circulation ; les matelots ne répondaient à personne ; on se heurtait ; les colis montaient entre les deux tambours, et le tapage s'absorbait dans le bruissement de la vapeur, qui, s'échappant par des plaques de tôle, enveloppait tout d'une nuée blanchâtre, tandis que la cloche, à l'avant, tintait sans discontinuer.

Enfin le navire partit ; et les deux berges, peuplées de magasins, de chantiers et d'usines, filèrent comme deux larges rubans que l'on déroule.

Un jeune homme de dix-huit ans, à longs cheveux et qui tenait un album sous son bras, restait auprès du gouvernail, immobile. À travers le brouillard, il contemplait des clochers, des édifices dont il ne savait pas les noms ; puis il embrassa, dans un dernier coup d'œil, l'île Saint-Louis, la Cité, Notre-Dame ; et bientôt, Paris disparaissant, il poussa un grand soupir. »

G. Flaubert, *L'Éducation sentimentale, op. cit.*, p. 37.

L'état final : Frédéric désabusé

« Et ils résumèrent leur vie.

Ils l'avaient manquée tous les deux, celui qui avait rêvé l'amour, celui qui avait rêvé le pouvoir. Quelle en était la raison ?

– C'est peut-être le défaut de ligne droite, dit Frédéric.

– Pour toi, cela se peut. Moi, au contraire, j'ai péché par excès de rectitude, sans tenir compte de mille choses secondaires, plus fortes que tout. J'avais trop de logique, et toi de sentiment.

Puis, ils accusèrent le hasard, les circonstances, l'époque où ils étaient nés.

Frédéric reprit :

– Ce n'est pas là ce que nous croyions devenir autrefois, à Sens, quand tu voulais faire une histoire critique de la Philosophie, et moi, un grand roman moyen âge sur Nogent, dont j'avais trouvé le sujet dans Froissart : Comment messire Brokars de Fénestranges et l'évêque de Troyes assaillirent messire Eustache d'Ambrecicourt. Te rappelles-tu ? »

Et, exhumant leur jeunesse, à chaque phrase, ils se disaient :

– Te rappelles-tu ? »

Ibid., p. 443-444.

La notion de « schéma quinaire » appelle cependant plusieurs remarques. Il s'agit bien d'une *reconstruction* par l'analyse : l'enchaînement logique des cinq phases est rarement présenté tel quel dans un roman. Pour reprendre l'exemple de *Germinal*, le roman s'ouvre avec l'arrivée d'Étienne dans la mine, c'est-à-dire avec la phase (2). La situation générale des mineurs – l'état initial [phase (1)] – n'est exposée que plus tard. L'analyse aura donc tout intérêt à s'interroger sur les distorsions entre le niveau de la manifestation (le récit tel qu'il se présente à la lecture) et le niveau de la logique profonde de l'histoire (que le schéma quinaire permet de reconstruire). Il faudra se demander pourquoi – en vue de quel(s) effet(s) – le narrateur a choisi de ne pas raconter les événements dans leur ordre logique.

À titre d'exemple, examinons de façon détaillée la structure de l'intrigue dans *Les Chouans* de Balzac. Les cinq phases qui permettent de retracer la logique événementielle se présentent comme suit :

– *État initial :* en Bretagne, durant l'automne 1799, le marquis de Montauran, à la tête d'une révolte chouannne, s'oppose aux troupes républicaines du commandant Hulot, chargé par le Directoire de le neutraliser ;

– *Complication :* sur une idée de Fouché (ministre de la Police), l'espionne Marie de Verneuil est envoyée sur les lieux pour tenter de capturer Montauran par la séduction ;

– *Dynamique :* Marie et Montauran s'éprennent l'un de l'autre. La logique amoureuse se superpose à la logique politique, brouillant progressivement les termes du conflit ;

– *Résolution :* Marie et Montauran meurent ensemble sous les balles des Bleus ;

– *État final :* Vingt-huit ans plus tard, la région a retrouvé une vie paisible et la guerre civile est oubliée.

Cette reconstruction de la logique du roman est éclairante à plus d'un titre.

La mise en parallèle de l'*état initial* et de l'*état final* est particulièrement significative. À l'échelle de l'Histoire, ce drame politico-amoureux se révèle dérisoire : en moins de trente ans, il a sombré dans l'oubli. Le dernier sursaut de la chouannerie était vain et condamné à l'échec. La structure de l'intrigue véhicule ainsi une vision désenchantée de l'évolution historique. Les convictions sincères, la passion authentique et l'esprit de sacrifice, désormais incapables de diriger l'Histoire, n'aboutissent qu'au néant.

La *résolution*, en montrant que la jonction des héros ne peut se faire que dans la mort, témoigne du poids écrasant de la machine politique. Le monde qui va naître avec le XIXe siècle ne laisse plus de place aux passions : l'affectif est soumis au social. Deux êtres appartenant à des camps politiques opposés ne peuvent laisser parler leur cœur sans le payer de leur vie. Dans la société moderne, la loi qui régit les rapports entre les individus n'est plus celle des sentiments.

Ce constat est confirmé par l'*état final* qui propose, comme conclusion à une histoire épique, l'image tranquille et prospère d'une petite ville de province. Le cadre tragique a cédé la place au cadre marchand.

Enfin, l'enchaînement même des différentes phases montre que l'intrigue amoureuse est *encadrée* par l'intrigue politique qui détermine son évolution. Ce sont le contexte historique et les manœuvres d'un ministre de la Police qui, à la fois, permettent la rencontre amoureuse et l'empêchent d'aboutir.

Le schéma quinaire, en faisant ressortir la logique de l'histoire, fait ainsi apparaître une vision, des valeurs et une intention.

REMARQUES

Remarquons, pour finir, les implications philosophiques, voire idéologiques de ce schéma. Il semble montrer que toute histoire est « homéostatique » : le récit, en narrant le retour à l'ordre (même si l'ordre final n'est pas le même que l'ordre initial), retrace toujours la réduction d'un déséquilibre. Il n'y a pas d'histoire sans perturbation initiale et l'essentiel d'un roman consiste à évoquer les efforts déployés pour réduire le désordre ainsi engendré. C'est parce qu'il est intolérable que la reine de France apparaisse comme adultère que d'Artagnan et ses amis entreprennent de récupérer les ferrets; c'est parce qu'il est inimaginable que le mal triomphe que les prêtres de Bernanos cherchent la grâce. Tout se passe comme si le roman avait horreur de l'incertitude et du désordre. On comprend qu'il ait pu être dénoncé par certains théoriciens et écrivains (ceux de « l'ère du soupçon » et du Nouveau Roman) comme fondamentalement conservateur *dans sa structure*.

La structure profonde du récit

« Un récit idéal commence par une situation stable qu'une force quelconque vient perturber. Il en résulte un état de déséquilibre; par l'action d'une force dirigée en sens inverse, l'équilibre est rétabli; le second équilibre est bien semblable au premier, mais les deux ne sont jamais identiques. Il y a par conséquent deux types d'épisode dans un récit : ceux qui décrivent un état (d'équilibre ou de déséquilibre) et ceux qui décrivent le passage d'un état à l'autre. »

Tzvetan Todorov, *Qu'est-ce que le structuralisme ?*, t. II, *Poétique*, Paris, Le Seuil, coll. « Points », p. 82.

Les tentatives de déconstruction du roman à l'époque contemporaine (que l'on trouve, par exemple, chez Sarraute, Robbe-Grillet ou Butor) s'expliquent donc, en grande partie, par la volonté de remettre en cause une forme idéologiquement trop marquée. Qu'il s'agisse de parodier l'intrigue classique en jouant avec les clichés ou d'écrire des récits à première vue vides d'événements, c'est le modèle « perturbation-retour à l'ordre » qu'il s'agit de contester. Ainsi, Robbe-Grillet, dans *Les Gommes*, pastiche-t-il le roman policier et le mythe d'Œdipe à travers une écriture plus sensible aux choses qu'à la psychologie. L'effacement de l'histoire, on le trouve dans un texte comme *Moderato cantabile* de Duras, qui frappe par l'insignifiance de son contenu événementiel : témoins par hasard d'un crime passionnel, une femme et un homme se retrouvent chaque jour dans un café jusqu'à ce que, d'un commun accord, ils décident de ne plus se voir. Les repères habituels du récit sont complètement brouillés.

Notons cependant, sans trancher sur sa nature – culturelle ou anthropologique –, que les lecteurs sont rapidement perdus lorsque le schéma classique est trop perturbé. Le Nouveau Roman a connu une existence assez brève et, dans le domaine cinématographique, les films de Jean-Luc Godard se heurtent à une incompréhension relative du public depuis qu'ils ont explicitement opté pour une déconstruction de l'histoire. Le schéma quinaire montre à la fois en quoi les histoires sont marquées par des valeurs et pourquoi elles sont lues. La force idéologique d'un texte et sa lisibilité, toutes deux fondées sur la *reconnaissance*, ne sont pas séparables l'une de l'autre.

LA FIN

On ne peut s'interroger sur l'histoire et ses enjeux sans accorder une attention particulière aux fins de roman. Il est cependant nécessaire d'opérer une distinction entre la fin de l'histoire (le dénouement factuel) et la fin matérielle du livre (la dernière page).

La fin de l'histoire a une importance considérable sur le plan sémantique : « conclusion » du roman, elle fonctionne comme clé de lecture et éclaire par rétroaction l'ensemble du récit. On ne peut, avant d'en avoir pris connaissance, reconstruire cette économie globale du roman au sein de laquelle prennent sens événements, scènes et chapitres.

La fin du livre se signale par un certain nombre de marques indiquant au lecteur qu'il entre dans la dernière phase de l'histoire. Ces repères ont changé au cours du temps : on est passé de la phrase stéréotypée (« ainsi s'achève… ») à l'inscription du mot « fin », puis à la simple page blanche. Mais, quel que soit le moyen utilisé, la fin d'un roman commence bien avant la dernière phrase et nous est annoncée par une série de signes.

À la suite de G. Larroux *(Le Mot de la fin)*, on peut appeler *clôture* la fin proprement dite qui, « conformément à son sens premier, reçoit une définition essentiellement spatiale », et *clausule* « ce qui sert à mettre en place, en marche, la clôture du texte ». La clausule est donc au service de la clôture : elle renvoie à l'ensemble des démarcateurs qui annoncent la fin.

Nous allons examiner les signaux « clausulaires » avant de nous interroger sur les fonctions de la clôture.

SIGNAUX

On appelle donc *clausule* l'ensemble des procédés qui signalent la fin du roman. Ils avertissent le lecteur qu'il aborde cette étape décisive où va se jouer le sens de l'histoire. Ces marqueurs de la fin varient, bien sûr, selon les romans. On peut cependant relever les plus importants. Ils peuvent concerner le plan de l'énonciation (lorsqu'ils annoncent la fin du récit) ou le plan de l'énoncé (lorsqu'ils annoncent la fin de l'histoire).

L'ÉNONCIATION : LA FIN DU RÉCIT

L'une des façons les plus efficaces de signaler la fin du récit (et de la narration) est d'opérer un brusque changement dans la façon de raconter, autrement dit de modifier le dispositif énonciatif en vigueur jusque-là.

Le changement peut concerner le temps utilisé. Abandonner le passé simple (temps du récit) pour le présent (temps du discours) est une façon pour le narrateur de revenir au premier plan. Dans le roman autobiographique, le changement de temps signale que le « je » quitte son rôle de personnage pour retrouver son statut de narrateur : une fois comblé l'écart temporel entre l'histoire et le récit, la narration s'achève naturellement. On trouve un exemple de cette procédure à la fin de *Gil Blas* :

> « Je fis donc allumer pour la seconde fois le flambeau de l'hyménée et je n'eus pas sujet de m'en repentir. [...]
>
> Il y a déjà trois ans, ami lecteur, que je mène une vie délicieuse avec des personnes si chères. Pour comble de satisfaction, le ciel a daigné m'accorder deux enfants dont l'éducation va devenir l'amusement de mes vieux jours, et dont je crois pieusement être le père. »
>
> Lesage, *Gil Blas*, Paris, Garnier-Flammarion, 1977, p. 609.

La modification peut également concerner la voix narrative. Une narration à la troisième personne peut se substituer, en fin de récit, à une narration à la première personne. C'est ce qui se produit lorsque le narrateur reprend la parole à la suite d'un personnage dont il n'a fait que citer les propos. On en trouve un exemple dans *Les Infortunes de la vertu*. La quasi-totalité du texte est constituée par le récit de Justine qui raconte sa vie à Mme de Lorsange et à M. de Corville. La fin du roman correspond au retour du narrateur anonyme et de la narration à la troisième personne :

> « L'honnête M. de Corville n'avait point entendu ce récit sans en être prodigieusement ému ; pour Mme de Lorsange, en qui (comme nous l'avons dit) les monstrueuses erreurs de sa jeunesse n'avaient point éteint la sensibilité, elle était prête à s'en évanouir. »
>
> Sade, *Les Infortunes de la vertu*, Paris,
> Garnier-Flammarion, 1969, p. 181.

Plutôt que la voix, le changement peut concerner le niveau narratif. Lorsqu'on quitte les histoires encadrées pour revenir au récit encadrant, comme dans *Les Mille et Une Nuits* ou *La Quête du Graal*, il est clair qu'on approche de la fin.

Un autre type de démarcation énonciative peut concerner le genre. Ainsi, dans *Journal d'un curé de campagne* de Bernanos, le passage du journal à la lettre fait figure de démarcateur. Alors que le texte du roman correspond au journal du protagoniste, le dernier chapitre prend la forme d'une lettre (de « Monsieur Louis Dufrety à Monsieur le curé de Torcy ») qui raconte la mort du prêtre.

Enfin, le terme peut être annoncé par une rupture de rythme (accélération ou ralentissement), c'est-à-dire par un changement dans la vitesse de la narration. L'accélération, provoquée par l'ellipse *(Les Chouans)* ou le sommaire *(Madame Bovary)*, projette le lecteur dans l'au-delà d'une histoire qui appartient déjà au passé. Le ralentissement signale, quant à lui, que l'histoire est à l'acmé d'une intensité dramatique après laquelle le récit ne pourra que finir. *Nana* se termine ainsi sur le tableau de l'héroïne agonisante et *Sodome et Gomorrhe* sur la description d'une aurore angoissante, moins perçue comme l'annonce du jour à venir que comme le souvenir de la nuit écoulée :

> « Dans le désordre des brouillards de la nuit qui traînaient encore en loques roses et bleues sur les eaux encombrées de débris de nacre de l'aurore, des bateaux passaient en souriant à la lumière oblique qui jaunissait leur voile et la pointe de leur beaupré comme quand ils rentrent le soir : scène imaginaire, grelottante et déserte, pure évocation du couchant, qui ne reposait pas, comme le soir, sur la suite des heures du jour que j'avais l'habitude de voir le précéder […]. »
>
> *op. cit.*, p. 514.

On notera le champ lexical de la destruction (« loques », « débris », « grelottante », « déserte », « couchant ») qui présente l'aurore comme une image dégradée du soir. Le ralentissement obtenu par la pause descriptive correspond au point culminant de la souffrance intérieure du héros qui, envahissant la fin du récit, prépare et explique la dernière phrase du volume : « Il faut absolument que j'épouse Albertine. »

L'ÉNONCÉ : LA FIN DE L'HISTOIRE

La fin du roman, ce n'est pas seulement la fin du récit, c'est aussi la fin de l'histoire. Si la clausule se manifeste sur le plan de l'énonciation, elle se laisse également lire dans l'énoncé. Concernant le contenu du roman, il convient de distinguer le niveau événementiel (où se joue la clôture dramatique) et le niveau thématique (qui assure la finition « sémantique » du roman).

Rappelons que, d'un point de vue sémiotique, une histoire se définit comme le passage d'un état A à un état B. Au niveau événementiel, la fin du roman correspond donc à l'aboutissement du processus de transformation. Le passage à l'état B peut se présenter sous la forme d'une « liquidation » *(L'Assommoir)*, d'une « métamorphose » *(Au Bonheur des dames)* ou d'une « ouverture » *(Germinal)*.

Sur le plan thématique, le sentiment de finition est obtenu lorsque le terme du récit coïncide avec l'un des thèmes ou motifs spontanément associés à l'idée de fin. Pour reprendre la tripartition précédente, le roman se présentera comme un objet « fini » lorsque la liquidation coïncide avec la mort ou la tombée de la nuit, la métamorphose avec une nouvelle naissance, un mariage ou le lever du jour, et l'ouverture avec une rencontre ou un nouveau départ. Alors que les romans pessimistes se terminent logiquement avec la nuit *(Le Rouge et le Noir)*, les romans plus optimistes préfèrent s'achever sur le motif de la lumière, souvent associé à celui de la route *(Germinal)* ou du port *(La Condition humaine)*.

Si tout roman prend soin d'annoncer et de souligner la fin, c'est qu'il s'agit d'un moment surdéterminé du récit qui remplit un certain nombre de fonctions.

FONCTIONS

La fin (en tant que clôture) joue un rôle essentiel dans la construction du sens global. Plus précisément, elle remplit trois fonctions : en tant que *bilan*, elle permet de hiérarchiser l'information ; en tant que *dénouement*, elle apporte des réponses aux principales questions suscitées par le récit ; en tant que *clé*, elle donne un certain nombre de directives interprétatives.

LA TOTALISATION DU SENS : BILAN ET HIÉRARCHISATION DE L'INFORMATION

La fin sert d'abord à dresser un bilan : elle a une fonction récapitulative. Parvenu à la fin de son parcours, le héros est généralement conduit à un retour réflexif sur l'ensemble de son action. Ayant désormais le recul nécessaire, il peut faire la part – directement ou par le biais d'un tiers, narrateur ou personnage – entre l'essentiel et l'accessoire et souligner ce qui mérite d'être retenu. Ce « bilan » bénéficie au lecteur qui, en raison des limites de la mémoire, ne peut tout retenir d'un texte. Les dernières lignes d'« Un amour de Swann » nous indiquent ainsi, par la bouche du personnage, ce qu'il faut retenir du récit :

> « Dire que j'ai gâché des années de ma vie, que j'ai voulu mourir, que j'ai eu mon plus grand amour, pour une femme qui ne me plaisait pas, qui n'était pas mon genre ! »
>
> Proust, *Du côté de chez Swann*, Paris, Gallimard, coll. « Folio », 1954, p. 450.

Les propos de Pangloss à la fin de *Candide* remplissent une fonction analogue :

> « Tous les événements sont enchaînés dans le meilleur des mondes possibles ; car enfin, si vous n'aviez pas été chassé d'un beau château à grands coups de pied dans le derrière pour l'amour de Mademoiselle Cunégonde, si vous n'aviez pas été mis à l'Inquisition, si vous n'aviez pas couru l'Amérique à pied, si vous n'aviez pas donné un bon coup d'épée au baron, si vous n'aviez pas perdu tous vos moutons du bon pays d'Eldorado, vous ne mangeriez pas ici des cédrats confits et des pistaches. »
>
> Voltaire, *Candide*, dans *Romans et contes*, Paris, Gallimard, coll. « Folio », 1972, p. 234.

La fin du récit rappelle les événements principaux de l'intrigue tout en indiquant (de façon ironique dans le texte de Voltaire) la leçon qu'il convient d'en tirer.

LE DÉNOUEMENT : RÉPONSES ET SOLUTIONS

Si l'on s'accorde sur l'idée que tout récit commence par séduire le lecteur en suscitant sa curiosité, il est possible de concevoir l'ensemble de la lecture romanesque à partir de la dialectique questions/réponses. R. Barthes *(S/Z)* proposait ainsi d'analyser la mécanique narrative à travers le « code herméneutique » (« ensemble des unités qui ont pour fonction […] de formuler une énigme et d'amener son déchiffrement »). Si le texte maintient l'intérêt en suscitant des questions, il prendra logiquement fin (du moins, s'agissant des récits « fermés ») lorsque l'ensemble des questions auront reçu une réponse. Le cas typique est celui du roman policier.

Même si le code herméneutique n'est pas également sollicité dans tous les textes, tout récit peut se concevoir comme un éclairage progressif du titre, qui ne sera pleinement réalisé qu'à la dernière page. C'est ce que confirment des romans comme *Illusions perdues*, *L'Emploi du temps* ou *Moderato cantabile*. *Quo Vadis* en est un exemple particulièrement probant :

« Ainsi passa Néron, comme passent la rafale, la tempête, l'incendie, la guerre ou la peste ; tandis que, des hauteurs du Vatican, règne désormais sur la ville et sur le monde la basilique de Pierre.

Non loin de l'antique Porte Capène, s'élève aujourd'hui une chapelle minuscule, avec cette inscription à demi effacée : *quo vadis, domine ?* »
Sienkiewicz, *Quo Vadis*, Paris, Garnier-Flammarion, 1983, p. 514.

Si le dénouement éclaire le titre, il se présente également comme une réponse à l'incipit. Alors que les premières lignes mettent en place le drame (le déséquilibre) et pointent le vide à combler, la fin correspond souvent à l'instauration d'un nouvel équilibre. C'est ce que l'on peut voir avec *Les Misérables* (la justice du Ciel a compensé les failles de la justice des hommes) ou *Au Bonheur des dames* (Denise, arrivée pauvre et vulnérable, finit heureuse, riche et mariée). On citera aussi les dernières paroles de Moll Flanders (sans se prononcer sur la question débattue de la sincérité de l'héroïne) :

« Mon mari demeura là-bas quelque temps après moi afin de régler nos affaires, et d'abord j'avais eu l'intention de retourner auprès de lui, mais sur son désir je changeai de résolution et il est revenu aussi en Angleterre où nous sommes résolus à passer les années qui nous restent dans une pénitence sincère pour la mauvaise vie que nous avons menée. »
Defoe, *Moll Flanders*, Paris, Gallimard, coll. « Folio », 1979, p. 523.

Le repentir « compense » les fautes passées et la sédentarisation met un terme définitif au nomadisme de la *picara*.

LA CLÉ : LES DIRECTIVES INTERPRÉTATIVES

La fonction essentielle de la fin est cependant d'orienter l'interprétation du récit en fournissant un certain nombre de clés. Représentant le dernier contact du lecteur avec l'histoire, les dernières lignes ont la responsabilité de l'impression ultime que le lecteur va garder de l'ensemble. Le dernier mot apparaît naturellement comme le mot de la fin. De fait, de nombreux romans s'achèvent sur une phrase au tour sentencieux, ayant valeur de jugement : « Elle savait maintenant que ce n'est pas de mériter qui importe mais d'aimer », écrit Mauriac à la fin de *La Pharisienne* (Paris, Grasset, 1941, p. 279). Dans un autre registre, *Là-bas* se termine sur une réplique qui en dit long sur la vision désenchantée que Huysmans a de la génération à venir : « Ils feront comme leurs pères, comme leurs mères, répondit Durtal ; ils s'empliront les tripes et ils se vidangeront l'âme par le bas-ventre ! » (*op. cit.*, p. 282).

Si la leçon n'est pas forcément aussi explicite, la dernière phrase est cependant toujours travaillée et retentit sur l'ensemble du texte. *Notre-Dame de Paris* se clôt sur l'image saisissante d'une union *post-mortem* (« Quand on voulut le détacher du squelette qu'il embrassait, il tomba en poussière », Paris, Le Livre de poche, 1973, p. 654) et *Le Roi des Aulnes* sur un motif lumineux qui éclaire, *in fine*, un roman de ténèbres (« Quand il leva pour la dernière fois la tête vers Éphraïm, il ne vit qu'une étoile d'or à six branches qui tournait lentement dans le ciel noir », *op. cit.*, p. 581).

Avant la phrase finale, nombre de romans proposent un sommaire conclusif qui, comme le note G. Larroux, fait figure d'épilogue. Prenant la forme d'un discours qui se démarque du récit et vient après l'histoire, cette « conclusion » apparaît comme un commentaire final destiné à éclairer le sens de l'intrigue. Il arrive qu'elle délivre explicitement une morale :

> « Mais ici commence une nouvelle histoire, histoire de la rénovation progressive d'un homme, histoire de sa régénération graduelle, de son passage pas à pas d'un univers dans un autre, de son initiation à une réalité nouvelle, jusque-là absolument inconnue. Cela pourrait être le sujet d'un nouveau récit : celui-ci est terminé. »
>
> Dostoïevski, *Crime et châtiment*,
> Paris, Garnier-Flammarion, 1984, p. 626.

Mais elle peut se limiter à un simple constat dont le sens n'est qu'implicite :

> « Depuis la mort de Bovary, trois médecins se sont succédé à Yonville sans pouvoir y réussir, tant M. Homais les a tout de suite battus en brèche. Il fait une clientèle d'enfer ; l'autorité le ménage et l'opinion publique le protège.
> Il vient de recevoir la croix d'honneur. »
>
> Flaubert, *Madame Bovary, op. cit.*, p. 411.

L'épilogue peut aussi suggérer un sens sans préciser lequel, ou choisir de rester énigmatique :

> « En attendant le pire, l'histoire est terminée. Mais attendez. Vous verrez. Je (notez que je n'ai pas employé ce mot trop souvent) crois qu'on peut leur faire confiance. Ce serait vraiment singulier si, un de ces jours qui viennent, à propos d'Adam ou de quelque autre d'entre lui, il n'y avait rien à dire. »
>
> Le Clézio, *Le Procès-Verbal*,
> Paris, Gallimard, coll. « Folio », 1963, p. 315.

Comme on le voit, toutes les fins ne sont pas fermées.

FIN OUVERTES ET FINS FERMÉES

Si la fin matérielle du livre est inévitable, on ne peut en dire autant de la fin de l'histoire. La dernière page du livre ne coïncide pas toujours avec le terme de l'« aventure ». Il existe un certain nombre de cas où, lorsque s'achève le texte, rien n'est vraiment bouclé ni accompli. Tout se passe comme si le roman interrompait arbitrairement le récit d'une histoire en cours. On parlera dans ce dernier cas de fins « ouvertes » par opposition aux fins « fermées ».

On peut définir la fin fermée comme une correspondance entre clôture du texte et clôture du sens : le terme formel du roman coïncide avec son bouclage sémantique. Le lecteur a ainsi le sentiment qu'il est face à un ensemble fini, cohérent et clos. C'est l'option retenue par la plupart des romans « classiques » que R. Barthes qualifie pour cette raison de « textes lisibles ». *Le Rouge et le Noir* s'achève ainsi sur la mort des deux protagonistes, qui met naturellement et définitivement un terme à l'histoire :

> « Mme de Rênal fut fidèle à sa promesse. Elle ne chercha en aucune manière à attenter à sa vie ; mais trois jours après Julien, elle mourut en embrassant ses enfants. »
>
> *op. cit.*, p. 500.

On parlera donc de fin « ouverte » lorsque la fin de l'histoire ne correspond pas à la fin du texte. Les modalités de l'ouverture peuvent être diverses. Il peut s'agir d'une absence de fin *(Mort à crédit)* ou de l'amorce d'un prolongement *(Le Procès-Verbal)*. On est parfois confronté à une interruption brutale qui ne résout rien *(L'Emploi du temps* se termine parce que Revel doit quitter la ville de Bleston) ou à une incertitude sur ce qui se passe exactement (on ne sait si la fin du *Roi des Aulnes* doit être lue comme une apothéose ou une ultime régression du héros). On peut également évoquer les œuvres fondées sur le retour des personnages, qui montrent que la quête du héros ne finit pas avec un récit particulier. Ainsi, le parcours de Lucien de Rubempré ne s'achève pas avec *Illusions perdues* de même que celui de d'Artagnan ne se termine pas avec *Les Trois Mousquetaires*.

Les fins ouvertes ne sont donc pas le propre de la modernité. On pourrait, comme le propose G. Larroux, distinguer entre une déceptivité classique fondée sur « le repli de la narration » et une déceptivité moderne fondée sur la « suspension du sens ». Dans le premier cas, le sentiment d'inachèvement est une conséquence du non-dit de la narration (il relève donc de la responsabilité du narrateur) ; dans le second, l'indécidabilité du sens est un fait objectif qui s'impose à la fois au narrateur et au lecteur. *La Duchesse de Langeais* est un exemple du premier cas, *Le Ravissement de Lol V. Stein* (voir commentaire, p. 187-192), du second.

ROMANESQUE BLANC ET ROMANESQUE NOIR

Se demandant ce qui fait la force d'attraction des histoires, J.-M. Schaeffer remarque que, la plupart du temps, ce que recherche l'auditeur, le lecteur ou le spectateur, c'est une compensation à une réalité qui ne donne pas satisfaction. Le « romanesque » (entendu comme une catégorie qui déborde le roman et se retrouve dans la plupart des fictions, du cinéma au jeu vidéo) répondrait à un besoin psychologique universel. Il permettrait de fuir les difficultés du monde réel tout en suggérant un « programme de vie ». Cette fonction double de « compensation » et de « modélisation » en ferait l'un des médiums privilégiés de l'« utopie existentielle ». Cette utopie se déclinerait cependant selon deux modalités très différentes et, à première vue, contradictoires. Le « romanesque blanc » dessinerait les contours d'un monde idéal où le bien finit toujours par s'imposer ; le « romanesque noir » satisferait nos pulsions refoulées en nous immergeant dans un monde où le moi pourrait exercer sans aucune limite sa volonté de puissance. Mais que l'utopie se décline sur le plan axiologique (*Robin des bois*) ou sur le plan pulsionnel (*Juliette ou le triomphe du vice*), le romanesque aurait toujours pour rôle de combler nos attentes. « Consommer » des histoires relèverait ainsi d'un besoin anthropologique : celui de satisfaire des désirs qui restent inassouvis dans la réalité.

Pour nous limiter au champ littéraire, il semble en effet que le roman populaire (et, plus généralement, le roman « idéaliste » tel qu'il est défini par Th. Pavel) illustre l'utopie axiologique : le mariage d'Ivanhoë et de Rowena, la vengeance de Monte-Cristo, ou encore le dénouement de *Sans Famille* ou d'*Oliver Twist*, entérinent l'idée que les plus grands malheurs ont un terme et que la misère du monde et la noirceur des hommes ne peuvent empêcher le bien de triompher.

Symétriquement, le roman gothique, la littérature érotique, ainsi que tous les passages romanesques (de Sade à Houellebecq en passant par Balzac et Zola) faisant la part belle au sexe, à la violence et à la soif de pouvoir nous renvoient à l'utopie pulsionnelle.

Il est bien sûr possible (et particulièrement efficace) de combiner les deux orientations, en dédouanant une intrigue aguicheuse et complaisante par un dénouement moral et vertueux. C'est ce que fait Dumas dans *Les Trois Mousquetaires*. Le narrateur, tout en suscitant chez le lecteur un plaisir de type sadique, gomme ce que ce dernier pourrait avoir de dérangeant en campant ses personnages en défenseurs de la morale sociale et religieuse. C'est ce qui apparaît dans cet extrait du chapitre 66, évoquant l'exécution nocturne de Milady en pleine nature :

> « "Où vais-je mourir ? dit-elle.
> – Sur l'autre rive", répondit le bourreau.
> Alors il la fit entrer dans la barque, et, comme il allait y mettre le pied, Athos lui remit une somme d'argent.
> "Tenez, dit-il, voici le prix de l'exécution ; que l'on voie bien que nous agissons en juges.
> – C'est bien, dit le bourreau ; et que maintenant, à son tour, cette femme sache que je n'accomplis pas mon métier, mais mon devoir."
> Et il jeta l'argent dans la rivière.
> Le bateau s'éloigna vers la rive gauche de la Lys, emportant la coupable et l'exécuteur ; tous les autres demeurèrent sur la rive droite, où ils étaient tombés à genoux. »
> Dumas, *Les Trois Mousquetaires*, Paris, Le Livre de Poche, 1973, p. 612.

Cette scène nous présente l'exécution d'une jeune femme séduisante, vulnérable et désarmée, qui n'a aucune chance de s'en sortir. Mais les personnages ne semblent guère affectés par le côté quelque peu trouble de la situation. Ils se réclament explicitement de la justice (ils agissent « en juges »), se conforment aux normes officielles (ils font appel à un bourreau professionnel) et bénéficient de la bienveillante caution du narrateur (qui désigne Milady comme « la coupable »). Non contents de s'inscrire dans la morale sociale, ils se revendiquent également de la morale chrétienne. Le bourreau, refusant tout salaire, n'entend agir que par « devoir » ; et, pour que les choses soient bien claires, Athos et ses compagnons se mettent « à genoux », dans une position de prière. En authentiques croyants, ils se soucient de l'âme de la pécheresse.

Rien ne nous sera pourtant épargné des détails sordides de l'exécution :

« Alors on vit, de l'autre rive, le bourreau lever lentement ses deux bras, un rayon de lune se refléta sur la lame de sa large épée, les deux bras retombèrent ; on entendit le sifflement du cimeterre et le cri de la victime, puis une masse tronquée s'affaissa sous le coup.

Alors le bourreau détacha son manteau rouge, l'étendit à terre, y coucha le corps, y jeta la tête, le noua par les quatre coins, le chargea sur son épaule et remonta dans le bateau. »

ibid., p. 612-613.

La souffrance de la victime (indiquée par son « cri »), la précision anatomique de la décapitation (la « masse tronquée »), le mépris vengeur d'une description où « la coupable » est traitée comme un objet sans valeur (la tête est jetée sans ménagement, le cadavre chargé comme un vulgaire fardeau) témoignent d'une volonté de dégrader autant qu'il est possible le corps féminin. Après avoir sollicité la conscience morale du lecteur, le texte n'hésite pas à le camper en voyeur.

Synthèse

À partir des travaux du folkloriste russe V. Propp, la sémantique narrative a cherché à identifier le noyau originel commun à toutes les intrigues. Le schéma quinaire, en faisant ressortir les cinq étapes indispensables à la mise en place d'une histoire, témoigne ainsi de l'unité de l'imaginaire humain. La fin de l'histoire est annoncée par une série de signaux clausulaires. En tant que clôture, elle remplit trois fonctions principales : elle permet de hiérarchiser l'information ; elle apporte des réponses aux questions suscitées par le récit ; elle donne un certain nombre de directives interprétatives. Qu'il dessine un monde idéal où le bien finit par l'emporter ou qu'il nous permette, par personnages interposés, de satisfaire notre volonté de puissance, le romanesque a pour fonction de répondre à nos désirs.

LECTURES CONSEILLÉES

V. PROPP

Morphologie du conte (1928), trad. fse, Paris, Éd. du Seuil, coll. « Points », 1970.

Ouvrage de référence qui, l'un des premiers, s'est attaché à dégager les éléments constitutifs d'un texte narratif, en l'occurrence le conte merveilleux russe.

P. LARIVAILLE

« L'analyse (morpho)logique du récit », *Poétique*, n° 19, 1974.

Cet article présente de façon détaillée le schéma quinaire de l'intrigue.

J.-M. ADAM

Le Texte narratif, Paris, Nathan, 1985.

Ouvrage très complet qui s'appuie sur une synthèse des travaux de linguistique textuelle et de sémiotique pour proposer une analyse approfondie du type textuel narratif.

Ph. HAMON

« Clausules », *Poétique*, n° 24, 1975.

Article fondateur à l'origine de la distinction conceptuelle entre *clausule, clôture* et *clé*.

G. LARROUX

Le Mot de la fin, la clôture romanesque en question, Paris, Nathan, 1995.

Ouvrage de référence sur l'approche narratologique et poéticienne de la « fin » narrative.

J.-M. SCHAEFFER, « La catégorie du romanesque », *Le Romanesque*, G. Declercq et M. Murat (dir.), Paris, Presses de la Sorbonne Nouvelle, 2004, p. 291-302.

Article qui s'interroge sur les ressorts du romanesque, entendu comme catégorie anthropologique excédant le cas particulier du roman et que l'on retrouve dans la plupart des fictions.

CHAPITRE 4

LE MOTEUR DU ROMAN : LES PERSONNAGES

Le personnage est, après l'intrigue, le deuxième objet d'étude privilégié par la sémiotique. De même qu'elle considère qu'on peut ramener toute histoire à un modèle logique relativement simple, la critique de tendance greimassienne pense qu'on peut retrouver dans l'infinie pluralité des récits le même système de personnages. Toute histoire étant fondée sur un conflit, il existe au moins deux « rôles » présents dans tout roman : le sujet et son adversaire. Il s'agit aussi bien de Jean Valjean aux prises avec Javert *(Les Misérables)* que de Marcel luttant contre les séductions de la vie mondaine *(La Recherche)* ou de Kyo refusant les limites de l'existence *(La Condition humaine)*. L'analyse sémiotique – qui s'intéresse essentiellement à ce que *fait* le personnage (son parcours) – a cependant été précisée, aménagée, voire reformulée par une démarche d'inspiration plus poéticienne qui prend aussi en compte ce qu'*est* le personnage (son portrait) et que l'on doit, entre autres, à Philippe Hamon.

On présentera successivement les deux approches, moins opposées que complémentaires, avant d'indiquer les nouvelles perspectives ouvertes par les théories de la lecture.

LE PERSONNAGE COMME FONCTION

Précisons, pour commencer, qu'en sémiotique narrative la notion de « personnage » n'existe pas. Elle est remplacée par trois concepts qui interviennent à des niveaux différents de description du récit : l'*acteur*, l'*actant* et le *rôle thématique*.

ACTANT, ACTEUR, RÔLE THÉMATIQUE

Avant de définir le contenu de chacun de ces termes, il convient de distinguer clairement le niveau *de la manifestation* (qui renvoie au texte donné, tel qu'il se présente à la lecture) de la « grammaire » du récit reconstruite par l'analyse. Cette grammaire comprend une *composante narrative* (la logique des actions mises en scène dans le récit) et une *composante thématique* (les « contenus » véhiculés par la syntaxe narrative).

Selon le niveau d'analyse retenu, on n'envisagera pas le personnage sous le même angle.

L'ACTEUR

L'*acteur* intervient au niveau *de la manifestation*. Un récit a besoin d'un certain nombre d'actions pour fonctionner. L'acteur est l'instance chargée de les assumer. Défini comme « exécutant », incarnation des rôles nécessaires au déroulement du récit, l'acteur est le concept qui se rapproche le plus de la notion traditionnelle de « personnage ». On a vu que le récit était construit sur une opposition entre un sujet et son adversaire. Ces deux « rôles » seront assumés par des *acteurs* différents selon les romans. Dans *Le Nœud de vipères*, par exemple, l'acteur remplissant le rôle du sujet est Louis, l'avocat vieillissant, alors que l'acteur assumant le rôle de l'adversaire est sa famille. Dans *L'Étranger*, c'est l'acteur Meursault qui joue le rôle du sujet alors que le rôle de l'adversaire est tenu par les représentants de l'ordre social et de la morale collective.

L'ACTANT

L'*actant* est un terme utilisé dans l'analyse de la composante *narrative*. Ce n'est donc pas une donnée du texte, mais une notion construite par l'analyse. L'actant se définit comme un rôle nécessaire à l'existence du récit (rôle que les acteurs ont pour fonction de prendre en charge). On sait que, selon Greimas, les actants (ou rôles actantiels) sont au nombre de six :
– *Sujet - Objet* ;
– *Opposant - Adjuvant* ;
– *Destinateur - Destinataire*.

Tout récit se présente en effet comme la quête d'un *objet* par un *sujet*. Il peut s'agir d'une quête amoureuse *(Aurélien)* comme d'une quête mystique *(Jour-*

nal d'un curé de campagne), de la recherche d'une fortune *(L'Île au trésor)* comme de celle d'un coupable *(Le Crime de l'Orient-Express)*. Les obstacles, inévitables dans toute quête, font surgir des *opposants* que le sujet affronte avec l'aide d'*adjuvants*. Si les opposants de d'Artagnan dans sa quête du titre de mousquetaire sont Rochefort, Milady et les gardes du Cardinal, il bénéficie du soutien de ces adjuvants que sont Athos, Porthos et Aramis. La quête a, en outre, une origine (le *destinateur*) et une finalité qui, outre le sujet, peut concerner différents personnages (les *destinataires*). Dans *Les Misérables*, la quête de Jean Valjean a ainsi pour destinateur Mgr Myriel (le premier personnage à orienter l'ancien bagnard sur la voie du bien) et, au-delà de lui, la figure même de Dieu ; le destinataire comprend tous les personnages pour le bien desquels Valjean s'est sacrifié : Cosette et Marius, en particulier.

LE SCHÉMA ACTANTIEL DES TROIS MOUSQUETAIRES

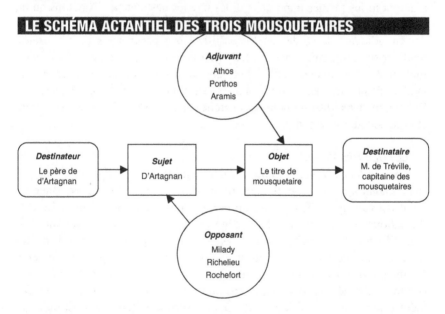

LA RELATION ACTEUR/ACTANT

Ce schéma très (trop) connu appelle plusieurs précisions destinées à éviter toute simplification.

Il n'y a pas d'adéquation stricte entre l'acteur et l'actant. Un acteur unique peut parfaitement remplir plusieurs rôles actantiels. C'est le cas des romans du conflit intérieur, où un personnage, déchiré entre des sentiments contradictoires, assume à la fois les rôles d'adjuvant et d'opposant. Ainsi Raskolnikov, dans *Crime et châtiment*, est partagé entre sa volonté de puissance et sa mauvaise conscience. À l'inverse, différents acteurs peuvent être regroupés en un seul actant. Un roman comme *Les Misérables* rassemble dans une même catégorie actantielle – l'opposant – des acteurs aussi différents que Javert et Thénardier.

Dans la mesure où la notion de « schéma actantiel » s'articule autour de l'idée de « quête » (de « programme narratif » dans la terminologie de Greimas), il y aura, au sein d'un même récit, autant de schémas actantiels que de programmes narratifs. *Les Frères Karamazov* de Dostoïevski propose, au moins, trois quêtes différentes : celles d'Ivan, d'Aliocha et de Dimitri. Chacun des personnages fait figure de sujet autour duquel s'organise un schéma actantiel particulier. Ne visant pas les mêmes objectifs, les frères Karamazov n'auront ni les mêmes opposants, ni les mêmes destinateurs. Ajoutons qu'un acteur peut changer de rôle actantiel (Javert, d'abord opposant de Jean Valjean, devient adjuvant de ce dernier lorsqu'il le laisse partir après l'avoir arrêté), modifier son programme narratif (Abel Tiffauges, le héros du *Roi des Aulnes*, imite d'abord le modèle négatif de l'ogre des légendes avant de se référer au modèle positif de saint Christophe) ou en poursuivre plusieurs (Lucien de Rubempré, dans *Illusions perdues*, cherche à la fois la reconnaissance littéraire et la considération sociale).

LE RÔLE THÉMATIQUE

Le *rôle thématique*, comme son nom l'indique, participe de la composante *thématique* de la grammaire du récit. Il désigne l'acteur envisagé du point de vue figuratif, c'est-à-dire comme porteur d'un « sens ». Le rôle thématique renvoie ainsi à des catégories psychologiques (la femme infidèle, l'hypocrite, le lâche, etc.) ou sociales (le banquier, l'ouvrier, l'instituteur, etc.) qui permettent d'identifier le personnage sur le plan du contenu. Greimas (*Du sens*, II, Paris, Éd. du Seuil, 1983) peut ainsi définir l'acteur comme « chargé à la fois d'au moins un rôle actantiel et d'au moins un rôle thématique » (p. 66). Si le rôle actantiel assure le fonctionnement du récit, le rôle thématique lui permet de véhiculer du sens et des valeurs. De fait, la signification d'un texte tient en grande partie aux combinaisons entre rôles actantiels et rôles thématiques. Que le sujet de la quête soit un saint (le prince Mychkine dans *L'Idiot*) ou un pervers (Abel Tiffauges), un chevalier (Yvain) ou un bagnard (Jean Valjean), ne peut être indifférent pour la portée idéologique d'un roman.

La notion de personnage en sémiotique narrative

« Si l'on réserve au terme d'*acteur* son statut d'unité lexicale du discours, tout en définissant son contenu sémantique minimal par la présence des sèmes : *a) entité figurative* (anthropomorphique, zoomorphique ou autre), *b) animé* et *c)* susceptible d'*individuation* (concrétisé, dans le cas de certains récits, surtout littéraires, par l'attribution d'un nom propre), on s'aperçoit que tel acteur est capable d'assumer un ou plusieurs rôles [...]. On peut essayer de définir à partir de là le concept de *rôle* : au niveau du discours, il se manifeste, d'une part, comme une qualification, comme un attribut de l'acteur, et, d'autre part, cette qualification n'est, du point de vue sémantique, que la dénomination subsumant un champ de fonctions (c'est-à-dire de comportements réellement notés dans le récit, ou simplement sous-entendus). Le contenu sémantique minimal du *rôle* est, par conséquent, identique à celui de l'acteur, *à l'exception toutefois du sème d'individuation* qu'il ne comporte pas : le rôle est une entité figurative animée, mais anonyme et *sociale*; l'acteur, en retour, est un *individu* intégrant et assumant un ou plusieurs rôles.

S'il en va ainsi, le jeu narratif se joue non pas à deux niveaux, mais à *trois niveaux* distincts : les *rôles*, unités actantielles élémentaires correspondant aux champs fonctionnels cohérents, entrent dans la composition de deux sortes d'unités plus larges : les *acteurs*, unités du discours, et les *actants*, unités du récit. »

A.-J. Greimas, *Du sens*, Paris, Le Seuil, 1970, p. 255-256.

Les rôles thématiques peuvent être très nombreux : seuls sont pertinents pour la compréhension du roman ceux qui participent des domaines d'action privilégiés par l'intrigue. Ces domaines d'action, appelés par Ph. Hamon « axes préférentiels », et qui permettent de comparer entre eux les principaux personnages, renvoient à des thèmes très généraux comme le sexe, l'origine géographique, l'idéologie ou l'argent. Si l'axe préférentiel est celui du *sexe*, les personnages se présenteront à travers les rôles thématiques de *sexué* ou d'*asexué*, d'*homme* ou de *femme*, d'*hétérosexuel* ou d'*homosexuel*. Si l'axe pertinent est celui de l'*origine géographique*, les rôles thématiques seront alors ceux de l'*étranger*, de l'*autochtone* ou de l'*intrus*. C'est à travers la nature et la répartition de ces rôles que passera en grande partie le sens du roman. On peut ainsi dégager dans *Les Liaisons dangereuses* de Laclos les axes préférentiels du *désir* et de l'*amour*. C'est donc par rapport à ces deux domaines d'action que l'on identifiera les rôles thématiques assumés par les différents personnages. On constatera ainsi que Valmont, du côté du désir, joue le rôle thématique du « séducteur cynique et sans scrupules », alors que Cécile, du côté de l'amour, assume celui de « la jeune fille candide et vertueuse ». L'intérêt du roman est, bien sûr, dans la progressive complication de ces rôles initiaux. Dans un roman comme *Robinson Crusoé*, c'est l'identité culturelle qui sera l'axe préférentiel le plus important, Robinson assumant le rôle thématique du « civilisé » et Vendredi celui du « sauvage ».

PARCOURS ET PROGRAMMES

Le modèle sémiotique du récit n'est pas, on l'a vu, destiné à l'étude des textes, mais à la mise au point d'une grammaire narrative. L'objectif de Greimas, en mettant en évidence la structure commune à tous les récits, était d'éclairer le processus de « signification ». Ce type de recherche a cependant un intérêt majeur pour l'analyse littéraire. Grâce aux notions d'*acteur*, d'*actant* et de *rôle thématique*, il est possible d'analyser l'« effet-valeur » d'un roman, la façon dont ce dernier véhicule une idéologie et la transmet au lecteur. Le récit se présentant comme l'orientation d'un sujet vers un objet, on peut en effet déceler les valeurs qui animent le sujet à travers le choix de l'objet, les moyens mis en œuvre pour l'obtenir et les déterminations à l'origine de la quête.

La notion de « programme narratif » est, à cet égard, particulièrement intéressante. Elle permet de préciser comment s'articulent les différents rôles actantiels dans le parcours d'un personnage particulier.

Le programme narratif d'un personnage (PN) se présente, selon Greimas, comme une séquence de quatre phases – *manipulation, compétence, performance, sanction* – que l'on peut repérer grâce à l'analyse des modalités (pouvoir, savoir, devoir, vouloir).

LA MANIPULATION

La *manipulation* correspond à la mise en route du PN. Elle suppose un destinateur cherchant à transmettre au sujet de la quête un /vouloir-faire/ ou un /devoir-faire/. Si la Justine de Sade est mue par la morale sociale qui lui impose des devoirs, les prêtres libertins auxquels elle s'oppose ont pour destinateur le désir. La manipulation est donc la phase où sont fixées les valeurs. Sa mise au jour permet de savoir ce qui motive le personnage, quels sont les individus ou les normes qui le font agir, et quelles sont les stratégies dont on a usé pour le convaincre. Dans la manipulation peuvent donc intervenir aussi bien des valeurs et des idées que des personnes, des désirs ou des institutions. Si ce sont des valeurs (l'amour de Dieu) qui sont à l'origine de la quête de Donissan dans *Sous le soleil de Satan*, ce sont des institutions (la société, l'armée, l'hôpital) qui promènent Bardamu autour du monde dans *Voyage au bout de la nuit*.

LA COMPÉTENCE

La *compétence* s'acquiert par une série d'épreuves qualifiantes dotant le sujet du /pouvoir-faire/ et du /savoir-faire/ nécessaires à l'action. Elle est à analyser en relation avec la performance (dans quelle mesure le pouvoir et le savoir du personnage se réalisent-ils dans des actes concrets ?), par rapport à la manipulation (pour quels motifs et à quelle fin le personnage a-t-il cherché à acquérir une compétence ?) et à la lumière de la sanction (la compétence a-t-elle permis de réussir ?). C'est faute d'un savoir suffisant sur le monde qui l'entoure que la quête de K. se clôt sur une sanction négative dans *Le Procès*. En revanche, c'est parce que sa fortune lui a donné la compétence requise qu'Edmond Dantès peut se venger de ses ennemis dans *Le Comte de Monte-Cristo*.

LA PERFORMANCE ET LA SANCTION

La *sanction* est, après la phase d'accomplissement que constitue la *performance*, l'épisode ultime de la séquence. Phase de clôture où l'action est interprétée et évaluée, elle est, avec la manipulation, l'autre lieu privilégié de la manifestation des valeurs. Elle permet de comparer les valeurs réalisées avec les valeurs proférées, de voir comment et par qui est jugée l'action du sujet. Son rôle essentiel est de mettre en évidence le bien-fondé du PN : était-il ou non judicieux ? Ses résultats sont-ils convaincants ? Le succès des libertins chez Sade et l'échec de sa vertueuse héroïne ne laissent guère de doute sur les valeurs cautionnées par le récit. En revanche, même si Étienne a échoué dans *Germinal*, les résultats de sa quête demeurent convaincants dans la mesure où il a rendu la dignité aux mineurs.

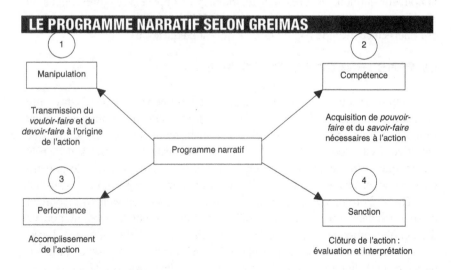

LE PROGRAMME NARRATIF SELON GREIMAS

1 — Manipulation
Transmission du *vouloir-faire* et du *devoir-faire* à l'origine de l'action

2 — Compétence
Acquisition de *pouvoir-faire* et du *savoir-faire* nécessaires à l'action

Programme narratif

3 — Performance
Accomplissement de l'action

4 — Sanction
Clôture de l'action : évaluation et interprétation

Concrètement, comment procéder face à un texte ? Si l'on a affaire à un récit court, on peut, comme l'a fait Greimas pour *Deux amis* de Maupassant, lire attentivement le texte phrase par phrase et, en se fondant sur les modalités, analyser chaque passage à partir des quatre séquences mentionnées ci-dessus (manipulation, compétence, performance, sanction). On pourra ainsi reconstituer les différents programmes narratifs. Dans le cas d'un récit plus ample, comme le roman, il semble qu'une telle méthode défie la patience du lecteur. On aura alors intérêt, comme l'a fait L. Korthals Altes dans son étude sémiotique du *Roi des Aulnes* de Tournier, à identifier préalablement les principaux personnages pour essayer, dans un second temps, de reconstruire leurs *parcours narratifs*. Une fois ce travail accompli, il sera productif d'examiner pour chaque PN quelles sont les phases surévaluées ou négligées (pourquoi insiste-t-on sur la manipulation dans le programme de tel acteur et très peu sur sa performance ? pourquoi la compétence de tel autre n'est-elle pas mentionnée ?).

Vu l'organisation fondamentalement polémique du récit, on aura également intérêt à s'interroger sur les relations entre les PN : y a-t-il entre eux simple juxtaposition ou, au contraire, succession logique, subordination, opposition ? En tout état de cause, le modèle conflictuel – matrice du schéma actantiel – présente le récit comme la dramatisation d'un conflit de valeurs. Lorsque d'Artagnan s'oppose à Rochefort, c'est le conflit entre la loyauté et la noirceur qui nous est présenté ; lorsque Kyo s'oppose aux représentants du Komintern, c'est la lutte entre l'authenticité de l'engagement révolutionnaire et l'obéissance aveugle à la hiérarchie qui est en question.

LE PERSONNAGE COMME SIGNE

L'approche sémiologique est née, elle aussi, d'une volonté de réagir contre les études empiriques. Elle vise à faire du personnage une notion théorique rigoureuse, mais en tâchant d'éviter certaines réductions de la sémiotique narrative. Cette dernière (malgré la proposition tardive du concept de « rôle thématique ») limite en effet le personnage à son « faire ». Or, si le personnage est bel et bien un « acteur », il a aussi un nom et un portrait, c'est-à-dire un « être ». Porthos n'est pas seulement une « force » adjuvante qui soutient d'Artagnan dans son conflit avec Rochefort ; c'est aussi un bon vivant, pourvu d'un certain embonpoint, aimant la bonne chère et les belles femmes. Javert n'est pas uniquement celui qui s'oppose à Jean Valjean ; c'est aussi un policier, garant d'un certain ordre social et tourmenté par des tensions intérieures. Ces éléments ne peuvent être négligés lorsqu'on s'interroge sur le sens et la valeur des figures romanesques.

Si l'approche de Ph. Hamon est qualifiée de « sémiologique », c'est qu'elle choisit d'étudier le personnage sur le modèle du signe linguistique.

L'analyse sémiologique du personnage

« Une des premières tâches d'une théorie littéraire rigoureuse ("fonctionnelle" et "immanente" pour reprendre des termes proposés par les formalistes russes) serait donc, sans vouloir pour cela "remplacer" les approches traditionnelles de la question (priorité n'est pas primauté), de faire précéder toute exégèse et tout commentaire d'un stade descriptif qui se déplacerait à l'intérieur d'une stricte problématique *sémiologique* (ou *sémiotique*, comme on voudra). Mais considérer *a priori* le personnage comme un *signe*, c'est-à-dire choisir un "point de vue" qui *construit* cet objet en l'intégrant au message défini lui-même comme une communication, comme composé de signes linguistiques (au lieu de l'accepter comme *donné* par une tradition critique et par une culture centrée sur la notion de personne humaine), cela impliquera que l'analyse reste homogène à son projet et accepte toutes les conséquences méthodologiques qu'il implique. »

Ph. Hamon, « Pour un statut sémiologique du personnage », *in Poétique du récit*, Paris, Éd. du Seuil, coll. « Points », 1977, p. 117.

Le personnage, « signe » du récit, se prête en effet à la même classification que les signes de la langue. De même qu'on distingue, dans le langage, les signes *référentiels* (« table », « arbre », « soleil ») qui désignent une réalité extérieure, les *déictiques* (« je », « ici », « maintenant ») qui renvoient à l'énonciation, c'est-à-dire à la situation particulière dans laquelle ils sont prononcés, et les *anaphoriques* (« celui-ci », « il » ou « elle », etc.) qui reprennent un élément antérieur de l'énoncé, on peut classer les personnages d'un récit en trois catégories.

Les *personnages-référentiels* reflètent la réalité (personnages historiques) ou des représentations fixes, immobilisées par une culture (personnages mythologiques et personnages types). Ce sont, par exemple, Napoléon dans *Les Misérables*, Marat dans *Quatrevingt-treize*, l'ogre dans *Le Roi des Aulnes*, le mineur chez Zola ou le banquier chez Balzac.

Les *personnages-embrayeurs* renvoient au plan de l'énonciation, c'est-à-dire à l'auteur ou au lecteur dont ils dessinent la place dans la fiction (Watson, narrateur-témoin des aventures de Sherlock Holmes, Sancho Pança, observateur critique de l'« épopée » de Don Quichotte).

Les *personnages-anaphores*, enfin, assurent l'unité et la cohésion du récit, soit en préparant la suite (figures de prophètes, de devins ou de prédicateurs), soit en rappelant les éléments essentiels à la compréhension de l'histoire (biographes, enquêteurs, méditatifs plongés dans leurs souvenirs). Que l'on songe à la figure de Merlin dans le cycle arthurien ou au personnage d'Hercule Poirot dans les romans d'Agatha Christie.

Le personnage est ainsi appréhendé par Ph. Hamon comme « un *signifiant discontinu* (un certain nombre de marques) renvoyant à un *signifié discontinu* (le « sens » ou la « valeur » du personnage) » (*ibid.*, p. 124-125). Se constituant progressivement à travers les notations éparses délivrées par le texte, il n'accède à une signification définitive qu'à la dernière ligne.

On peut donc retenir les trois champs d'analyse suivants : le *faire* (rôle et fonctions), l'*être* (nom, dénominations et portrait), l'*importance hiérarchique* (statut et valeur). Dans la mesure où l'étude du « faire » renvoie à l'approche sémiotique, nous nous concentrerons ici sur les deux derniers points.

L'« ÊTRE » DU PERSONNAGE : NOM ET PORTRAIT
LE NOM

L'être du personnage dépend d'abord du nom propre qui, suggérant une individualité, est l'un des instruments les plus efficaces de l'effet de réel. Lucien Leuwen, César Birotteau, David Copperfield doivent d'abord leur densité référentielle à ces noms complets qui miment l'état civil.

L'élimination du nom ou son brouillage ont donc pour conséquence immédiate de déstabiliser le personnage. Tel est, semble-t-il, l'effet recherché par nombre de romans contemporains marqués, à des degrés divers, par la double incertitude sur le sens et les valeurs. Le personnage sera ainsi réduit à un pronom anonyme (« il » ou « elle ») ou un nom de ville (« Hiroshima ») chez Duras, à une lettre chez Kafka, Sarraute ou Bataille. Le brouillage prendra, lui, la forme de l'homonymie (voir les deux Quentin, de sexe différent, dans *Le Bruit et la Fureur* de Faulkner).

Lorsque le nom propre existe, on pourra s'interroger sur sa motivation. Le seul nom d'« Emma Bovary » signale le drame intérieur du personnage partagé entre ses aspirations à des amours romanesques (« aima ») et l'horizon borné de la vie de province (« Bovary » évoque « bovin »). Raskolnikov, le protagoniste de *Crime et châtiment*, signifie, en russe, « schismatique ». Étienne, le héros de *Germinal*, finalement rejeté par les mineurs dont il voulait le salut, renvoie au saint du même nom, mort lapidé.

L'être du personnage peut aussi être analysé à travers les dénominations dont il est l'objet. Appeler un personnage « Fabrice del Dongo », « notre héros » ou « ce jeune homme » n'induit pas le même rapport affectif.

Le portrait, on l'a vu, est constitué par l'addition des signes épars qui, tout au long du récit, caractérisent le personnage. On retiendra quatre domaines privilégiés : le corps, l'habit, la psychologie et la biographie.

LE CORPS

Le portrait physique du personnage passe d'abord par la référence au corps. Ce dernier peut être beau (Fabrice del Dongo), laid (Rochefort), difforme (Quasimodo), humain (la Belle), non humain (la Bête). Le portrait, instrument essentiel de la caractérisation du personnage, participe logiquement à son évaluation. Cependant, si certains genres sont, sur ce plan, strictement codifiés (dans le conte de fées, la sorcière est laide et le prince charmant), il faut se méfier de toute conclusion hâtive dans le cas du roman. Ainsi la laideur de Quasimodo dans *Notre-Dame de Paris* ou, pour rester dans le corpus hugolien, celle de Gwynplaine dans *L'Homme qui rit*, loin d'être des indices de dévaluation, sont, au contraire, des marques d'exception qui placent ces personnages au-delà de la condition commune.

L'HABIT

Le portrait vestimentaire (la référence à l'habit) renseigne non seulement sur l'origine sociale et culturelle du personnage, mais aussi sur sa relation au paraître. On pourrait ainsi classer les personnages de Zola en deux catégories : ceux qui portent la casquette (les ouvriers) et ceux qui portent le chapeau (les bourgeois). Dans d'autres textes (voir, par exemple, *Robinson Crusoé*), c'est l'opposition nu/habillé qui sera pertinente.

LA PSYCHOLOGIE

Le portrait psychologique est essentiellement fondé sur les modalités. C'est le lien du personnage au pouvoir, au savoir, au vouloir et au devoir qui donne l'illusion d'une « vie intérieure ». C'est là que se construit, de façon privilégiée, la relation du lecteur aux êtres romanesques. Selon le jeu modal dont il est le centre, le personnage apparaîtra comme naïf (il ne veut que ce qu'il peut et ne sait que ce qu'il doit) ou comme doté d'une intériorité profonde (il veut plus qu'il ne peut et sait plus qu'il ne doit). On peut comparer, de ce point de vue, les deux figures paternelles mises en scène par Céline dans *Mort à crédit* : alors que le père biologique de Ferdinand, personnage sans ambition, obéissant passivement au conformisme social, relève de la première catégorie, son « père d'adoption », le génial Courtial des Pereires, inventeur farfelu qui cherche toujours à reculer les limites du possible, appartient à la seconde. Ce qui caractérise la quête de Courtial, c'est en effet un vouloir démesuré, prométhéen, parfaitement conforme au savoir du personnage, scientifique de renom, mais en totale contradiction avec son pouvoir (financier, surtout) et faisant fort peu de cas du devoir (moral ou autre).

L'intérêt du portrait psychologique est de créer un lien affectif entre le personnage et le lecteur : il suscitera, selon les cas, admiration, pitié ou mépris. C'est aussi à travers lui que se joue l'« effet de réel ». Deux démarches opposées, mais également efficaces, sont possibles de la part du narrateur. Ce dernier peut soit privilégier la « cohérence » dans le portrait psychologique de son personnage (prenant soin de motiver chacune de ses actions et de donner, chaque fois, les explications nécessaires), soit mettre l'accent sur ses contradictions et ses volte-face (une personnalité « complexe » paraît toujours authentique). La première technique est celle d'un Zola (la tare héréditaire des Rougon-Macquart est censée éclairer leurs comportements), la seconde, celle d'un Dostoïevski (le revirement soudain de Rogojine qui, dans *L'Idiot*, passe de l'adoration amoureuse au meurtre dessine une complexité psychologique telle que le personnage en retire un indiscutable relief).

LA BIOGRAPHIE

Le portrait biographique, enfin, en faisant référence au passé, voire à l'hérédité, permet de conforter le vraisemblable psychologique du personnage (en donnant la clé de son comportement) et de préciser le regard que le narrateur porte sur lui. La pulsion de meurtre de Jacques Lantier dans *La Bête humaine* s'explique par une pathologie qui doit beaucoup à l'hérédité : le personnage, dès lors, apparaît surtout comme une victime. La mention du passé, en permettant de « comprendre » la conduite d'un individu, invite à l'excuser et le rend sympathique. Précisons, enfin, que le portrait biographique, fondé sur un équilibre entre le dit et le tu, est le lieu de tous les effets de « suspense ». Eugène Sue exploite cette technique dans *Les Mystères de Paris* : le passé biographique de son héros, ouvrier d'apparence, mais de son vrai nom Rodolphe, grand-duc de Gérolstein, en quête de sa fille disparue, ne sera révélé que progressivement.

Les différents paramètres qui composent un portrait (corps, habit, psychologie, biographie) ne sont, bien sûr, pas présents pour tous les personnages et dans tout récit. Dans chaque texte, et pour chaque acteur, seuls certains champs sont retenus. Il faudra donc se demander pourquoi, dans tel roman, un personnage est décrit sur le plan psychologique et pas sur le plan physique, ou sur le plan vestimentaire et pas sur le plan biographique. On a fort peu d'indications sur l'apparence de Chauvin dans *Moderato cantabile*. Le passé de Corentin, dont le physique est par ailleurs décrit avec précision, reste très flou dans *Les Chouans*.

LES FONCTIONS DU PORTRAIT

Appréhendé comme unité textuelle s'étendant sur plusieurs lignes ou plusieurs pages, le portrait fonctionne de la même façon que la description (voir *infra*, p. 51-57). Il privilégie, en général, les fonctions explicative, évaluative et symbolique. Dans *Le Roi des Aulnes*, le portrait de Tiffauges a une valeur largement explicative : l'évolution du héros de la maigreur à la robustesse, témoignant de son identification progressive à l'ogre des légendes, éclaire son comportement. Chez Balzac, convaincu grâce à la phrénologie de Gall et à la physiognomonie de Lavater qu'il existe une relation scientifique entre les traits physiques et les traits de caractère, la fonction évaluative des portraits est particulièrement importante. La fonction symbolique est, on l'a vu, souvent exploitée par Hugo.

L'IMPORTANCE HIÉRARCHIQUE

Le troisième volet de l'analyse sémiologique porte sur le problème de la hiérarchie entre les différents acteurs du récit, renvoyant ainsi à la question – fort débattue – du héros. Si l'on s'accorde généralement à définir le héros comme le personnage le plus important d'un récit, qu'est-ce qui permet de dégager ou d'évaluer cette importance ? Selon Ph. Hamon, l'« héroïté » d'un personnage est identifiable à travers six paramètres qui relèvent tous de la « mise en texte ». Le héros se distingue d'abord par une série de traits différentiels concernant la *qualification*, la *distribution*, l'*autonomie* et la *fonctionnalité*.

LA QUALIFICATION

La qualification est fonction de la *quantité* et de la *nature* des caractéristiques attribuées au personnage. On se demandera si telle figure, dont on présume l'héroïté, est plus ou moins décrite que les autres et si elle présente des signes particuliers – cicatrice, blessure, physique exceptionnel, etc. – qui la désignent à l'attention du lecteur. La force herculéenne de Jean Valjean ou, dans un autre registre, le rire luciférien du vice-consul de Duras les campent en figures exceptionnelles autour desquelles va s'organiser l'ensemble du récit.

LA DISTRIBUTION

La distribution renvoie au nombre des apparitions d'un personnage et à l'endroit du récit où elles ont lieu. Il faudra examiner non seulement si un personnage apparaît plus ou moins souvent ou plus ou moins longtemps, mais surtout à quels endroits il est présent. Il y a dans le récit des lieux stratégiques (fin ou début de chapitre, fin ou début du livre) qui confèrent – structuralement – une importance particulière au personnage qu'ils mettent en scène. Étienne apparaît ainsi au début et à la fin de *Germinal*, deux passages essentiels en ce que leur opposition (l'hiver et le printemps, l'abattement et l'espoir, ventôse et germinal) dévoile l'enjeu du roman. Vautrin, absent jusque-là du récit, survient brutalement à la fin d'*Illusions perdues* pour détourner Lucien de son projet de suicide : il amorce ainsi une nouvelle histoire – contée dans *Splendeurs et misères des courtisanes* – dans laquelle il dispute à Lucien le statut de héros.

L'AUTONOMIE

L'autonomie du personnage est souvent, elle aussi, un indicateur d'héroïté. À l'instar du héros de théâtre (qui apparaît souvent soit seul, soit avec un faire-valoir), le héros de roman ne se signale-t-il pas par une relative indépendance ? Il conviendra donc de s'interroger sur les modes de combinaison entre les différents acteurs : un personnage dépendant de figures secondaires peut-il être qualifié de « héros » ? Il semble difficile de répondre à cette question sans prendre en compte la spécificité des sous-genres romanesques. Si, dans le roman picaresque (*Gil Blas, Moll Flanders*), le héros est le seul lien entre les multiples personnages secondaires qui surgissent de page en page, dans des sommes romanesques à visée plus sociologique ou philosophique (*Les Buddenbrook* de Thomas Mann), on peut dégager, au fil des générations qui se succèdent, plusieurs héros dont chacun est loin d'avoir rencontré l'ensemble des personnages.

LA FONCTIONNALITÉ

La fonctionnalité d'un personnage peut être considérée comme différentielle lorsque ce dernier entreprend des actions importantes, autrement dit lorsqu'il remplit les rôles habituellement réservés au héros. Ce dernier est, en général, l'« actant-sujet » qui accomplit les actions décisives, même – surtout dans le cas du roman – s'il ne les réussit pas toujours (voir la longue tradition du roman de l'échec). C'est parce qu'il récupère les ferrets de la reine que d'Artagnan est le héros des *Trois Mousquetaires*. C'est parce qu'il est le sujet d'une quête artistique que Marcel est le héros de *La Recherche*. En revanche, si Étienne échoue dans son conflit contre la Direction de la mine, le fait d'avoir mené la lutte pendant tout le roman suffit à garantir son héroïté.

À l'examen de ces quatre domaines (qualification, distribution, autonomie, fonctionnalité), qui permet d'évaluer la « différentialité » d'un personnage, Ph. Hamon ajoute la prise en compte de deux critères particulièrement utiles à l'identification du héros : la prédésignation conventionnelle et le commentaire explicite du narrateur.

LA PRÉDÉSIGNATION CONVENTIONNELLE

La prédésignation conventionnelle se retrouve dans certains romans très codifiés où le héros se définit par un certain nombre de caractéristiques imposées par le genre dont relève le texte étudié. Le héros se reconnaît ainsi à sa jeunesse et à sa vaillance dans le roman populaire, alors qu'il se présentera plutôt comme solitaire et taciturne dans le roman noir (voir la figure bien connue du « privé »). De la même façon que les récits médiévaux imposent la figure du preux chevalier (Yvain, Galaad, Perceval), les romans de formation mettent en avant celle du jeune homme tout juste sorti de l'adolescence et découvrant la vie (Frédéric Moreau chez Flaubert, Fabrice del Dongo chez Stendhal, Augustin Meaulnes dans le roman d'Alain-Fournier, Léon dans *La Quarantaine* de Le Clézio).

LE COMMENTAIRE EXPLICITE DU NARRATEUR

Le narrateur peut user de son autorité sur le récit pour présenter sans ambiguïté un personnage comme héroïque. Tel acteur sera ainsi désigné comme « notre héros », « cet individu exceptionnel », etc., en face de figures qui recevront, au contraire, les qualificatifs d'« ignobles » ou de « misérables ». On sait que le narrateur stendhalien joue de ces dénominations qui renseignent sur l'évolution du lien affectif qui l'unit à son héros. L'évaluation des personnages est, de même, une constante du récit balzacien. À travers de tels commentaires se met en place une hiérarchie que le texte invite explicitement le lecteur à reprendre à son compte. L'ironie est toujours possible ; mais, comme on le verra plus loin, elle se laisse facilement déceler.

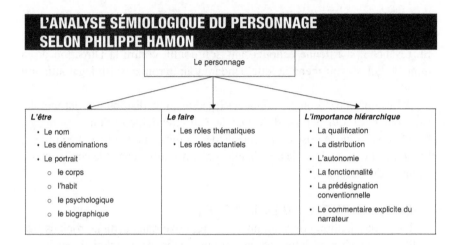

ÉTUDE SÉMIOLOGIQUE DU PERSONNAGE DE CORENTIN (*LES CHOUANS*)

Voici, à titre d'exemple, une étude sémiologique du personnage de Corentin dans *Les Chouans* de Balzac (pour le résumé de l'intrigue, voir *supra*, p. 63-64).

Corentin joue dans le roman un rôle essentiel. Policier envoyé par Fouché (le ministre de la Police), il participe de l'intrigue politique (c'est lui qui organise le piège qui va perdre Montauran, le chef de la rébellion chouanne) et de l'intrigue amoureuse (il est, lui aussi, sous le charme de Marie de Verneuil, espionne à ses ordres, mais qui le trahira par amour pour Montauran).

On étudiera le personnage en examinant successivement son être, son faire et son importance hiérarchique.

L'ÊTRE

L'étiquette du personnage comprend, on l'a vu, le nom, les désignations et le portrait.

Le nom de « Corentin » appelle plusieurs remarques : il a un effet réaliste ; à la fois nom et prénom, il signale un individu superficiel qui n'a pas de véritable identité ; trisyllabique et sonore, il évoque, sur le plan du signifiant, l'esbroufe et l'extravagance que l'on retrouvera dans le portrait physique.

Concernant les désignations, les métaphores qui décrivent Corentin tout au long du récit l'assimilent aux animaux de proie ou le renvoient au diabolique. Elles mettent en évidence son côté sinueux, prédateur et sournois.

Sur le plan physique, le portrait du personnage est difficile à dégager : le corps de Corentin disparaît presque entièrement sous son costume. Le texte nous signale cependant ses « yeux verts » dont la perfidie évoque la vipère, ses regards « obliques », son corps « sec » et « maigre », dépourvu de substance, et un vieillissement prématuré puisque cet homme d'à peine vingt-deux ans « paraissait avoir atteint l'âge de trente ans ». On est en présence d'un personnage sans âge, fuyant et difficile à cerner.

Sur le plan vestimentaire, le costume baroque dont Corentin est affublé, conforme à la mode de l'époque – celle des « incroyables » –, fait de lui une véritable caricature. Coincé entre le « labyrinthe de mousseline » de sa cravate et ses cheveux qui, « pendant en tire-bouchons de chaque côté des faces », « lui couvr[…]ent presque tout le front », il semble ne plus avoir de tête. Le costume absorbe la totalité du personnage qu'il renvoie ainsi au non-être. Cet habit, se signalant encore par de « grêles accessoires qui juraient entre eux » et « l'opposition burlesque des couleurs », montre qu'au superficiel le personnage ajoute l'inauthentique. Corentin est la figure du mélange et de l'éparpillement qui s'oppose à la simplicité des républicains sincères et rudes, incarnés dans le roman par Hulot. « Incroyable » au sens propre, il est « l'invraisemblable devenu monstrueusement vrai » (Barbéris). Il montre que l'éphémère – la mode – menace de déborder sur l'Histoire tout entière.

Le portrait de Corentin

« Le costume de cet inconnu présentait un exact tableau de la mode qui valut en ce temps les caricatures des Incroyables. Qu'on se figure ce personnage affublé d'un habit dont les basques étaient si courtes, qu'elles laissaient passer cinq à six pouces du gilet, et les pans si longs qu'ils ressemblaient à une queue de morue, terme alors employé pour les désigner. Une cravate énorme décrivait autour de son cou de si nombreux contours, que la petite tête qui sortait de ce labyrinthe de mousseline justifiait presque la comparaison gastronomique du capitaine Merle. L'inconnu portait un pantalon collant et des bottes à la Souvarov. Un immense camée blanc et bleu servait d'épingle à sa chemise. Deux chaînes de montre s'échappaient parallèlement de sa ceinture ; puis ses cheveux, pendant en tire-bouchons de chaque côté des faces, lui couvraient presque tout le front. Enfin, pour dernier enjolivement, le col de sa chemise et celui de l'habit montaient si haut, que sa tête paraissait enveloppée comme un bouquet dans un cornet de papier. Ajoutez à ces grêles accessoires qui juraient entre eux sans produire d'ensemble, l'opposition burlesque des couleurs du pantalon jaune, du gilet rouge, de l'habit cannelle, et l'on aura une image fidèle du suprême bon ton auquel obéissaient les élégants au commencement du Consulat. Ce costume, tout à fait baroque, semblait avoir été inventé pour servir d'épreuve à la grâce, et montrer qu'il n'y a rien de

> si ridicule que la mode ne sache consacrer. Le cavalier paraissait avoir atteint l'âge de trente ans, mais il en avait à peine vingt-deux ; peut-être devait-il cette apparence soit à la débauche, soit aux périls de cette époque. »
>
> Balzac, *Les Chouans* (1834), Paris, Garnier-Flammarion, 1988, p. 117.

Sur le plan psychologique, enfin, le personnage se présente comme un amoureux jaloux et bafoué. À l'instar de la plupart des autres personnages du roman, Corentin est partagé entre son rôle politique qui l'assimile à un type (le policier arriviste du Consulat, symbole des classes montantes de la fin du siècle) et ses désirs (en l'occurrence, son amour pour Marie) qui en font un sujet individualisé. Seulement, à la différence des autres personnages, Corentin n'intériorise pas la contradiction, mais la dépasse. Se déclarant prêt à laisser partir Montauran si Marie cède à ses avances, il incarne le primat du désir sur les valeurs politiques. Il annonce ainsi l'individualisme qui s'épanouira au XIXe siècle avec la montée du capitalisme libéral.

LE FAIRE

Pour analyser les fonctions du personnage, il convient de rappeler que *Les Chouans* propose à la fois une intrigue amoureuse et une intrigue politique où l'espionnage a la part belle. Trois « axes préférentiels » peuvent donc être dégagés : le politique, l'amour et l'authenticité. Corentin occupe un rôle thématique dans chacun de ces trois domaines.

– Sur le plan politique, il assume le rôle thématique de l'espion au service du pouvoir en place. On serait donc tenté de le placer dans les rangs de la Révolution en face de ceux de la Monarchie. En réalité, il se situe plutôt entre les deux camps : cet opportuniste, capable de sacrifier sa mission à l'assouvissement de ses désirs, incarne davantage les forces montantes des temps à venir que l'un ou l'autre des deux partis en présence dont le conflit appartient au passé.

– Sur le plan amoureux, Corentin, on l'a vu, assume le rôle thématique de l'amoureux jaloux et bafoué. Homme de stratagème qui préfère les machinations à la lutte au grand jour, il est, dans son désir de pouvoir comme dans son désir amoureux, un combattant de l'ombre.

– Aussi, sur l'axe préférentiel de l'authenticité, Corentin se voit-il attribuer le rôle thématique du manœuvrier hypocrite et sournois en face de ces figures de la sincérité que sont Hulot et Montauran. Ces derniers, adversaires politiques qui croient en leur combat, se rejoignent en effet sur un plan supérieur.

Si l'on examine le programme narratif de Corentin, on a la confirmation de son rôle moteur dans la double intrigue, politique et amoureuse, du roman. Sur le plan politique, il vise à mettre en œuvre l'idée de Fouché (se servir de Marie pour capturer Montauran). Sur le plan personnel, il cherche à empêcher le roman d'amour entre les deux protagonistes. Censé être l'adjuvant de Marie dans la mission politique dont elle est chargée, il devient l'opposant de cette dernière sitôt qu'on considère l'intrigue amoureuse. L'ambiguïté du statut actantiel de Corentin montre que les conflits privés prennent peu à peu le pas sur les conflits politiques : en cette fin de siècle, la lutte historique, minée par l'individualisme, perd toute dimension épique.

L'IMPORTANCE HIÉRARCHIQUE

Le troisième volet de l'analyse sémiologique concerne l'importance du personnage. Si Corentin n'est pas le héros du roman, il a cependant une place essentielle dans l'économie de l'intrigue. On peut lui appliquer sans difficulté la grille d'analyse proposée par Ph. Hamon.

Corentin est l'objet d'une qualification différentielle. Tant sur le plan quantitatif (le texte lui consacre un long portrait) que sur le plan qualitatif (on a relevé plus haut ses nombreuses particularités), il se signale à l'attention du lecteur.

La distribution du personnage est également très révélatrice. Non seulement Corentin intervient régulièrement tout au long du récit, mais il apparaît aux endroits stratégiques et, en particulier, en ce lieu textuel surdéterminé qu'est le dénouement. C'est lui qui (jusqu'à l'ajout de 1845) a le dernier mot de l'histoire et ce mot est au futur. On voit clairement par là que l'avenir lui appartient.

Personnage solitaire, autonome, qui ne suit finalement que la loi de ses désirs, Corentin intervient cependant dans les programmes narratifs de tous les personnages. Figure de l'ombre qui tire les ficelles, son statut rappelle parfois celui du narrateur dont il paraît partager la puissance sur les différents acteurs du récit.

D'un point de vue fonctionnel, enfin, Corentin est bien le personnage qui accomplit l'action décisive de l'intrigue. Organisant le piège qui va perdre Montauran (son ennemi politique et son rival amoureux), c'est lui qui dénoue d'un même mouvement les intrigues politique et sentimentale.

Ajoutons que la prédésignation conventionnelle confirme le statut négatif de Corentin, « âme damnée » de la Révolution, « mauvais génie » qui accompagne Marie, et que les commentaires du narrateur insistent constamment sur son côté perfide et sournois.

Si le personnage de Corentin est aussi important, c'est parce qu'il est essentiel à la signification du roman. Il est le symbole de la fin du siècle, de cette époque des extravagances et des à-rebours qui voit la décadence de la Révolution. À travers Corentin, comme l'a montré P. Barbéris *(Balzac et le mal du siècle)*, se profile l'idée que l'Histoire dépend désormais de la politique, que la politique dépend elle-même de son instrument, la police, et que la police dépend des passions du policier. Incarnation d'une République dégradée qui a perdu le sens de l'intérêt général, Corentin n'est rien moins que la figure du « pourrissement de l'Histoire ».

LE PERSONNAGE COMME EFFET DE LECTURE

Analyser le personnage comme effet de lecture, c'est s'intéresser à la façon dont il est reçu par le lecteur. Si une telle perspective peut encore être qualifiée de « poéticienne », c'est qu'il s'agit de dégager les *procédés* par lesquels le texte oriente la relation du lecteur aux figures romanesques. L'image que le lecteur a d'un personnage, les sentiments que ce dernier lui inspire (affection, sympathie, rejet, condamnation), sont très largement déterminés par la façon dont il est présenté, évalué et mis en scène par le narrateur.

L'EFFET-PERSONNAGE

Un personnage peut se présenter comme un instrument textuel (au service du projet que s'est fixé l'auteur dans un roman particulier), une illusion de personne (suscitant, chez le lecteur, des réactions affectives), ou un prétexte à l'apparition de telle ou telle scène (qui, sollicitant l'inconscient, autorise un investissement fantasmatique). On nommera respectivement ces trois dimensions : l'*effet-personnel*, l'*effet-personne* et l'*effet-prétexte*.

L'EFFET-PERSONNEL

En tant que *personnel narratif*, les personnages sont à la fois le support du jeu d'anticipation qui fonde la lecture et un élément du « sens » du texte. La lecture d'un roman peut en effet s'assimiler à une partie d'échecs entre un lecteur qui tente de prévoir la suite de l'histoire et un narrateur qui s'essaie à déjouer les prévisions. Certains genres (comme le roman policier) sont entièrement fondés sur ce mécanisme, mais on le retrouve dans tout récit. Si dans un roman d'Agatha Christie, le lecteur tente, en examinant ce que le texte lui dit des personnages, d'identifier le plus rapidement possible le meurtrier, il peut également, dès l'incipit d'un roman réaliste, chercher à anticiper l'avenir du héros. Dès le début de *Bel-Ami*, on se demande jusqu'où ira Georges Duroy, personnage désargenté qui entreprend de réussir par la séduction.

L'incipit de Bel-Ami

« Quand la caissière lui eut rendu la monnaie de sa pièce de cent sous, Georges Duroy sortit du restaurant.

Comme il portait beau, par nature et par pose d'ancien sous-officier, il cambra sa taille, frisa sa moustache d'un geste militaire et familier, et jeta sur les dîneurs attardés un regard rapide et circulaire, un de ces regards de joli garçon, qui s'étendent comme des coups d'épervier.

Les femmes avaient levé la tête vers lui, trois petites ouvrières, une maîtresse de musique entre deux âges, mal peignée, négligée, coiffée d'un chapeau toujours poussiéreux et vêtue d'une robe toujours de travers, et deux bourgeoises avec leurs maris, habituées de cette gargote à prix fixe.

Lorsqu'il fut sur le trottoir, il demeura un instant immobile, se demandant ce qu'il allait faire. On était au 28 juin, et il lui restait juste en poche trois francs quarante pour finir le mois. Cela représentait deux dîners sans déjeuners, ou deux déjeuners sans dîners, au choix. Il réfléchit que les repas du matin étant de vingt-deux sous, au lieu de trente que coûtaient ceux du soir, il lui resterait, en se contentant des déjeuners, un franc vingt centimes de boni, ce qui représentait encore deux collations au pain et au saucisson, plus deux bocks sur le boulevard. C'était là sa grande dépense et son grand plaisir des nuits ; et il se mit à descendre la rue Notre-Dame-de-Lorette.

Il marchait ainsi qu'au temps où il portait l'uniforme des hussards, la poitrine bombée, les jambes un peu entrouvertes comme s'il venait de descendre de cheval ; et il avançait brutalement dans la rue pleine de monde, heurtant les épaules, poussant les gens pour ne point se déranger de sa route. Il inclinait légèrement sur l'oreille son chapeau à haute forme assez défraîchi, et battait le pavé de son talon. Il avait l'air de toujours défier quelqu'un, les passants, les maisons, la ville entière, par chic de beau soldat tombé dans le civil. »

Maupassant, *Bel-Ami* (1885), Paris, Garnier-Flammarion, 1993, p. 17-18.

Il existe différentes façons d'appréhender le personnage comme élément du sens de l'œuvre. On peut soit rester dans une perspective strictement sémioticienne et se servir des catégories d'*acteur*, d'*actant* et de *rôle thématique* proposées plus haut, soit s'intéresser aux procédures cognitives par lesquelles le lecteur construit la signification. Cette seconde approche débordant largement le cadre de la présente étude, on s'en tiendra à la première. C'est en analysant la façon dont se combinent dans une figure particulière un certain nombre de fonctions (rôles actantiels) et une identité psychologique et sociale (rôles thématiques) qu'on dégagera avec le plus de sûreté la signification d'un personnage. Dans la *Justine* de Sade, la dimension subversive des personnages de libertins tient ainsi à la combinaison provocante d'un rôle actantiel qui fait d'eux des opposants à la vertu de l'héroïne et d'un rôle thématique de « prêtre » qui devrait les poser en garants de cette même vertu. Dans un autre registre, que le sujet (sur le plan actantiel) soit un aristocrate (sur le plan thématique) – comme Rodolphe dans *Les Mystères de Paris* – est idéologiquement significatif des valeurs véhiculées par le roman populaire.

L'EFFET-PERSONNE

En tant que *personne*, le personnage est à étudier à travers les procédures qui suscitent l'illusion référentielle (donnant l'impression que le personnage est vivant) et la façon dont le texte « programme » l'investissement affectif du lecteur. Pour faire « vivre » son personnage, le narrateur dispose d'une série de procédés dont les plus connus sont :

– *l'attribution d'un nom propre* (des noms comme Lucien Leuwen ou Manon Lescaut, conformes au code onomastique, sont des supports privilégiés de l'effet-personne) ;

– *l'évocation d'une vie intérieure* (le monologue de Molly Bloom dans *Ulysse* ou le « courant de conscience » de Benjy dans *Le Bruit et la Fureur*, en donnant un accès direct au flux obscur et changeant de leurs pensées, donnent l'illusion d'une activité psychologique si complexe qu'elle ne peut être que la vie et non sa représentation simplifiée) ;

Le courant de conscience : Benjy dans Le Bruit et la Fureur

« Nous avons longé la barrière et nous sommes arrivés à la clôture du jardin, là où se trouvaient les ombres. Mon ombre, sur la clôture, était plus grande que celle de Luster. Nous sommes arrivés à l'endroit cassé et nous avons passé à travers.

– Attendez une minute, dit Luster. Vous v'là encore accroché à ce clou. Vous n'pouvez donc jamais passer par ici sans vous accrocher à ce clou ?

Caddie m'a décroché et nous nous sommes faufilés par le trou. L'oncle Maury a dit qu'il ne fallait pas qu'on nous voie, aussi, nous ferons bien de nous baisser, dit Caddy. Baisse-toi, Benjy, comme ça, tu vois ? Nous nous sommes baissés et nous avons traversé le jardin où les fleurs grattaient et bruissaient contre nous. Le sol était dur. Nous avons grimpé pardessus la barrière, là où les cochons grognaient et reniflaient. »

W. Faulkner, *Le Bruit et la Fureur* (1929), trad. fse,
Paris, Gallimard, coll. « Folio », 1972, p. 22-23.

– *les structures de suspense* (si la Marianne de Marivaux est le lieu d'un effet de vie efficace, c'est parce que, se construisant dans la durée, elle est soumise à une imprévisibilité relative) ;

– *l'illusion d'autonomie* (en focalisant le récit sur Maisie, c'est-à-dire en limitant l'information narrative au savoir de la petite fille, James donne l'illusion qu'il n'est pas le créateur du personnage, vis-à-vis duquel il est sur un pied d'égalité, mais un simple observateur de ce dernier).

L'investissement affectif du lecteur, sa relation aux différents personnages, dépendent d'un certain nombre de procédures textuelles qui forment ce que l'on peut appeler « le système de sympathie » (voir ci-dessous).

L'EFFET-PRETEXTE

En tant que *prétexte*, le personnage n'intéresse plus comme tel, mais comme élément d'une situation. Il fait figure d'alibi autorisant le lecteur à s'introduire dans une scène connotée fantasmatiquement. Érotiques, sadiques ou criminelles, nombreuses sont les situations qui jouent sur le voyeurisme inhérent à la lecture (que l'on pense à Joe Christmas, dans *Lumière d'août* de Faulkner, assistant, enfant, à une scène érotique qui le marquera à vie ou à Ferdinand observant, dans *Mort à crédit*, les ébats des adultes).

Personnage et voyeurisme : Joe Christmas dans Lumière d'août

« Derrière son rideau, il n'aurait sans doute même pas entendu un coup de fusil. Il semblait s'être retourné vers lui-même. Il semblait se regarder suer, regarder sa bouche s'engluer d'un autre ver de pâte que son estomac refusait, d'un ver qui, à coup sûr, ne parvenait pas à descendre. Immobile, maintenant, absolument contemplatif, il semblait penché sur lui-même, comme un chimiste dans un laboratoire, attendant. L'attente ne fut pas longue. Brusquement, la pâte qu'il avait déjà avalée se souleva en lui, dans un effort pour ressortir, pour se retrouver à l'air frais. Ce n'était plus sucré. Dans l'obscurité imprégnée, surchargée de l'odeur rose de femme, il était accroupi derrière le rideau, une écume rose aux lèvres, écoutant ses entrailles, attendant avec un fanatisme étonné ce qui allait lui arriver. »

W. Faulkner, *Lumière d'août* (1931), trad. fse,
Paris, Gallimard, coll. « Folio », 1935, p. 160-161.

Le personnage, vu sous cet angle, permet au lecteur de vivre imaginairement les désirs barrés par la vie sociale. Il n'est, bien sûr, pas question de faire le décompte des aspirations ainsi sollicitées. On remarquera simplement que les trois grandes modalités qui caractérisent un personnage (le vouloir, le savoir et le pouvoir) renvoient précisément aux trois formes canoniques de la libido : la *libido sentiendi* (le désir sensuel tel qu'on le trouve, par exemple, chez Valmont ou Juliette), la *libido sciendi* (le désir de lever les secrets, de transgresser l'interdit, tel qu'il apparaît chez K. dans *Le Procès* ou chez les héros de Jules Verne dans *L'Île mystérieuse*), la *libido dominandi* (la passion du pouvoir, si caractéristique des personnages balzaciens, de Corentin à Rastignac).

LE SYSTÈME DE SYMPATHIE

Le système de sympathie entre en jeu lorsque le texte privilégie l'effet-personne. Il joue un rôle essentiel dans la lecture, en particulier dans celle des romans. Tout lecteur se souvient avoir eu des relations affectives avec un personnage. Ce rapport émotionnel relève de différents codes identifiables par l'analyse.

LE CODE NARRATIF

Le code narratif joue sur l'homologie des situations. Le lecteur s'identifie spontanément à la figure qui occupe dans le récit la même position que lui. Il convient cependant de distinguer entre l'*identification spontanée au narrateur* (dont la perspective est un point de passage obligé) et, le cas échéant, une *identification au personnage* qui a, sur le récit, le même savoir que le lecteur.

L'identification au narrateur explique que, le temps d'une lecture, on puisse épouser aussi facilement le point de vue du narrateur chrétien de *Sous le soleil de Satan* que celui du narrateur athée de *La Nausée*, le point de vue du narrateur-personnage individualisé de *La Recherche* que celui du narrateur anonyme de *L'Assommoir* ou du *Père Goriot*.

L'identification fondée sur le savoir, c'est, par exemple, l'identification à Joseph K. dans *Le Procès* : le lecteur, partageant l'ignorance du personnage, ne comprend pas plus que lui ce qui lui arrive et s'étonne et s'angoisse aux mêmes moments que lui. On citera également le cas des *Liaisons dangereuses* où Valmont et Mme de Merteuil, lisant les lettres qui ne leur sont pas adressées, sont les seuls à bénéficier avec le lecteur d'une vue d'ensemble sur la correspondance.

LE CODE AFFECTIF

Le code affectif ne concerne pas le savoir du lecteur sur l'intrigue, mais son savoir sur le personnage. Il joue sur le principe suivant : plus on en sait sur un être, plus on se sent concerné par ce qui lui arrive. Dès lors, il suffit au roman de nous faire pénétrer dans l'intériorité d'un personnage pour nous le rendre sympathique. C'est ainsi qu'on redoute l'arrestation de Raskolnikov malgré le double meurtre qu'il a perpétré ou qu'on a du mal à condamner Tiffauges malgré sa compromission avec le régime nazi. Le procédé acquiert une efficacité supplémentaire lorsque le personnage est sujet d'un désir contrarié. La figure qui lutte, qui cherche à renverser les obstacles, rappelle au lecteur une situation qu'il a lui-même vécue au moment de la crise œdipienne : la confrontation entre désir et interdit. C'est pourquoi l'on peut s'identifier aussi bien à Edmond Dantès essayant de s'évader du château d'If qu'à Gervaise luttant contre le déterminisme social.

Les codes narratif et affectif sont les moteurs essentiels du système de sympathie. Le premier est cependant plus déterminant que le second : en vertu du pacte de lecture, c'est le narrateur qui a le dernier mot. Ainsi, malgré la sympathie qui nous unit à Raskolnikov en raison de notre savoir sur lui, la condamnation de son acte par le narrateur est suffisamment explicite pour que l'identification ne puisse être totale. Faut-il en conclure que les valeurs du lecteur n'entrent pas en ligne de compte ? On serait tenté de répondre par l'affirmative. Les règles du jeu romanesque invitent le lecteur à renoncer momentanément à ses propres valeurs pour se soumettre à celles du texte.

LE CODE CULTUREL

Le code culturel fait cependant intervenir les valeurs du lecteur dans deux cas particuliers : lorsqu'une œuvre est culturellement proche de lui et lorsque le roman relève d'une catégorie peu codifiée. Dans le premier cas, le lecteur aura tendance à recevoir le roman comme autre chose qu'un pur objet esthétique (et, donc, à jeter sur les personnages un regard idéologique) : lors de la parution du *Roi des Aulnes* en 1970, c'est la question des valeurs défendues par Tiffauges qui fut au centre des débats beaucoup plus que la dimension esthétique du roman. Dans le second cas, ne pouvant conformer sa lecture à des règles précises, le lecteur s'appuiera sur ses propres valeurs. Il sera ainsi plus facilement ému par les agonies décrites dans *L'Espoir* (roman humaniste aux règles assez lâches) que par la série des meurtres qui ponctuent les aventures de Rocambole (« roman-feuilleton » fidèle aux conventions du genre).

Selon les romans, ces différents codes (narratif, affectif et culturel) peuvent soit se soutenir et désigner sans ambiguïté le héros du récit, soit jouer de leurs différences et susciter chez le lecteur une attitude complexe. Dans tous les cas, l'ensemble du système est hiérarchiquement soumis à l'autorité du narrateur (ou de l'« auteur impliqué », lorsque la voix narrative est visiblement discréditée).

Synthèse

Le personnage est considéré comme un « exécutant » par l'approche sémiotique : il prend en charge les rôles actantiels nécessaires au déroulement du récit. La perspective sémiologique de Ph. Hamon propose de compléter l'analyse du « faire » par celle de l'« être » (nom, dénominations et portrait). En tant qu'effet, le personnage est reçu par le lecteur comme instrument narratif, illusion de personne et alibi fantasmatique.

LECTURES CONSEILLÉES

A. J. GREIMAS,

Sémantique structurale, Paris, PUF, coll. « Formes sémiotiques », 1986 (1re éd. : Larousse, 1966).

Ouvrage fondateur de la sémantique structurale où l'on trouve, notamment, un chapitre sur les rôles actantiels.

Ph. HAMON

« Pour un statut sémiologique du personnage », *Poétique du récit*, Paris, Éd. du Seuil, coll. « Points », 1977.

Article de synthèse qui, considérant le personnage comme signe, propose une démarche méthodologique rigoureuse pour rendre compte de son fonctionnement dans un récit donné.

Ph. HAMON

Le Personnel du roman, Genève, Droz, 1983.

Une application des propositions méthodologiques de l'article précédent aux *Rougon-Macquart* de Zola.

V. JOUVE

L'Effet-Personnage dans le roman, Paris, PUF, coll. « Écriture », 1992.

Étude qui envisage le personnage du point de vue du lecteur en s'intéressant à la façon dont le texte « programme » la réception.

CHAPITRE 5 ||||||||||||||||||||||||||||||||||||||||||||||||||||||||||
LE DISCOURS
DU ROMAN :
L'ÉNONCIATION

Comme l'ont montré les linguistes, le sens d'un énoncé ne dépend pas uniquement du code de la langue : il suppose la prise en compte de la situation dans laquelle il est émis. On distinguera ainsi l'acte producteur de l'énoncé (événement unique toujours lié à une situation particulière) de la suite linguistique qui en résulte. Plus précisément, Benveniste définit l'énonciation comme « mise en fonctionnement de la langue par un acte individuel d'utilisation ». On ne peut donc « comprendre » un énoncé sans tenir compte des trois variables qui définissent toute situation de communication : le locuteur (celui qui parle), l'allocutaire (celui à qui l'on parle), l'espace et le temps dans lesquels le propos est émis. Si ces variables peuvent être saisies à travers une analyse linguistique, c'est parce que l'acte d'énonciation laisse toujours des traces repérables dans l'énoncé.

L'énonciation

« La production linguistique peut être considérée : soit comme une suite de phrases, identi-fiée sans référence à telle apparition particulière de ces phrases (elles peuvent être dites, ou transcrites avec des écritures différentes, ou imprimées, etc.) ; soit comme un acte au cours duquel ces phrases s'actualisent, assumées par un locuteur particulier, dans des cir-constances spatiales et temporelles précises. Telle est l'opposition entre l'*énoncé* et la situa-tion de discours, parfois appelée énonciation. Cependant, lorsqu'on parle, en linguistique,

> d'*énonciation*, on prend ce terme en un sens plus étroit. [...] ce que la linguistique retient, c'est l'*empreinte du procès d'énonciation dans l'énoncé*. »
>
> O. Ducrot et T. Todorov, *Dictionnaire encyclopédique des sciences du langage*, Paris, Éd. du Seuil, coll. « Points », 1972, p. 405.

La prise en compte de l'énonciation ouvre de nombreuses perspectives. On peut s'intéresser à l'inscription de la subjectivité dans le discours, aux relations entre énonciateur et énonciataire ou à la façon dont un énoncé s'inscrit dans une situation de communication particulière.

Si l'étude de l'énonciation est particulièrement intéressante dans le cas du roman, c'est qu'une des caractéristiques du texte romanesque est de mettre en jeu plusieurs voix dans un processus complexe où différents points de vue se mettent mutuellement en perspective. Décrypter ce processus permet d'en savoir plus sur les valeurs qu'un texte essaie de transmettre et, plus généralement, sur ses intentions.

Nous commencerons donc par analyser les marques de subjectivité qui imprègnent le texte romanesque (l'« effet-sujet ») avant de nous intéresser à l'intertextualité (qui participe du jeu des voix si caractéristique du roman) et à l'ironie (dont la particularité est de renvoyer simultanément à plusieurs énonciateurs).

L'EFFET-SUJET

Parmi les traces du procès d'énonciation dans l'énoncé, il y a d'abord celles laissées par le locuteur. Cette inscription de la subjectivité dans le discours – l'« effet-sujet » – est visible à travers des catégories grammaticales (pronoms personnels, temps, adverbes) mais aussi sémantiques (jugements, évaluations, expressions affectives) et, d'une façon générale, à travers tous les éléments qui expriment l'attitude du locuteur envers ce dont il parle.

Plus précisément, l'effet-sujet produit par un récit se laisse appréhender sur les plans *sémantique* (le contenu), *syntaxique* (l'organisation des éléments textuels) et *pragmatique* (la façon dont le destinataire est sollicité).

LE NIVEAU SÉMANTIQUE

La subjectivité de l'énonciateur transparaît d'abord dans ce qu'il choisit de dire, autrement dit dans ses centres d'intérêt. On s'intéressera non seulement aux thèmes abordés par le locuteur, mais aussi au registre qu'il utilise, aux figures de style qu'il emploie et aux expressions évaluatives qui parsèment son discours.

LA SÉLECTION DES THÈMES

La *sélection* et la *combinaison* sont, on le sait, les deux opérations fondamentales de tout acte de parole. Le locuteur sélectionne une série de termes dans le réservoir de la langue et les combine ensuite d'une certaine manière pour construire un énoncé. Ce qui est vrai pour les mots à l'échelle de la phrase vaut aussi pour les thèmes à l'échelle du discours. Choisir de parler de tel sujet plutôt que de tel autre témoigne de préférences qui, nécessairement, renvoient à des valeurs. On se demandera donc quels sont les centres d'intérêt du texte, sur quels aspects il s'attarde, sur quels autres il passe plus rapidement, ce qu'il préfère ne pas dire. Consacrer de longues lettres à légitimer la dissimulation des sentiments, comme le fait la marquise de Merteuil dans *Les Liaisons dangereuses*, ou s'intéresser aux rapports entre l'Église et la société, à l'instar du starets Zosime dans *Les Frères Karamazov*, n'implique pas les mêmes univers de valeurs.

Le choix des thèmes : savoir jouer des apparences

« Mais moi, qu'ai-je de commun avec ces femmes inconsidérées ? quand m'avez-vous vue m'écarter des règles que je me suis prescrites, et manquer à mes principes ? je dis mes principes, et je le dis à dessein : car ils ne sont pas comme ceux des autres femmes, donnés au hasard, reçus sans examen et suivis par habitude, ils sont le fruit de mes profondes réflexions ; je les ai créés, et je puis dire que je suis mon ouvrage.

Entrée dans le monde dans le temps où, fille encore, j'étais vouée par état au silence et à l'inaction, j'ai su en profiter pour observer et réfléchir. Tandis qu'on me croyait étourdie ou distraite, écoutant peu à la vérité les discours qu'on s'empressait à me tenir, je recueillais avec soin ceux qu'on cherchait à me cacher.

Cette utile curiosité, en servant à m'instruire, m'apprit encore à dissimuler : forcée souvent de cacher les objets de mon attention aux yeux de ceux qui m'entouraient, j'essayai de guider les miens à mon gré ; j'obtins dès lors de prendre à volonté ce regard distrait que vous avez loué si souvent. Encouragée par ce premier succès, je tâchai de régler de même les divers mouvements de ma figure. Ressentais-je quelque chagrin, je m'étudiais à prendre l'air de la sérénité, même celui de la joie ; j'ai porté le zèle jusqu'à me causer des douleurs volontaires, pour chercher pendant ce temps l'expression du plaisir. Je me suis travaillée avec le même soin et plus de peine, pour réprimer les symptômes d'une joie inattendue. C'est ainsi que j'ai su prendre sur ma physionomie cette puissance dont je vous ai vu quelquefois si étonné. »

Laclos, *Les Liaisons dangereuses* (1782), extrait de la lettre LXXXI, Paris, Garnier-Flammarion, 1964, p. 172.

Le choix des thèmes : la mission du religieux russe

« On fait au religieux un grief de son isolement : "En te retirant dans un monastère pour faire ton salut, tu désertes la cause fraternelle de l'humanité." Mais voyons qui sert le plus la fraternité. Car l'isolement est de leur côté, non du nôtre, mais ils ne le remarquent pas. C'est de notre milieu que sortirent jadis les hommes d'action du peuple, pourquoi n'en serait-il pas ainsi de nos jours ? Ces jeûneurs et ces taciturnes doux et humbles se lèveront pour servir une noble cause. C'est le peuple qui sauvera la Russie. Le monastère russe fut toujours avec le peuple. Si le peuple est isolé, nous le sommes aussi. Il partage notre foi, et un homme politique incroyant ne fera jamais rien en Russie, fût-il sincère et doué de génie. Souvenez-vous-en. Le peuple terrassera l'athée et la Russie sera unifiée dans l'orthodoxie. Préservez le peuple et veillez sur son cœur. Instruisez-le dans la paix. Voilà notre mission de religieux, car ce peuple porte Dieu en lui. »

Dostoïevski, *Les Frères Karamazov* (1880), trad. fse, Paris,
Gallimard, coll. « Folio », 1952, t. I, p. 427.

LE REGISTRE LEXICAL ET LES FIGURES DE STYLE

C'est aussi à travers le vocabulaire qu'il emploie et les figures qu'il utilise qu'un locuteur manifeste sa subjectivité. On se posera donc les questions suivantes : le narrateur use-t-il d'un vocabulaire relâché, familier, médian, soutenu, spécialisé ? Parmi les expressions stylistiques utilisées, quelles sont celles qui reviennent le plus souvent ? Témoignent-elles d'un rapport au monde particulier ? Pointent-elles un ou plusieurs thèmes obsessionnels ? Le registre de langue d'un personnage renseigne sur la nature de son rapport au monde et aux autres. Le parler argotique de la Zazie de Queneau est une façon pour elle de remettre en cause la trompeuse apparence d'un monde qui, sous des dehors trop lisses, cache un désordre bien réel. Le choix des niveaux de langage joue, de même, un rôle fondamental dans le jeu des valeurs qui structure le texte sadien. Dans *Les Infortunes de la vertu*, l'opposition est explicite entre Justine qui s'exprime dans un registre soutenu, voire littéraire, et ses opposants qui ne dédaignent pas les jurons les plus violents. La dimension stylistique d'un discours, surtout si elle s'appuie sur des réseaux métaphoriques, éclaire les obsessions du locuteur et son univers imaginaire. Dans *Là-bas* de Huysmans, le discours des deux protagonistes – Durtal et des Hermies – se caractérise par un recours obsessionnel à l'image de la nourriture sur le double registre de l'ingestion et de la déjection. On distingue également le registre nosographique et le lexique de l'hygiène. À travers cette sélection de domaines métaphoriques très précisément ciblés se manifeste une vision idéologique qui appréhende la société du XIXe siècle finissant comme un monde dégradé faisant prévaloir les satisfactions matérielles sur l'inquiétude spirituelle.

Les réseaux métaphoriques dans Là-bas : *nourriture et maladie*

« – Mon Dieu ! quelles trombes d'ordures soufflent à l'horizon ! murmura tristement Durtal.

– Non, s'exclama Carhaix, non, ne dites point cela ! Ici-bas, tout est décomposé, tout est mort, mais là-haut ! Ah ! je l'avoue, l'effusion de l'Esprit Saint, la venue du Divin Paraclet se fait attendre ! Mais les textes qui l'annoncent sont inspirés ; l'avenir est donc crédité, l'aube sera claire !

Et, les yeux baissés, les mains jointes, ardemment il pria.

Des Hermies se leva et fit quelques pas dans la pièce.

– Tout cela est fort bien, grogna-t-il ; mais ce siècle se fiche absolument du Christ en gloire ; il contamine le surnaturel et vomit l'au-delà. Alors, comment espérer en l'avenir, comment s'imaginer qu'ils seront propres, les gosses issus des fétides bourgeois de ce sale temps ? Élevés de la sorte, je me demande ce qu'ils feront dans la vie, ceux-là ?

– Ils feront, comme leurs pères, comme leurs mères, répondit Durtal ; ils s'empliront les tripes et ils se vidangeront l'âme par le bas-ventre ! »

J. K. Huysmans, *Là-bas, op. cit.*, p. 282.

LES EXPRESSIONS ÉVALUATIVES

Les *expressions évaluatives* se manifestent à travers les formules affectives et modalisantes (verbes d'opinion, adjectifs subjectifs, substantifs mélioratifs ou péjoratifs). Dans le premier chapitre de *Moderato cantabile* de Duras, le repérage des modalisations renseigne assez précisément sur le système de valeurs de chacun des participants. Si le discours de Mlle Giraud, le professeur de piano, se confond avec la modalité déontique qui campe le personnage en emblème de l'ordre, la mère de l'élève, bien que plus compréhensive, a également ment recours au discours du devoir. Anne Desbaresdes témoigne ainsi de son aliénation à une norme sociale qu'elle a intégrée au prix d'un étouffement de ses aspirations à l'imaginaire. Seul l'enfant semble privilégier le désir sur le respect de la norme, comme le montre le primat qu'il accorde à la modalité volitive.

Le discours du devoir dans Moderato cantabile

« Anne Desbaresdes prit son enfant par les épaules, le serra à lui faire mal, cria presque.

– Il faut apprendre le piano, il le faut.

L'enfant tremblait lui aussi, pour la même raison d'avoir eu peur.

– J'aime pas le piano, dit-il dans un murmure.

D'autres cris relayèrent alors le premier, éparpillés, divers. Ils consacrèrent une réalité déjà dépassée, rassurante désormais. La leçon continuait donc.

– Il le faut, continua Anne Desbaresdes, il le faut.

La dame hocha la tête, la désapprouvant de tant de douceur. Le crépuscule commença à balayer la mer. Et le ciel, lentement, se décolora. L'ouest seul resta rouge encore. Il s'effaçait. »

M. Duras, Moderato cantabile, Paris, Éd. de Minuit, 1958, p. 12-13.

LE NIVEAU SYNTAXIQUE

Le niveau syntaxique renvoie à l'organisation du discours. La subjectivité de l'énonciateur transparaît dans la façon dont il ordonne, combine et structure les différents éléments qui composent son discours. Si la *sélection*, comme on l'a vu, révèle les préférences du locuteur, la *combinaison* renseigne sur ses intentions. C'est en fonction de l'effet recherché que le discours sera organisé de telle ou telle manière. Il conviendra, d'une part, de dégager le type d'enchaînement choisi (simple succession, recours à un modèle narratif, organisation argumentative, etc.) et, d'autre part, de s'interroger sur l'intention et la vision qui s'y attachent. On pourra distinguer, dans l'analyse, la *micro-organisation* qui régit telle ou telle prise de parole et la *macro-organisation* qui structure l'ensemble d'un texte.

LA MICRO-ORGANISATION

Les choix du locuteur s'inscrivent entre les deux pôles de la *parataxe* (disposer côte à côte deux propositions sans marquer le rapport de dépendance qui les unit) et de l'*hypotaxe* (grouper et ordonner logiquement les idées ou les faits). Ainsi, soit la parole du personnage se présente comme une série de propositions qui ne sont reliées entre elles par aucun lien logique explicite ; soit elle se donne à lire comme un ensemble structuré manifestant une intention et orienté vers une fin. La parataxe est en général l'indice d'un discours de la spontanéité, révélant une vision du monde éclatée et chaotique où prime l'affectivité. En témoignent les monologues heurtés que l'on trouve dans *Ulysse* de Joyce ou dans *Belle du Seigneur* de Cohen. L'hypotaxe, en revanche, renvoie à une vision du monde cohérente, construite, voire systématique, où la rationalité l'emporte sur l'affectivité. Une confrontation entre les deux modes d'organisation nous est proposée dans *La Condition humaine*, lors d'une discussion idéologique sur la stratégie internationale du mouvement communiste. Le discours de Vologuine (le représentant de l'*Internationale*) témoigne, par son organisation, de la soumission à une logique et une argumentation imposées par la direction du Komintern. Il s'oppose, de ce point de vue, au discours de Kyo, également rationnel mais entrecoupé de réactions émotionnelles dont l'aspect spontané témoigne d'un rapport plus affectif et authentique à la révolution.

Le primat de l'affectif : un monologue d'Ariane dans Belle du Seigneur

« [...] chic il fait sombre, on y voit à peine, j'adore ça je suis davantage avec moi dans la pénombre, je suis bien dans mon lit je promène mes jambes à droite à gauche dans mon lit pour bien me sentir seule sans husband sans iram, je sens que je vais dormir en robe du soir, tant pis, l'important c'est de dormir, quand on dort on n'est pas malheureux, gentil et pauvre Didi, l'autre jour tout rayonnant de m'apporter ce bracelet de diamants, mais j'ai été très bien aussi je ne lui ai pas dit que j'aime pas les diamants, très gentil mais il me touche tout le temps c'est agaçant, moi remuante en ce moment et plus tard une immobilité dans une boîte et de la terre dessus pas moyen de respirer on étouffe, croire à l'immortalité de l'âme sapristi [...]. »

A. Cohen, *Belle du Seigneur,* Paris, Gallimard, 1968, p. 35.

LA MACRO-ORGANISATION

Tout texte évolue entre deux pôles : l'un *narratif* (agencer un certain nombre de faits), l'autre *argumentatif* (manifester une intention qui s'enracine dans des arguments). Prenons le cas de la lettre qui a l'avantage (même si, en général, elle participe d'un ensemble plus vaste) de se présenter comme une réalité textuelle relativement autonome. Selon qu'elle s'organise à partir d'un modèle narratif ou d'un modèle argumentatif, elle ne pointera pas les mêmes valeurs. Comme exemple du premier cas, on évoquera certaines lettres de Mme de Sévigné qui se contentent d'un simple compte rendu de l'événement sur le mode narratif. Une telle pratique, comme l'a montré M. Charles *(Introduction à l'étude des textes)*, s'explique par cette conviction, partagée par d'éminents contemporains, que l'histoire des peuples civilisés se construit selon un ordre déterminé, clair et transparent à lui-même. Le mode narratif renvoie ainsi à la certitude qu'une société a du bien-fondé et de l'universalité de ses propres valeurs. Concernant le modèle argumentatif, on renverra aux lettres de Mme de Merteuil dans *Les Liaisons dangereuses*. Si la structure formelle y est tout entière au service de l'argumentation, c'est que la marquise, tout en s'inscrivant dans le cynisme libertin, se réfère à certaines idées héritées des Lumières.

LE NIVEAU PRAGMATIQUE

Sur le plan pragmatique, enfin, le sujet se révèle à travers le choix de son allocutaire, le projet qu'il nourrit à son égard et les stratégies qu'il utilise.

On tentera ainsi de dégager, à partir du discours, *la figure de l'allocutaire et la façon dont il est sollicité.*

L'IDENTITÉ DE L'ALLOCUTAIRE

Que l'identité de l'allocutaire témoigne obliquement des valeurs du locuteur ne fait aucun doute. Il n'est pas indifférent que le narrateur des *Confessions* s'adresse à Dieu, la Justine sadienne à des prêtres corrompus, le vice-consul de Duras à Anne-Marie Stretter et le Robinson de Tournier à son île. Si, d'une façon générale, la figure du destinataire est facile à identifier dans un dialogue ou un débat, l'étude de l'allocutaire se révèle particulièrement intéressante à mener dans les monologues ou les discours intérieurs. D'une part, il est révélateur, lorsque le personnage s'adresse à lui-même, de voir comment il se perçoit ; d'autre part, il apparaît souvent qu'au-delà de lui-même, il vise un autre destinataire (Dieu, la Morale, l'Idéal, la Transcendance, etc.) dont l'analyse textuelle permet de révéler les contours.

LES MODES D'ORIENTATION VERS AUTRUI

La stratégie adoptée pourra être évaluée par rapport aux trois grands modes d'orientation vers autrui distingués par la rhétorique traditionnelle :

– le *logos* (ensemble des procédés fondés sur l'argumentation logique et faisant appel à la raison du destinataire) ;

– le *pathos* (ensemble des techniques qui visent à émouvoir en jouant sur l'affectivité) ;

– l'*ethos* (ensemble des signaux qui, donnant du locuteur une image fiable, assurent sa crédibilité).

Relèvent du *logos* toutes les figures utilisées pour la démonstration : définition, antithèse, oxymore, paradoxe, analogie, le « *post hoc ergo propter hoc* », l'étymologie, etc. S'il ne se prive pas d'utiliser les autres modes d'orientation vers autrui, c'est d'abord au *logos* que des Hermies a recours, au début de *Là-bas*, pour démontrer à Durtal les impasses du naturalisme. En utilisant une série d'arguments qui, fondés sur la logique du raisonnement, s'adressent à la raison, des Hermies utilise les armes de l'adversaire (le naturalisme, on le sait, s'affiche comme véridique et rationnel).

Un discours privilégiant le *pathos* aura recours à une ponctuation expressive (exclamation, interrogation, points de suspension) et jouera sur tout le registre de la fonction émotive (qui comprend aussi bien les images touchantes appelant l'identification que les attaques verbales – sarcasmes, exécrations – destinées à faire réagir le destinataire). Chez Sade, si le discours des prêtres libertins est fondé sur le *logos*, celui de Justine est axé sur le *pathos*. À l'argumentation logique, la vertueuse héroïne répond en faisant appel à la sensibilité de ses interlocuteurs qu'elle tente d'émouvoir.

L'orientation vers autrui : le logos *et le* pathos

« Le système de l'amour du prochain est une chimère que nous devons au christianisme, et non pas à la nature. Le sectateur du Nazaréen, tourmenté, malheureux et, par conséquent, dans un état de faiblesse qui devait faire crier à la tolérance... à l'humanité, dut nécessairement établir ce rapport fabuleux d'un être à un autre ; il préservait sa vie en le faisant réussir. Mais le philosophe n'admet pas ces rapports gigantesques ; ne voyant, ne considérant que lui seul dans l'univers, c'est à lui seul qu'il rapporte tout ; s'il ménage ou caresse un instant les autres, ce n'est jamais que relativement au profit qu'il croit en tirer : n'a-t-il plus besoin d'eux, prédomine-t-il par sa force, il abjure alors à jamais tous ces beaux systèmes d'humanité, de bienfaisance, auxquels il ne se soumettait que par politique ; il ne craint plus de ramener à lui tout ce qui l'entoure ; et, quelque chose que puissent coûter ses jouissances aux autres ; il les assouvit sans examen comme sans remords.

– Mais l'homme dont vous parlez est un monstre !

– L'homme que je peins est dans la nature.

– C'est une bête féroce.

– Eh bien ! le tigre, le léopard, dont cet homme est, si tu veux, l'image, n'est-il pas comme lui créé par la nature et créé pour remplir les intentions de la nature ? Le loup qui dévore l'agneau accomplit les vues de cette mère commune, comme le malfaiteur qui détruit l'objet de sa vengeance ou de sa lubricité. »

Sade, *La Nouvelle Justine* (1797), Paris, UGE, coll. « 10/18 », 1978, t. I, p. 363-364.

Tous les procédés destinés à renforcer la confiance qu'inspire le locuteur relèvent de l'*ethos* : citations, référence aux « autorités », appui sur des témoignages, appel à l'Histoire et au vraisemblable. Ainsi un jugement aura d'autant plus de force que celui qui l'émet est qualifié pour cela. Dans les *Rougon-Macquart*, la théorie de l'hérédité (qui, s'appuyant sur les développements des sciences expérimentales, permet d'unifier la série en montrant comment une tare héréditaire détermine le destin de différentes générations), prend tout son poids dans le dernier volume, *Le Docteur Pascal*, lorsqu'elle est énoncée par un personnage de médecin.

L'étude des niveaux sémantique, syntaxique et pragmatique permet de reconstituer, à partir de n'importe quel texte, une image assez précise du sujet à son origine. Il est cependant indispensable de ne jamais perdre de vue le caractère *polyphonique* de beaucoup d'œuvres littéraires. Comme le remarque

C. Kerbrat-Orechionni (*L'Énonciation. De la subjectivité dans le langage*), certaines expressions évaluatives ne renvoient au sujet apparent du discours que « dans la mesure où le contexte démontre qu'elles ne peuvent pas être prises en charge par un autre actant de l'énoncé ». C'est tout le problème des interférences discursives (dont l'ironie est le cas exemplaire) qui est ici posé. Il faudra en tenir compte non seulement pour la reconstitution des valeurs manifestées par les différents personnages, mais aussi pour dégager l'idéologie d'ensemble véhiculée par le texte.

L'INTERTEXTUALITÉ

Tout texte – on le sait au moins depuis Bakhtine – se construit, explicitement ou non, à travers la reprise d'autres textes. Aucune œuvre n'est créée *ex nihilo*, et le roman n'échappe pas à la règle. Ce phénomène repose, somme toute, sur un constat d'évidence : les écrivains étant souvent de grands lecteurs, il est logique que leurs textes portent la trace des lectures qu'ils ont faites.

L'intertextualité

« [...] le mot (le texte) est un croisement de mots (de textes) où on lit au moins un autre mot (texte). [...] Tout texte se construit comme mosaïque de citations, tout texte est absorption et transformation d'un autre texte. À la place de la notion d'intersubjectivité s'installe celle d'*intertextualité*, et le langage poétique se lit, au moins, comme *double*. »

J. Kristeva, *Séméiotikè*, Paris, Éd. du Seuil, coll. « Points », 1969, p. 84-85.

L'intertextualité, dimension constitutive du roman, peut cependant brouiller le repérage de la voix énonciative. À travers le texte qu'on a sous les yeux, c'est parfois un autre texte qui se fait entendre. Il convient donc de s'interroger sur les différents modes de l'intertextualité et sur les fonctions qu'elle assume.

TYPOLOGIE

Genette, dans *Palimpsestes*, relève cinq types de renvois intertextuels qu'il rassemble sous le terme générique de *transtextualité*.

L'INTERTEXTUALITÉ

L'« intertextualité », entendue dans un sens restreint, désigne la présence objective d'un texte dans un autre texte. Cette présence peut prendre des formes différentes, de la *citation* à l'*allusion* en passant par le *plagiat*. Les citations textuelles de la Bible parcourent l'œuvre de Dostoïevski ; on trouve dans *La Condition humaine* de Malraux plusieurs allusions (dont le titre même du roman) aux *Pensées* de Pascal ; *La Bicyclette bleue* de Régine Deforges a pu être considéré comme un plagiat de *Autant en emporte le vent*. Examinons ce passage du *Ravissement de Lol V. Stein* :

> « Le soir, Tatiana s'attristait toujours. Jamais elle n'oubliait. Ce soir encore, elle regarda un instant au dehors. L'étendard blanc des amants dans leur premier voyage flotte toujours sur la ville obscurcie. La défaite cesse d'être le lot de Tatiana, elle se répand, coule sur l'univers. Tatiana dit qu'elle aurait voulu faire un voyage. Elle demande à Lol si celle-ci partage ce désir. Lol dit ne pas y avoir encore pensé. »
>
> M. Duras, *Le Ravissement de Lol V. Stein*,
> Paris, Gallimard, coll. « Folio », 1964, p. 81.

L'évocation, par le narrateur, de « l'étendard blanc des amants dans leur premier voyage » qui « flotte toujours sur la ville obscurcie » renvoie, sur le mode de l'allusion, à la voile blanche qu'une autre amante, Iseult la Blonde, devait adresser comme signe à Tristan. Le motif, arraché au mythe, désigne ainsi l'espoir fou des personnages de retrouver dans la réalité une forme d'amour absolu qui n'existe, peut-être, que dans les légendes.

LA PARATEXTUALITÉ

Étudiée au chapitre I, elle concerne les relations entre le texte d'escorte (titre, notes, préface, etc.) et le texte proprement dit. La fonction du paratexte, consiste, on l'a vu, à orienter la lecture du récit. L'« introduction » à la *Justine* de Sade (voir *infra*, p. 167-171) est ainsi en relation paratextuelle avec le roman qu'elle présente et dont elle éclaire la visée et les enjeux.

LA MÉTATEXTUALITÉ

Elle renvoie aux relations de commentaire entre les textes. On la rencontre essentiellement dans les textes critiques, mais aussi, parfois, dans les romans. On trouve ainsi, dans *Là-bas*, de Huysmans, un commentaire critique de l'œuvre de Michelet, ou dans *Les Frères Karamazov* de Dostoïevski une exégèse de tel passage obscur de l'Ancien Testament.

Le commentaire de Michelet dans Là-bas

« Pour Durtal, l'histoire était donc le plus solennel des mensonges, le plus enfantin des leurres. L'antique Clio ne pouvait être représentée, selon lui, qu'avec une tête de sphinx, parée de favoris en nageoire et coiffée d'un bourrelet de mioche. La vérité, c'est que l'exactitude est impossible, se disait-il ; comment pénétrer dans les événements du Moyen Âge,

> alors que personne n'est seulement à même d'expliquer les épisodes les plus récents, les dessous de la Révolution, les pilotis de la Commune, par exemple ? Il ne reste donc qu'à se fabriquer sa vision, s'imaginer avec soi-même les créatures d'un autre temps, s'incarner en elles, endosser, si l'on peut, l'apparence de leur défroque, se forger enfin, avec des détails adroitement triés, de fallacieux ensembles. C'est ce que Michelet a fait, en somme ; et bien que cette vieille énervée ait singulièrement vagabondé dans les hors-d'œuvre, s'arrêtant devant des riens, délirant doucement en des anecdotes qu'elle enflait et déclarait immenses, dès que ses accès de sentiment et ses crises de chauvinisme brouillaient la possibilité de ses présomptions, alitaient la santé de ses conjectures, elle était néanmoins la seule, en France, qui eût plané au-dessus des siècles et plongé de haut dans l'obscur défilé des vieux récits. »
>
> J.K. Huysmans, *Là-bas, op. cit.*, p. 47.

On peut également ranger sous l'étiquette de la métatextualité l'auto-commentaire par le narrateur de son propre récit, tel qu'on le trouve, en particulier, dans les mises en abyme.

L'HYPERTEXTUALITÉ

Elle recouvre tous les types de transformation qu'un texte A peut faire subir à un texte B sur lequel il se greffe. L'hypertextualité renvoie ainsi au pastiche, à la parodie et à tous les modes imaginables de transposition ou d'imitation. Dans tous les cas, l'*hypertexte* se présente comme le développement d'un texte premier appelé « hypotexte ». Le roman *Shamela* de Fielding est ainsi en relation hypertextuelle avec *Pamela* de Richardson dont il se présente explicitement comme la parodie : la servante cynique et sans scrupules qui tente de se faire épouser de son maître a remplacé la vertueuse héroïne qui résiste aux tentatives de séduction du jeune aristocrate qu'elle sert. L'enjeu du roman de Fielding est de montrer l'invraisemblance de l'héroïne de Richardson dont la perfection morale n'est pas de ce monde. Dans un autre registre, *Le Sein* de Philip Roth est un hypertexte obtenu par transformation de cet hypotexte que constitue *La Métamorphose* de Kafka : la transformation du protagoniste en sein est directement inspirée de celle du héros kafkaïen en vermine.

L'ARCHITEXTUALITÉ

Elle désigne les relations du texte avec les autres textes du même *genre*. L'appartenance d'un roman donné au genre policier, fantastique, naturaliste ou autre est déterminante pour sa forme, son contenu et l'horizon d'attente du lecteur. *L'Assommoir* de Zola et *Les Sœurs Vatard* de Huysmans entretiennent ainsi une relation architextuelle : en tant que romans naturalistes, ils se réfèrent au même « cahier des charges », c'est-à-dire à un projet et une esthétique comparables. Dès lors, les deux textes développent inévitablement des motifs et des thèmes communs et recourent au même type de procédés. Dans un autre registre, on sait, depuis les travaux de Ph. Lejeune, que les romans autobiographiques fonctionnent selon un schéma similaire et proposent le même pacte de lecture.

FONCTIONS

Ces différents types d'intertextualité (ou de « transtextualité » pour reprendre la terminologie de Genette) peuvent assumer des fonctions très différentes. Parmi les principales, on peut évoquer :

– la foncion *référentielle* (le récit, se référant à un texte connu du lecteur, donne l'illusion qu'il se reporte à la réalité) ;

– la fonction *éthique* (le renvoi intertextuel, témoignant de la culture du narrateur, renforce son *ethos*, c'est-à-dire sa crédibilité) ;

– la fonction *argumentative* (la référence à un texte reconnu et faisant autorité peut servir de justification à un propos ou une attitude) ;

– la fonction *herméneutique* (le renvoi à un intertexte fait toujours sens et, dès lors, précise ou complique le sens du texte lu) ;

– la fonction *ludique* (l'intertexte appelle un jeu de décodage de la part du lecteur, jeu qui, réussi, suscite une connivence culturelle entre l'auteur et son public) ;

– la fonction *critique* (l'intertexte peut être malmené de différentes façons, de la simple parodie à la condamnation la plus acerbe) ;

– la fonction *métadiscursive* (le regard du texte sur un autre texte est parfois, pour le récit, une façon oblique de commenter son propre fonctionnement).

Lorsque le narrateur de *Madame Bovary* cite *Paul et Virginie* parmi les lectures d'Emma adolescente, il exploite la fonction référentielle de l'intertextualité. Le roman de Bernardin de Saint-Pierre existant dans le monde de référence du lecteur, sa présence dans l'univers fictionnel contribue à renforcer la crédibilité de ce dernier. Malraux utilise le même procédé dans *La Condition humaine* en évoquant un exemplaire des *Contes* d'Hoffmann dans la chambre du baron de Clappique.

Dans ce même roman, les références constantes aux textes de Pascal, Nietzsche, Hegel et Marx remplissent une fonction éthique : en témoignant de la culture philosophique de l'auteur, elles renforcent sa crédibilité et légitiment son projet de proposer un roman historique à portée métaphysique. Les allusions à Dumas, Boulle, Camus, Bernanos, Zola (pour ne citer que quelques-uns des multiples auteurs invoqués dans le texte) contribuent à renforcer l'autorité de Perec à faire (entre autres choses) dans *La Vie mode d'emploi* un état des lieux de la littérature.

Lorsque Mauriac se réfère à Saint François d'Assise et, au-delà, à la figure du Christ dans *Le Baiser au lépreux*, il joue sur la fonction argumentative de l'intertextualité : le comportement de ses personnages et la dynamique de l'histoire qu'il raconte s'enracinent dans l'épisode évoqué par le titre.

La référence au texte d'Homère dans *Ulysse* de Joyce a une fonction herméneutique : la journée que passe Leopold Bloom à Dublin est à interpréter comme une odyssée contemporaine avec toutes les valeurs qui s'attachent à cette référence.

La fonction ludique de l'intertextualité, on la trouve, par exemple, dans *Les Gommes* où Robbe-Grillet s'amuse à subvertir les recettes les plus éculées du roman policier : la saveur de ce type de texte tient à la reconnaissance, sous le récit parodique, de procédés que tout lecteur a abondamment rencontrés dans ses lectures antérieures.

Dans *Portrait de l'artiste en jeune singe* de Butor, l'intertextualité a une fonction *critique*. La distance par rapport au modèle (*Portrait de l'artiste en jeune homme* de Joyce) est, bien sûr, signifiante sur le plan des valeurs. Même fonction critique de la référence intertextuelle dans *Candide*, où le narrateur caricature, en le détournant, le vocabulaire philosophique (en particulier celui de Leibniz) :

> « Pangloss enseignait la métaphysico-théologo-cosmolonigologie. Il prouvait admirablement qu'il n'y a point d'effet sans cause, et que, dans ce meilleur des mondes possibles, le château de monseigneur le baron était le plus beau des châteaux et madame la meilleure des baronnes possibles. »
>
> *op. cit.*, p. 138.

L'enjeu est d'opposer à l'abstraction des systèmes philosophiques (dont l'universalisme de façade se prête à toutes les récupérations idéologiques) une morale pratique fondée sur le naturel et le bon sens.

La fonction métadiscursive de l'intertextualité est particulièrement exploitée par Butor dans *L'Emploi du temps*. Le roman comprend en effet plusieurs passages sur la construction et la signification du roman policier. Le texte de Butor pouvant lui-même être qualifié de « roman policier » (genre avec lequel il entretient une relation architextuelle), les théories en question s'appliquent également à *L'Emploi du temps* et fonctionnent comme une grille de lecture particulièrement efficace et éclairante.

La fonction métadiscursive de l'intertextualité : la référence au roman policier dans L'Emploi du temps

« Ainsi nous nous taisions tous deux dans un massif silence que n'entamaient point nos quelques paroles, l'écoutant nous faire remarquer que, dans le roman policier, le récit est fait à contre-courant, puisqu'il commence par le crime, aboutissement de tous les drames que le détective doit retrouver peu à peu, ce qui est à bien des égards plus naturel que de raconter sans jamais revenir en arrière, d'abord le premier jour de l'histoire, puis le second, et seulement après les jours suivants dans l'ordre du calendrier comme je faisais moi-même en ce temps-là pour mes aventures d'octobre ; dans le roman policier le récit explore peu à peu des événements antérieurs à celui par lequel il commence, ce qui peut déconcerter certains, mais qui est tout à fait naturel puisque, dans la réalité, c'est évidemment seulement après l'avoir rencontré que nous nous intéressons à ce qu'a fait quelqu'un, puisque dans la réalité, trop souvent, c'est seulement lorsque l'explosion du malheur est venue troubler notre vie que, réveillés, nous recherchons ses origines. »

M. Butor, *L'Emploi du temps*, Paris, Éd. de Minuit, 1956, p. 224-225.

L'IRONIE

Dans la mesure où elle se construit sur un double discours, l'ironie participe du jeu des voix au fondement du roman. En tant que structure polyphonique, elle relève directement de la question de l'énonciation. L'étude de son fonctionnement permet d'approfondir la question de l'intention et des enjeux du récit.

DÉFINITION

Étymologiquement, l'« ironie » désigne le « fait d'interroger en feignant l'ignorance ». Ironiser, c'est donc, à l'origine, poser une question faussement naïve. À partir de ce sens initial (que l'on trouve dans l'« ironie socratique »), le terme en vient à désigner une figure de rhétorique (« dire le contraire de ce que l'on veut dire »). Aujourd'hui, à la suite des travaux de Sperber et Wilson, on envisage plutôt l'ironie au niveau de l'énonciation en tant que phénomène polyphonique. O. Ducrot propose ainsi d'appréhender l'ironie à travers la question des voix narratives : « Parler de façon ironique, cela revient, pour un locuteur L, à présenter l'énonciation comme exprimant la position d'un énonciateur E, position dont on sait par ailleurs que le locuteur L n'en prend pas la responsabilité et, bien plus, qu'il la tient pour absurde. » L'ironie serait donc une sorte de citation implicite, consistant pour l'énonciateur à faire entendre dans son propos une voix qui n'est pas la sienne et dont, par une série d'indices (qui tiennent parfois au seul contexte), il montre qu'il se distancie. Voici un passage extrait du premier chapitre de *L'Enfant* de Vallès :

> « Ma mère apparaît souvent pour me prendre par les oreilles et me calotter. C'est pour mon bien ; aussi, plus elle m'arrache de cheveux, plus elle me donne de taloches, et plus je suis persuadé qu'elle est une bonne mère et que je suis un enfant ingrat. »
>
> Garnier-Flammarion, 1968, p. 50.

Le commentaire « c'est pour mon bien » est évidemment à l'opposé de ce que pense réellement le narrateur. L'insistance sur la violence physique de la punition témoigne clairement de l'absurdité d'une telle appréciation. Mais si ce point de vue n'est pas celui du narrateur, il n'en existe pas moins et correspond très probablement à ce que pensent la mère et l'entourage familial, voire la société. En précisant « c'est pour mon bien », Vallès joue bien le rôle du locuteur L faisant entendre une voix, celle de l'énonciateur E (en l'occurrence, la mère, la famille, la norme sociale), dont il montre, en soulignant la contradiction entre la théorie (faire le bien) et la pratique (faire souffrir), qu'il la tient pour absurde, voire criminelle. L'ironie apparaît bien comme une combinaison de voix qui, bien que confondues dans un même énoncé, renvoient à des locuteurs différents : l'un prenant en charge le contenu explicite, l'autre le refusant.

S'il est toujours possible d'appréhender l'ironie comme un jeu entre plusieurs voix, elle peut soit se présenter comme un phénomène localisé, soit s'étendre à l'ensemble d'une énonciation.

L'ESPACE DE L'IRONIE : DE L'ÉNONCÉ AU RÉCIT

Lorsque l'ironie porte sur un énoncé particulier, elle est en général facilement repérable en raison du *contexte* (la situation d'écriture, qui comprend le projet de l'auteur et les circonstances dans lesquelles il écrit) et du *cotexte* (l'entourage textuel immédiat et, au-delà, l'ensemble du récit où figure l'énoncé). Elle fonctionne en deux temps : elle frappe d'abord l'attention en tant qu'anomalie sémantique ; elle est ensuite annulée par le lecteur qui, par inversion de sens, rétablit mentalement le point de vue de l'énonciateur.

L'énoncé ironique, fait pour être décrypté, table donc toujours sur l'activité intellectuelle du destinataire.

Même s'ils ne sont pas toujours aisément décelables, il existe un certain nombre d'indices qui signalent l'intention ironique. Tous les procédés incitant à lire un passage sur un double registre, à entendre dans le texte ce que les théoriciens appellent un « double propos » *(« double speak »)*, renvoient à la diffraction énonciative constitutive de l'ironie. Parmi les principaux, on peut retenir :

– le mélange de deux registres de langue (qui renvoient, chacun, à un locuteur particulier) ;

– les emphases stylistiques ;

– les contradictions dans le propos ;

– le décalage entre l'affirmation et les faits rapportés ;

– une typographie particulière (comme, par exemple, l'italique).

Ces « marqueurs d'ironie » enlèvent toute incertitude sur le sens de l'énoncé et désignent clairement, en dépit du jeu des voix, le point de vue de l'énonciateur. Examinons, à titre d'exemple, ce passage de *Candide* :

> « Après le tremblement de terre qui avait détruit les trois quarts de Lisbonne, les sages du pays n'avaient pas trouvé un moyen plus efficace pour prévenir une ruine totale que de donner au peuple un bel autodafé ; il était décidé par l'université de Coïmbre que le spectacle de quelques personnes brûlées à petit feu en grande cérémonie est un secret infaillible pour empêcher la terre de trembler. »
>
> *op. cit.*, p. 150.

L'ironie du passage se signale par une série d'emphases stylistiques (« ruine totale », « grande cérémonie », « secret infaillible »), une contradiction évidente entre le moyen (l'autodafé) et l'objectif visé (empêcher la terre de trembler), entre l'affirmation qu'il existe une solution « infaillible » et le démenti cinglant que vient d'apporter le tremblement de terre de Lisbonne.

L'analyse de l'ironie est particulièrement utile pour dégager le regard que porte le narrateur sur ses personnages. Cautionne-t-il leur action ? Se désolidarise-t-il d'eux ? Les considère-t-il avec affection ? sympathie ? respect ? distance ? On peut répondre à ces questions en mettant au jour la présence ou l'absence de signaux ironiques dans la façon dont le narrateur présente l'action, les paroles ou les pensées des différents acteurs de son récit. On a vu que, selon D. Cohn (voir *supra*, p. 38), le narrateur pouvait rapporter les pensées de ses personnages en privilégiant la consonance ou la dissonance. Le repérage de l'ironie permet ainsi de préciser le système de sympathie du texte, fondement, comme on le sait, de son système de valeurs. Dans *La Quarantaine* de Le Clézio, voici comment le narrateur rapporte les paroles de Julius Véran, un des Occidentaux condamnés à un séjour forcé sur l'île Plate suite à un naufrage :

> « Il veut qu'on réagisse, qu'on "prenne des mesures". Son visage osseux est pâle, barré par les virgules noires de ses moustaches qu'il taille chaque matin aux ciseaux. »
>
> Paris, Gallimard, 1995, p. 82.

La façon dont le narrateur rapporte les paroles du personnage témoigne d'une ironie qui ne laisse aucun doute sur l'antipathie qu'il éprouve à son égard. Les guillemets de la première phrase témoignent clairement de la volonté du narrateur de ne pas reprendre à son compte les paroles du personnage : il prend ses distances par rapport aux formules effectivement utilisées par ce dernier. Le recours à une métaphore dépréciative (« virgules noires » pour désigner les moustaches) et la mention du soin – ridicule, vu les circonstances – que Julius apporte à son apparence (« qu'il taille chaque matin aux ciseaux »), complètent l'évaluation négative du personnage.

Il existe cependant des cas où le rétablissement, par inversion de sens, du point de vue véritable n'est pas possible. On rencontre ce cas de figure lorsque le discours ironique est rattaché à un locuteur lui-même « ironisé ». Ce dernier se présente alors comme un moi « scindé » : chacune des deux opinions contradictoires mises en jeu dans l'ironie correspond à une partie de lui-même. Ce qu'il faut, alors, retenir du discours ironique, ce n'est ni l'opinion qu'il rejette, ni celle qu'il exalte, mais la *tension* qu'il instaure et qui n'est pas destinée à être dépassée. C'est ce qu'on pourrait définir comme un « troisième degré » : le locuteur feint de condamner un point de vue pour faire passer une adhésion difficile à assumer explicitement. On en trouve des exemples dans la plupart des romans de M. Houellebecq. Ainsi, lorsque le narrateur-personnage de *Plateforme* fait état de propos racistes ou misogynes, il fait entendre à la fois un discours machiste et populiste si caricatural qu'il semble s'en démarquer et un désespoir authentique qui s'exprime justement par ce type de propos outranciers.

Enfin, lorsque c'est l'ensemble d'un texte qui est ironique, et non tel énoncé pris dans un contexte qui le désambiguïse, la polyphonie limitée (parce que fondée sur une hiérarchisation des voix) de l'énoncé ironique devient une polyphonie illimitée. Le lecteur, ne sachant s'il est confronté au discours du narrateur ou à un discours indirect libre généralisé, n'a plus la possibilité de repérer l'autorité énonciative qui coiffe l'ensemble et se trouve dans une situation particulièrement inconfortable. La vérité semble à jamais hors d'atteinte, prise dans le vertige sans fin des jeux d'énonciation.

Ironie et distance

« C'est peut-être la notion de "distance", ou de "tension", qui caractériserait le mieux dans sa diversité l'acte de parole ironique : distance d'un énoncé avec l'énoncé d'autrui ; distance d'un énonciateur à l'égard de son propre énoncé ; distance d'un énoncé d'avec son contexte de référence réel ; enfin, distance, interne à l'énoncé, entre deux éléments disjoints de cet énoncé (un comparant et un comparé, une cause et son effet, un diagnostic et son pronostic, etc.). L'ironie, comme toute conduite sociale, relèverait alors d'une manière à la fois de "garder ses distances" avec autrui par l'entremise de distances sémantiques et syntaxiques construites dans et par le discours, manière ambiguë et rusée de bénéficier en même temps d'une impunité ("je n'ai jamais dit cela") et d'une efficacité ("j'ai bien dit cela"), manière donc à la fois de fonder une connivence, d'affirmer une cohésion et un lien, de réduire phatiquement une distance (avec ceux qui me comprennent à demi-mot, qui font donc partie de mon monde), tout en excluant, en mettant à distance ceux qui me servent de cible et ceux qui n'accèdent qu'au sens explicite de mon discours. Comme dans le schéma du "bouc émissaire", comme dans la plupart des jeux qui sont à la fois conjonctifs (d'une communauté, d'une équipe) et disjonctifs (d'avec un adversaire), dans l'acte d'ironie on communie par une communication tout en excommuniant les balourds et les naïfs. »

Ph. Hamon, « L'ironie », *in Le Grand Atlas des littératures*,
Encyclopaedia Universalis éditeur, 1990, p. 57.

FONCTIONS DE L'IRONIE

Avant de présenter les principales fonctions du texte ironique, rappelons que l'ironie, dans la mesure où elle se définit toujours par rapport à une norme, s'inscrit le plus souvent dans un discours idéologique. Comme l'a montré Ph. Hamon *(Le Grand Atlas des littératures)*, le texte ironique repose en effet sur un schéma de communication que l'on peut formaliser à l'aide du système actantiel de Greimas. Le *sujet* à l'origine du discours (« l'ironisant ») prend pour *objet* (c'est-à-dire pour cible) un « ironisé ». Le *destinataire*, en raison du double discours constitutif de l'ironie, est lui-même à dédoubler en deux instances : l'une « naïve », recevant le texte au niveau littéral, l'autre « complice », car comprenant l'intention véritable de l'émetteur. Mais l'ironie, discours allusif et détourné qui s'explique bien souvent par l'impossibilité de proposer un discours transparent, suppose aussi un *opposant*, à savoir la norme (sociale, politique ou culturelle) qui interdit précisément la parole explicite. Dégager l'opposant d'un texte ironique permet donc de réinscrire un récit dans son contexte idéologique. L'*adjuvant* sera la norme, existante ou supposée, qui unit l'ironisant et le destinataire complice dans la dénonciation de la norme en vigueur. Si l'on reprend l'extrait de *Candide* cité plus haut, le narrateur se présente comme un ironisant dont l'ironisé (la cible) est le fanatisme religieux. Si le destinataire naïf, convaincu que les autorités – en particulier religieuses – ont toujours raison, peut souscrire à l'idée de l'autodafé, le destinataire complice reconnaît dans le discours du narrateur une dénonciation de ce que le fanatisme a d'absurde et de monstrueux. L'opposant est la norme politique de l'Ancien Régime, la monarchie de droit divin, qui oblige le narrateur à un déplacement de sa critique (il s'en prend à l'université de Coïmbre et non au clergé de la France de Louis XV). L'adjuvant est la norme nouvelle proposée par les philosophes du XVIIIe siècle, cet « esprit des Lumières » s'opposant à l'obscurantisme et qui, entre autres valeurs, défend la liberté de conscience.

L'ironie a donc d'abord une fonction critique : elle permet d'attaquer, de dénoncer un point de vue en le ridiculisant. Si l'ironiste campe le lecteur en complice, c'est sur le dos d'un ennemi commun (l'ironisé), cible implicite du discours. La force critique de l'ironie tient au fait qu'elle commence par souligner l'absurdité ou la vacuité du point de vue contesté avant d'amener le lecteur à rejoindre le point de vue de l'énonciateur. Destinateur et destinataire se rassemblent ainsi dans le rejet de l'erreur avant de le faire dans l'acceptation de la vérité.

L'ironie permet également d'exprimer une idée en lui donnant une force particulière. Présenter une idée sous forme d'antiphrase, c'est une façon de la singulariser, de la « défamiliariser » comme auraient dit les formalistes russes. Parler d'un affrontement militaire comme d'une « boucherie héroïque » (Voltaire) est ainsi une façon de souligner le scandale de la guerre. L'ironie est donc, aussi, une force d'inspiration : elle suggère, stimule, donne à penser. En pointant les limites d'une pensée convenue, elle ouvre des perspectives, oblige à dépasser la façon habituelle de voir les choses.

Enfin, lorsque l'ironie porte sur l'ensemble d'une énonciation, elle n'est plus un simple instrument polémique : elle a pour fonction d'opérer une rupture avec nos modèles culturels de perception qui supposent un sujet cohérent et une réalité unifiée.

Synthèse

L'examen des niveaux sémantique, syntaxique et pragmatique permet de reconstituer une image du sujet (personnage ou narrateur) qui s'exprime dans le roman. Tout texte se construisant, explicitement ou non, à travers la reprise d'autres textes, l'intertextualité fait partie intégrante de l'étude de l'énonciation. Genette, dans *Palimpsestes*, relève cinq types de renvois intertextuels qu'il rassemble sous le terme générique de « transtextualité » et qui peuvent assumer des fonctions très diverses. Analysée d'un point de vue « polyphonique », l'ironie apparaît comme une combinaison de voix qui, bien que confondues dans un même énoncé, renvoient à des locuteurs différents.

LECTURES CONSEILLÉES

G. GENETTE

Palimpsestes, Paris, Le Seuil, coll. « Poétique », 1982.

Cet ouvrage, consacré à l'« hypertextualité », propose une typologie des renvois intertextuels et de leurs fonctions.

Ph. HAMON

L'Ironie littéraire. Essai sur les formes de l'écriture oblique, Paris, Hachette, 1996.

Approche poéticienne du fonctionnement de l'ironie dans les textes littéraires.

C. KERBRAT-ORECCHIONI

L'Énonciation. De la subjectivité dans le langage, Paris, Armand Colin, 1980.

Livre majeur qui étudie, dans une perspective linguistique, les différents signaux qui révèlent le sujet à l'origine d'un texte.

P. SCHOENTJES

Poétique de l'ironie, Paris, Le Seuil, coll. « Points », 2001.

Ouvrage de synthèse qui analyse l'ironie (non restreinte à sa déclinaison littéraire) dans l'histoire et au sein des différents espaces où elle intervient.

D. SPERBER et D. WILSON

« Les ironies comme mentions », *Poétique*, n° 36, 1978.

Article fondateur qui appréhende le discours ironique comme un jeu de voix.

CHAPITRE 6
LE RÉEL DU ROMAN : L'INSCRIPTION DU HORS-TEXTE

Si le roman est d'abord un fait de langage, un ensemble de formes, il n'en reçoit pas moins la marque du contexte dans lequel il a vu le jour. L'époque et la personnalité du romancier ne peuvent manquer de se refléter, d'une façon ou d'une autre, dans l'œuvre dont il est la source.

L'étude des relations entre le texte et les réalités à son origine relève-t-elle encore de la poétique ? Envisager le roman comme résultat de normes culturelles ou produit d'un inconscient ne nous éloigne-t-il pas d'une analyse strictement textuelle ? On pourra, bien sûr, objecter que la prise en compte, dans l'explication du texte, d'éléments extérieurs au texte est la négation même du formalisme. Qu'il nous soit cependant permis de faire deux remarques. D'une part, les approches sociologique et psychanalytique, telles qu'elles ont reformulé leur méthode ces dernières années, ont pris en compte les acquis du structuralisme. D'autre part, à partir du moment où l'analyse prend pour point de départ le texte tel qu'il se présente, l'objet de l'étude reste bien la valeur à attribuer aux procédés formels.

LES EMPREINTES DU MOI

Après l'étape transitoire de la *psychobiographie* (qui voyait dans l'œuvre un matériel clinique reflétant, par son contenu, les fantasmes de l'auteur), la critique d'inspiration psychanalytique a rapidement évolué – sous l'influence des études formalistes – en choisissant de situer ses analyses à l'intérieur du texte.

Ce n'est pas ici le lieu de retracer la déjà longue histoire de ce courant critique dont les derniers (et fructueux) développements sont à chercher dans les travaux de Jean Bellemin-Noël et de la textanalyse. Nous nous contenterons de présenter l'une des méthodes les plus opératoires pour un profane : la *psychocritique* de Charles Mauron, dont l'un des moindres mérites n'est pas d'être fondée sur la prise en compte des structures textuelles.

LA PSYCHOCRITIQUE DE CHARLES MAURON
LA THÉORIE

La psychocritique, telle qu'elle est définie par Charles Mauron, se présente à la fois comme une théorie de la création littéraire et une méthode d'analyse des textes.

Sur le plan théorique, Mauron, tout en soulignant la liberté de l'artiste, appréhende la création littéraire comme la résultante de trois variables : le milieu social, la personnalité de l'écrivain, le langage. S'il n'est pas possible d'expliquer intégralement le geste créateur, on peut donc rendre compte des facteurs objectifs qui le déterminent en partie.

La psychocritique s'intéresse à la seconde variable – la personnalité du créateur – en tentant, à partir des théories freudiennes, de mettre au jour la part d'« inconscient » à sa source. Selon Mauron, l'adolescence constitue une étape décisive dans l'histoire de tout individu : elle se caractérise par une énergie pulsionnelle que le sujet peut maîtriser soit par l'activité sociale, soit par le geste créateur. Si l'artiste opte pour la création, il n'en reste pas moins scindé entre un « Moi social » et un « Moi créateur » qui, selon les cas et les périodes de la vie, peuvent coexister harmonieusement ou entrer en conflit.

LA MÉTHODE

Sur le plan de la méthode, la psychocritique se présente comme une approche littéraire (elle se fonde sur l'étude des textes) et non réductrice (son objectif – identifier le phantasme inconscient qui sous-tend l'œuvre d'un écrivain – s'affiche clairement comme limité).

C'est dans son premier ouvrage *(Des métaphores obsédantes au mythe personnel. Introduction à la psychocritique)* que Mauron expose la méthode d'une critique psychanalytique qui se refuse à négliger la dimension littéraire des textes.

Son objet d'étude étant l'ensemble d'une œuvre plutôt qu'un texte particulier, il propose une démarche en quatre temps.

– La pratique des *superpositions* fait apparaître les structures communes aux différents textes d'un même auteur. Plus précisément, cette première étape doit permettre de dégager « des réseaux d'associations ou des groupements d'images, obsédants et probablement involontaires ». Les textes de Duras, par exemple, associent les motifs du « cri » et du « bal », ou encore, ceux du « vide », de la « blancheur » et du « manque ». Ces « métaphores obsédantes », non seulement s'organisent en réseaux, mais sont liées à des affects qui donnent de précieux renseignements sur le désir ou le conflit inconscient à leur origine. Elles rappellent l'existence, dans le texte, de processus primaires (non maî-trisés) toujours à l'œuvre sous les processus secondaires (conscients) de la pensée.

– La deuxième étape consiste à identifier, en comparant les réseaux et les groupements d'images récurrents, les *figures mythiques* et les *situations drama-tiques*. La « figure » est reconstruite par le commentateur à partir de traits récur-rents qui, dans les textes, peuvent être distribués entre différents personnages. L'identification des figures permet la mise en évidence des « situations dra-matiques » que l'on retrouve, sous différentes déclinaisons, dans l'ensemble de l'œuvre. On peut ainsi, dans le corpus durassien, reconstruire la figure de l'« Ange exterminateur » à partir des associations entre « folie », « inno-cence », « destruction » et « désir de justice », et mettre au jour des « situa-tions dramatiques » comme l'« arrachement douloureux », la « triangulation heureuse » ou le « désir d'inaccomplissement ».

– La troisième étape consiste à déceler, à travers la façon dont s'ordonnent les différentes situations dramatiques, le *mythe personnel* de l'écrivain. On relèvera ainsi, chez Duras, un désir de régression fusionnelle qui se présente comme une réponse à l'arrachement originel. Le mythe personnel, expression de la personnalité inconsciente de l'écrivain, est présenté comme « une catégo-rie *a priori* de l'imagination ». Il s'agit d'un « phantasme » persistant (Mauron préfère utiliser cette graphie pour distinguer l'activité de l'inconscient des « fan-tasmes » de la rêverie consciente) qui détermine le travail créateur. L'œuvre s'expliquerait ainsi par un phantasme originel commun à la vie et à l'écriture. Mais, alors que la psychobiographie partait de la vie pour aboutir au texte, la psychocritique part du texte pour aboutir à la vie.

– Enfin, la *vérification par l'étude biographique* permet de légitimer l'ensemble de l'analyse en cherchant ce qui, dans l'enfance de l'écrivain, est à la source de son « mythe personnel ».

Appliquons cette méthode au recueil de nouvelles de Nerval, *Les Filles du feu*. On remarque, dans la plupart des récits, le retour des mêmes thèmes et motifs : la perte, la mélancolie, la dualité, le refuge dans le passé et l'imaginaire, la valorisation de la création esthétique. On peut dès lors identifier la situation dramatique nodale de la plupart des nouvelles : le sujet, marqué par la perte d'un être cher dont il ne parvient pas à faire son deuil, est plongé dans un état de mélancolie qui aboutit à une crise identitaire. Se réfugiant dans l'imaginaire, il tente de sublimer sa douleur grâce à l'activité esthétique. Le mythe personnel de Nerval repose ainsi sur une véritable foi en l'art qui, faisant de l'écrivain un nouvel Orphée, est seul capable de rendre un sens à la souffrance en la transformant en initiation : sur le modèle de la descente aux enfers des récits mythologiques, la douleur et la folie qu'elle entraîne sont le prélude à une « renaissance » du sujet. La vérification par l'étude biographique permet de constater que la vie de Nerval a effectivement été marquée par la perte (mort précoce d'une mère qu'il ne connaîtra jamais, perte de l'actrice Jenny Colon dont il était amoureux). On comprend que ce manque affectif ait engendré un profond sentiment de mélancolie et une grave crise identitaire dont témoignent les crises de folie qui ont, à plusieurs reprises, nécessité l'internement de l'écrivain. Que l'écriture ait été envisagée, sur les conseils du docteur Blanche, comme un moyen pour Nerval de reprendre possession de lui-même n'a, dans ce contexte, rien pour surprendre.

Une telle démarche, apparemment limpide, n'est pas toujours facile à mettre en œuvre. Sur quels critères retenir telles structures comme essentielles à l'identification du mythe personnel et rejeter telles autres comme secondaires et négligeables ?

LES PRINCIPES

On peut dégager plusieurs principes, solides et opératoires, qui sous-tendent la démarche de Mauron et lui évitent de se perdre dans l'arbitraire : la récurrence, la singularité, la logique et la corrélation.

Pour qu'un élément textuel soit retenu comme composante du mythe personnel, il faut d'abord qu'il revienne de façon récurrente dans l'œuvre de l'écrivain. La répétition insistante d'une même image ou d'une même structure ne peut en effet être due au hasard. La figure du fou chez Dostoïevski, le schéma narratif opposant l'individu innocent aux systèmes oppressifs chez Kafka sont suffisamment récurrents pour qu'on puisse les considérer comme une projection de l'inconscient de l'auteur.

Pour que l'élément textuel puisse être interprété comme symptôme d'un conflit psychique personnel, il faut également qu'il présente un caractère inattendu. Une image ou une structure fait sens lorsqu'elle ne va pas de soi.

La « jeune fille-sphinx », figure hybride et énigmatique récurrente dans *Les Rougon-Macquart*, témoigne d'une composante subjective de l'imaginaire zolien dans la mesure où elle est insolite (la jeune fille est, en général, réputée symbole d'innocence et de transparence).

Un troisième principe invite à ne retenir que les éléments susceptibles de s'organiser autour d'une thématique unifiée. Ce garde-fou est indispensable si l'on veut éviter de se retrouver en face d'une addition d'éléments disparates. Ainsi chez Kafka, la thématique de la persécution et celle de la culpabilité ont un rapport logique qui permet de les rassembler au sein d'un mythe signifiant.

Un dernier principe – la corrélation – doit permettre de légitimer l'analyse en mettant au jour les relations unissant le mythe personnel de l'écrivain à sa biographie. Le thème de la culpabilité est ainsi, chez Kafka, l'expression de ses relations tendues avec la figure paternelle dont nombre de documents biographiques témoignent.

La psychocritique de Mauron concerne, on l'a dit, l'œuvre d'ensemble d'un auteur. Ce qu'il s'agit, *in fine*, de mettre en évidence, c'est le « phantasme » fondamental dont les différents textes d'un écrivain seraient, chacun à sa façon, le reflet plus ou moins lointain. Sans nécessairement la mener jusqu'à son terme, ce qu'on peut retenir d'une telle démarche, c'est la possibilité de dégager dans un texte donné, aussi bien sur le plan du contenu que sur celui du langage, la présence d'une logique fantasmatique.

Le roman comme expression d'un inconscient

« Notre manière de procéder consiste dans l'observation consciente, chez les autres, des processus psychiques qui s'écartent de la norme afin de pouvoir en deviner et en énoncer les lois. L'écrivain, lui, procède autrement ; c'est dans sa propre âme, qu'il dirige son attention sur l'inconscient, qu'il guette ses possibilités de développement et leur accorde une expression artistique, au lieu de les réprimer par une critique consciente. Ainsi il tire de lui-même et de sa propre expérience ce que nous apprenons des autres : à quelles lois doit obéir l'activité de cet inconscient. Mais il n'a pas besoin de formuler ces lois, il n'a même pas besoin de les reconnaître clairement ; parce que son intelligence le tolère, elles se trouvent incarnées dans ses créations. »

S. Freud, *Délires et rêves dans* La Gradiva *de W. Jensen* (1907), trad. fse, Paris, Gallimard, coll.

« Folio-Essais », 1992, p. 243-244.

Face à un texte particulier, une méthode opératoire – mais, certes, moins rigoureuse que celle préconisée par Mauron – peut consister, d'une part, à retrouver dans l'écriture les principes qui régissent la logique imaginaire, d'autre part, à interpréter le comportement du narrateur ou des personnages à travers les modèles dégagés par la psychanalyse. En d'autres termes, l'empreinte de l'inconscient peut s'étudier sur le plan du signifiant comme sur celui du signifié.

L'ANALYSE DU SIGNIFIANT : LE LANGAGE DE L'IMAGINAIRE

L'un des postulats de la psychanalyse est qu'il existe un langage de l'imaginaire qui se manifeste dans certaines activités entièrement ou partiellement inconscientes de l'individu : lapsus, rêveries, rêves et, bien sûr, productions artistiques.

C'est en étudiant les mécanismes du rêve que Freud a mis en évidence ce langage de l'imaginaire qui se retrouve également dans les œuvres littéraires. Le rêve, on le sait, se caractérise par un « sens manifeste », souvent énigmatique ou incohérent. Mais ce niveau apparent a pour fonction de « déguiser » un désir inconscient que le Moi a du mal à assumer et qui correspond au « sens latent » du rêve. C'est le « travail du rêve » qui, en traduisant le sens latent en sens manifeste, permet d'exprimer un désir refusé par le Moi conscient en déjouant ses « défenses ». Ainsi, le désir de tuer le père s'exprimera de façon détournée par la représentation d'un conflit avec, par exemple, une figure de juge.

Le travail du rêve vise donc à transformer les contenus inconscients de façon à les rendre acceptables par la conscience. Il est fondé sur les procédures suivantes, que l'on désigne sous le terme de « processus primaires » : la figuration, la condensation, le déplacement.

– La *figuration* consiste à présenter les pensées inconscientes sous forme d'images. L'expression du désir inconscient passe par la visualisation ; elle s'appuie sur des représentations concrètes ;

– La *condensation* consiste à rassembler en une même représentation différentes données psychiques. On rencontre aussi l'opération inverse : décomposer une figure en plusieurs éléments ;

– Le *déplacement* consiste à centrer le rêve sur un point secondaire ou marginal tout en exprimant l'essentiel à travers des détails apparemment insignifiants. L'enjeu est de détourner l'attention.

Précisons que les éléments qui constituent le rêve sont l'objet d'une « élaboration secondaire » : ils sont organisés après coup à travers un scénario narratif minimal sans lequel le rêve ne pourrait être raconté.

Ce qui milite en faveur d'une unité du langage de l'imaginaire, que l'on retrouverait à la fois dans les rêves et l'écriture littéraire, c'est que chacun des processus primaires correspond à un certain nombre de figures de rhétorique. La figuration renvoie ainsi à l'allégorie ou au symbole ; la condensation à la métaphore ou à la métonymie (et, au-delà, à toutes les figures de substitution par ressemblance) ; le déplacement à des figures d'expression comme l'hyperbole, la litote ou la prétérition.

On peut donc sans grande difficulté montrer comment les processus primaires « travaillent » le texte romanesque. Ainsi, la fosse du « Voreux » dans *Germinal*, qui engloutit chaque jour les mineurs qui s'y engouffrent, est une *figuration* de la société industrielle (présentée comme un monstre dévorant qui se nourrit de l'homme pour le transformer en déchet) et, en deçà, de la « mauvaise mère ». La figure de l'Adam androgyne dans *Le Roi des Aulnes* de M. Tournier est un parfait exemple de *condensation*. Ce modèle mythique d'un être originel qui serait à la fois homme et femme rassemble en effet différentes données psychiques : désir de régression, peur de l'altérité, nostalgie de la fusion avec la mère. L'Adam androgyne, en tant que personnage « phorique » (il est « porte-femme » et « porte-enfant »), se retrouve en outre « disséminé » dans toutes les figures de géants porteurs d'enfants qui parsèment le roman. Le *déplacement*, on le trouve, par exemple, dans l'œuvre de Proust où l'essentiel – comme l'a montré J.-P. Richard (*Proust et le monde sensible*, Paris, Éd. du Seuil, 1974) – est peut-être moins dans la logique événementielle que dans la façon dont sont travaillés certains motifs apparemment secondaires. L'imaginaire proustien est ainsi à chercher dans le traitement de la matière qui, à travers diverses formes (le velouté, le soyeux, le coloré, le fleuri), renvoie à une euphorie de la consistance qui semble conjurer l'émiettement et la fugacité du vécu mondain. D'une manière plus générale, tout roman, dans la mesure où il se présente comme récit, peut être considéré comme l'« élaboration secondaire » de différents matériaux psychiques inconscients.

L'ANALYSE DU SIGNIFIÉ : SCÈNES ET FANTASMES

Concernant le contenu, ce que l'analyse mettra au jour, c'est ce qu'un inconscient donne à lire de lui-même. Que ce dernier soit celui de l'auteur, une projection de celui du lecteur ou un inconscient universel et anonyme, est, somme toute, une question secondaire qui n'intéresse pas directement une approche d'inspiration poéticienne.

Parmi les concepts psychanalytiques opératoires pour l'analyse des récits, on peut retenir ceux qui concernent le développement du sujet et son intégration à l'univers social. On a vu que tout récit renvoyait au « parcours » d'un personnage. Dès lors, il est peu de romans qui, d'une manière ou d'une autre, ne racontent pas l'histoire d'une formation. Les concepts proposés par les psychanalyses freudienne et lacanienne pour analyser le développement du sujet ne sont donc pas sans intérêt pour l'analyse du récit romanesque.

PRINCIPE DE PLAISIR ET PRINCIPE DE RÉALITÉ

L'expérience centrale de l'enfant durant les premiers mois se caractérise par le primat du principe de plaisir. Dans le vocabulaire psychanalytique, le « principe de plaisir » (qui pousse le sujet à rechercher la satisfaction par les voies les plus courtes et les plus directes) s'oppose au « principe de réalité » (qui régule le principe de plaisir en adaptant la recherche de la satisfaction aux conditions imposées par le monde extérieur). L'enfant des premiers âges se construit donc un univers subjectif où il règne en maître. Il vit dans l'illusion d'une omnipotence sur un monde entièrement soumis à ses désirs et qu'il peut modifier à volonté. C'est cette réactivation du principe de plaisir qui explique le charme de certains romans où les personnages évoluent dans un univers sans contraintes, miraculeusement libéré du principe de réalité. Robinson, seul sur son île, peut l'organiser à sa guise ; Alice pénètre dans un « pays des merveilles » qui n'est plus soumis aux lois du monde réel ; si l'abbaye de Thélème est, chez Rabelais, un espace utopique, c'est en raison de sa devise : « Fais ce que tu voudras. »

LE STADE ORAL

Le rôle essentiel de la bouche (*os, oris* en latin) dans ce premier âge où l'activité de nutrition est pour l'enfant ce qu'il y a de plus important a conduit Freud à lui donner le nom de « stade oral ». C'est en effet le plaisir de manger qui, durant cette période, détermine le rapport de l'enfant au monde. Le stade oral est ainsi marqué par l'incorporation : le petit enfant aime avant tout ce qu'il mange et veut manger ce qu'il aime. Cette condensation des deux sens du verbe « aimer » explique la force de l'identification à la mère. Pendant la phase orale, le moi et l'autre ne sont pas indépendants aux yeux de l'enfant. C'est un état marqué par la confusion et l'indifférenciation. Dans le champ littéraire, le personnage de l'ogre (qui se définit par l'acte de manger, en particulier les enfants) renvoie clairement au stade oral. Lorsque M. Tournier réactualise la figure dans *Le Roi des Aulnes*, c'est pour montrer les dangers mortifères d'une fixation à un stade infantile. Abel Tiffauges témoigne clairement du lien entre le désir irrépressible de nourriture et un état psychique archaïque renvoyant à un sujet non socialisé qui n'est guidé que par le principe de plaisir.

La figure de l'ogre et la régression au stade oral

« Il fallait que je mange, immédiatement, n'importe quoi, sans aucun délai. Les premières attaques de ce genre me précipitèrent chez le boulanger le plus proche qui me voyait avec perplexité me bourrer la bouche de brioches et de croissants. Plus tard, l'hiver étant venu, j'avisais des bourriches d'huîtres qui formaient un étalage sentant le varech mouillé sur le trottoir d'un marchand de vin. [...] La volupté gloutonne avec laquelle j'enfonçai mes dents dans la mucosité glauque, salée, iodée, d'une fraîcheur d'embrun de ces petits corps qui s'abandonnent mous et amorphes à la possession orale dès qu'on les a détachés de leur habitacle nacré, fut l'une des révélations de ma vocation ogresse. Je compris que j'obéirais d'autant mieux à mes aspirations alimentaires que j'approcherais davantage l'idéal de la crudité absolue. »

M. Tournier, *Le Roi des Aulnes*, Paris, Gallimard, coll. « Folio », 1970, p. 110-111.

LE STADE DU MIROIR

La première étape dans le processus de différenciation du moi se situe entre six et dix-huit mois : Lacan lui a donné le nom de « stade du miroir ». L'enfant s'appréhende progressivement comme sujet autonome en s'identifiant à sa propre image qu'il perçoit dans un miroir. Le stade du miroir comprend trois temps : l'enfant réagit comme si l'image reflétée par le miroir était un être réel différent de lui ; il se rend compte que ce qu'il voit dans le miroir est une image et non un être réel ; se reconnaissant dans le miroir, il comprend enfin que cette image est la sienne. Lacan, jouant sur les mots, explique ainsi que le moi est, à l'origine, une fonction *imaginaire*, c'est-à-dire liée à l'image.

Le comportement de l'enfant se trouve profondément affecté par l'expérience du miroir. D'une part, son rapport au monde est marqué par la confusion entre le réel et l'image. D'autre part, percevant dans l'image du semblable ou dans sa propre image spéculaire une forme dans laquelle il anticipe une unité corporelle qui lui fait encore défaut, il réagit parfois avec une certaine brutalité. Ne voyant dans les autres enfants que des doubles de lui-même, il a souvent avec eux une relation agressive. On le verra jouer à décapiter, écarteler ou éventrer les autres enfants en vue de combler le vide qui le sépare de son image.

Dans le roman, il arrive souvent que la problématique identitaire s'exprime à travers des références implicites à la phase du miroir. Chaque fois qu'un personnage, soit ne s'est pas encore complètement construit (Julien Sorel, Frédéric Moreau), soit cherche à savoir qui il est (Raskolnikov), il est inévitablement confronté à la question de sa propre image et de son rapport aux autres. La façon dont il gère ce double problème est en général révélatrice de sa plus ou moins grande maturité. On pensera, de ce point de vue, à Dorian Gray qui, n'arrivant pas à conquérir une autonomie par rapport à sa propre image, est condamné à la régression morbide, ou à Emma Bovary qui, s'identifiant à l'image idéalisée des héroïnes romanesques, ne parvient jamais à s'insérer complètement dans le monde réel.

La pulsion agressive envers le semblable par désir d'identification est remarquablement exprimée par le motif du double dans la littérature fantastique. Le double est fondamentalement ambivalent : positif en tant qu'il appelle l'identification (le même est toujours rassurant), il est négatif en tant qu'il suscite le trouble (le double, comme en témoigne le roman de Dostoïevski ainsi intitulé, c'est cette part de soi qui échappe).

La problématique identitaire peut aussi concerner des acteurs collectifs. La question « qui suis-je ? » se pose, au-delà de l'individu, aux cultures et aux civilisations. Butor, à travers la façon dont il décrit la ville de Bleston dans *L'Emploi du temps*, présente ainsi la métropole moderne comme un monde régressif de leurres et de mirages qui, comme tel, ne peut qu'engendrer des personnages fantomatiques, aliénés et à l'identité incertaine.

La ville de Bleston, espace de l'incertitude

« Je pensais être tout près de l'Ancienne Cathédrale, le terminus de cette ligne, et je la croyais devant moi, cachée par quelque haute maison, alors qu'elle était à ma droite.

Les rues, les places que j'avais traversées, les bâtiments que j'avais vus et même ceux dont je ne connaissais que l'existence, s'étaient déjà organisés dans mon esprit, s'agglomérant en une vague représentation générale très fausse de la ville par laquelle je m'orientais sans en prendre clairement conscience, de cette ville dont je n'avais pas encore vu de plan, et dont j'étais encore incapable d'apprécier les véritables dimensions.

De toutes les portes sortaient des employés en imperméables et chapeaux melons ; les voitures passaient lentement, serrées ; mais alors que je m'attendais à voir la foule et le nombre des magasins augmenter à mesure que j'avancerais, au contraire j'entrais dans des zones de plus en plus calmes où les vitrines, les enseignes, déjà rares près de chez Matthews and Sons, s'espaçaient encore, et où il y avait de moins en moins de bruits. »

M. Butor, *L'Emploi du temps*, op. cit., p. 28.

Le stade du miroir, s'il permet à l'enfant de sortir de la phase orale, ne débouche pas encore sur la prise en compte de l'autre et des règles imposées par la vie en société. Il faudra attendre la crise œdipienne pour que le sujet intègre cette double nécessité.

LES FANTASMES ORIGINAIRES

Les « fantasmes originaires » (vie intra-utérine, scène originaire, castration, séduction) tournent autour du mystère de la naissance. À travers ces scénarios typiques, tout « enfant des hommes » chercherait à percer le secret de son existence. L'ensemble de ces fantasmes infantiles se rapportent en effet aux origines : en tant que représentations, ils apportent une réponse aux questions que se pose l'enfant. Dans la « scène originaire » (observation du coït parental), c'est l'origine du sujet qui est figurée ; dans les « fantasmes de séduction » (angoisse provoquée par les avances d'un adulte), c'est l'émergence de la sexualité ; dans les « fantasmes de castration » (sentiment de menace consécutif à la découverte de l'autre sexe), c'est l'explication de la différence des sexes. Si l'on admet que ces fantasmes sont à la source de l'ensemble des désirs (qui ne seraient, chaque fois, qu'une façon de reformuler l'un d'entre eux), il est logique de penser qu'on les retrouve au soubassement de toute quête narrative. Tout désir de savoir aurait ainsi son origine dans la curiosité sexuelle de l'enfant dont il conserverait à la fois la force et le caractère anxiogène.

Ce mystère des origines et les questions qu'il pose expliquent l'importance de la *libido sciendi* chez de nombreux héros de romans. Derrière leur curiosité, il y a le désir de découvrir le mystère de la naissance. Le problème pour l'enfant est que, tout en désirant percer le secret de son existence, il a peur de ce qu'il va découvrir. Aussi sa quête est-elle toujours marquée par l'appréhension. L'angoisse de la curiosité est d'abord liée à la peur du châtiment. Il y a chez l'enfant la conviction qu'en cherchant à savoir d'où il vient il transgresse un interdit. Ce schéma, très présent dans les mythes (Ève voulant percer le secret de l'arbre de la connaissance du bien et du mal, Faust prêt à se damner pour accéder au savoir) et les contes (l'épouse de Barbe-Bleue ouvrant avec terreur le cabinet interdit), se retrouve dans les romans. Cyrus Smith et ses acolytes explorent l'île mystérieuse pour en percer le secret ; Joseph K. cherche, la peur au ventre, à découvrir les raisons de son arrestation.

LA CRISE ŒDIPIENNE

La crise œdipienne (qui se produit entre trois et cinq ans) correspond au « stade phallique » (stade génital infantile) : l'enfant, prenant conscience de la différence des sexes, voit désormais l'autre comme différent. L'expérience œdipienne peut se formuler ainsi : le désir pour le parent du sexe opposé est contrarié par l'existence du parent du même sexe. À travers la crise œdipienne, l'enfant comprend donc que le désir doit composer avec la loi (étape fondamentale dans la prise en compte de l'autre et, donc, dans la socialisation du sujet). Le père, en faisant figure d'interdit et de modèle, a ainsi pour rôle d'initier au principe de réalité. Ce n'est qu'après avoir intégré ce principe que l'enfant comprend qu'il vit dans un monde régi par des codes dont il lui faut tenir compte dans la recherche de la satisfaction. Dans nombre de romans, le conflit avec une figure paternelle apparaît ainsi comme un préalable indispensable à la construction identitaire du héros et à son intégration sociale. Qu'il s'agisse de d'Artagnan combattant Richelieu ou d'Étienne Lantier défiant l'ordre social, l'opposition à l'autorité est une étape nécessaire à l'épanouissement du sujet.

L'IMAGINAIRE ET LE SYMBOLIQUE

L'intérêt de la crise œdipienne, c'est donc qu'elle se présente pour l'enfant comme une initiation au symbolique. Rappelons que le symbolique (monde de la culture et de la civilisation) s'oppose à l'imaginaire (espace du leurre et de l'illusion où le moi entretient un rapport narcissique à lui-même). Alors que l'imaginaire est lié au désir, à la mère et à l'image, le symbolique est lié à la loi, au père et au langage. Si Jacques Revel, dans *L'Emploi du temps*, décide d'écrire un journal intime, c'est parce qu'il lui faut passer des images aux mots pour prendre conscience de ce qui lui arrive et se construire en tant que sujet. On pourrait faire les mêmes remarques pour le Meursault de Camus ou le Robinson de Tournier. L'écriture, en convoquant implicitement le tiers présent dans tout langage, permet de sortir du face-à-face stérilisant avec soi-même. À l'inverse, tous ceux qui, n'ayant pu renoncer à l'imaginaire, ne vivent qu'à travers l'image qu'ils ont d'eux-mêmes, se condamnent à une identité problématique et flottante. Tel est le cas de Clappique dans *La Condition humaine* ou de Lol, l'héroïne durassienne du *Ravissement* qui, échouant à trouver le « mot-trou », le mot manquant, reste hantée par l'image obsessionnelle de cette scène originaire que fut le bal de T. Beach (voir *infra*, p. 203-208).

LES EMPREINTES DE L'HISTOIRE

De même que la psychocritique s'est forgée contre les simplifications du biographisme, l'étude des rapports entre le texte et la société a progressivement renoncé à la « théorie du reflet » pour prendre en compte la dimension proprement littéraire des textes. L'œuvre n'est pas seulement un miroir de la réalité. Le Paris de *La Comédie humaine* n'est pas l'image fidèle du Paris de la Restauration. Entre l'œuvre et le réel, il y a le travail de l'écrivain. La sociocritique qui, comme les autres courants théoriques, n'a cessé d'affiner ses méthodes, est donc fondée sur une attention extrême portée à la forme et au détail. Précisons cependant que, si l'écriture fait de tout texte un objet particulier, l'approche sociologique ne vise pas le singulier en tant que cas unique, mais comme manifestation de certaines tendances générales. Elle tente d'élucider les rapports fonctionnels entre une certaine psyché (celle de l'écrivain) et la situation sociolinguistique dans laquelle elle est née.

HISTORIQUE

Concernant les relations entre texte et Histoire, c'est d'abord la notion de « genre » qui a retenu l'attention. Si l'on considère la langue comme un « système modélisant premier » (elle opère une première découpe de la réalité), les genres apparaissent comme des « systèmes modélisants secondaires » (ils redistribuent le matériau langagier dans une perspective particulière). La suprématie d'un genre à un moment historique donné est toujours révélatrice d'une façon d'envisager la réalité. On est ainsi fondé à établir une corrélation entre les changements sociaux et l'évolution du système des genres. Il faut tâcher d'expliquer pourquoi certains passent au premier plan alors que d'autres sont relégués à la périphérie. Comme l'a montré E. Köhler, le passage progressif, dans la littérature occidentale, de l'épopée au roman, *via* la tragédie, puis la comédie, est riche d'enseignements : il témoigne de l'effacement de la noblesse d'épée au profit de la noblesse de cour avant que la bourgeoisie n'émerge comme nouvelle force culturelle. L'essor du roman au XVIIIe siècle est en effet parallèle à la montée en puissance de l'individualisme libéral. La prééminence d'un genre est toujours l'expression d'intérêts collectifs.

La sociocritique proprement dite a été définie par Cl. Duchet et E. Cros, puis réélaborée par des chercheurs comme Pierre V. Zima. Suivant l'exemple de la psychocritique, Cl. Duchet (voir son article inaugural « Pour une sociocritique ») part du principe que c'est au cœur du texte qu'on doit retrouver le hors-texte. L'objet de l'enquête critique se tenant dans le langage, il s'agit d'analyser « le statut du social dans le texte et non le statut social du texte ».

La sociocritique a retenu du structuralisme que le texte, pour être intelligible, doit être appréhendé comme un tout et que le « sens » était moins à chercher dans les signes que dans les *rapports* qui s'établissent entre eux. L'analyse structurale n'est cependant qu'un moyen pour la sociocritique dont le postulat fondamental est que le texte s'explique en dernière instance par l'Histoire.

FONDEMENTS DE LA SOCIOCRITIQUE

Pour mettre au jour la relation qui unit tout texte à la situation historique qui l'a produit, la sociocritique s'appuie sur un certain nombre de concepts au premier rang desquels figurent le « sujet collectif » et le « non-conscient ».

LE SUJET COLLECTIF ET LE NON-CONSCIENT

L'idée de « sujet transindividuel » (ou « sujet collectif ») est au centre du « structuralisme génétique », qui constitue une étape importante dans le chemin qui mène à la sociocritique. Selon L. Goldmann, tout groupe social véhicule une vision du monde collective qui correspond à la situation historique qui le définit. Cette « vision du monde », en tant que forme idéologique cohérente, exprime la conscience plus ou moins vague que le groupe a de lui-même. On peut la définir comme l'ensemble des aspirations, sentiments et idées, qui, opposant un groupe donné à d'autres groupes, lui confère une identité.

L'appartenance d'un individu à un sujet collectif se fait par le biais du « non-conscient ». À la différence de l'« inconscient » freudien, le « non-conscient » n'est pas refoulé et n'a nul besoin de surmonter de quelconques résistances pour parvenir à la conscience : il demande simplement à être mis en lumière par l'analyse. Le « non-conscient », c'est l'imaginaire culturel qui nous façonne à notre insu. Si l'on accepte de définir l'« idéologie » comme une représentation imaginaire de la réalité déterminée par des conditions d'existence particulières, on comprend pourquoi le « non-conscient » est son espace d'expression privilégié.

L'idéologie selon Althusser

« [...] ce n'est pas leurs conditions d'existence réelles, leur monde réel, que les "hommes" "se représentent" dans l'idéologie, mais c'est avant tout leur rapport à ces conditions d'existence qui leur y est représenté. C'est ce rapport qui est au centre de toute représentation idéologique, donc imaginaire du monde réel. C'est dans ce rapport que se trouve contenue la "cause" qui doit rendre compte de la déformation imaginaire de la représentation idéologique du monde réel. Ou plutôt, pour laisser en suspens le langage de la cause, il faut avancer la thèse que c'est *la nature imaginaire de ce rapport* qui soutient toute la déformation imaginaire qu'on peut observer (si on ne vit pas dans sa vérité) dans toute l'idéologie. »

L. Althusser, *Positions*, Paris, Éd. sociales, 1976, p. 105.

C'est donc par le biais du « non-conscient » que l'individu exprime – et, lorsqu'il fait œuvre littéraire, *transcrit* – son insertion dans une situation historique particulière. Cette transcription se manifeste essentiellement au niveau des formes et des structures dont l'élaboration est beaucoup moins dépendante du contrôle conscient que les thèmes ou le contenu.

Pour L. Goldmann, il existe une *homologie* entre les structures d'un texte et les structures mentales du groupe social auquel l'auteur appartient.

Les structures mentales du texte

« Les structures catégorielles qui régissent la conscience collective et sont transposées dans l'univers imaginaire créé par l'artiste ne sont ni conscientes ni inconscientes, dans le sens freudien du mot qui suppose un refoulement, mais des processus non conscients, du même type par certains côtés que ceux qui régissent le fonctionnement des structures musculaires ou nerveuses et déterminent le caractère particulier de nos mouvements et de nos gestes, sans pour cela être ni conscients ni refoulés.

C'est pourquoi, dans la plupart des cas, la mise en lumière de ces structures et, implicitement, la compréhension de l'œuvre, ne sont accessibles ni à une étude littéraire immanente ni à une étude orientée vers les intentions conscientes de l'écrivain ou vers la psychologie des profondeurs mais seulement à une recherche de type structuraliste et sociologique. »

L. Goldmann, *Structures mentales et création culturelle*, Paris, Anthropos, 1971, p. 28.

Le « structuralisme génétique » s'attache donc moins à ce que le texte signifie qu'à ce qu'il transcrit : il s'intéresse à la façon dont l'Histoire s'incorpore dans le texte, autrement dit à la genèse socio-idéologique des formes. La structure du texte ne se contente pas de reproduire la vision d'un groupe social : elle lui donne une cohérence en l'absorbant et la développant.

TRANSCRIPTION ET RÉACTION

L'approche de Goldmann, si elle marque un réel progrès dans la prise en compte de la dimension formelle par l'analyse sociologique, présente cependant deux problèmes majeurs.

D'une part, les grands textes sont rarement des « totalités homogènes », mais retranscrivent, formellement, les contradictions et les conflits de la vie sociale. On notera ainsi les contradictions entre le projet romanesque du légitimiste Balzac et le tableau qu'il fait de la société d'Ancien Régime dans *La Comédie humaine*. Dans *Les Chouans*, par exemple, la classe aristocratique, si elle est encore capable de générer des héros comme Montauran, apparaît globalement comme ridicule et déphasée. Le décalage, lorsqu'il est flagrant, met en évidence une fêlure de type idéologique.

Le bal de Saint-James dans Les Chouans

« Une joie enivrante éclatait dans cette réunion composée des personnes les plus exaltées du parti royaliste, qui, n'ayant jamais pu juger, du fond d'une province insoumise, les événements de la Révolution, devaient prendre les espérances les plus hypothétiques pour des réalités. Les opérations hardies commencées par Montauran, son nom, sa fortune, sa capacité, relevaient tous les courages, et causaient cette ivresse politique, la plus dangereuse de toutes, en ce qu'elle ne se refroidit que dans des torrents de sang presque toujours inutilement versés. Pour toutes les personnes présentes, la Révolution n'était qu'un trouble passager dans le royaume de France, où, pour elles, rien ne paraissait changé. Ces campagnes appartenaient toujours à la maison de Bourbon. Les royalistes y régnaient si complètement que quatre années auparavant, Hoche y obtint moins la paix qu'un armistice. Les nobles traitaient donc fort légèrement les Révolutionnaires : pour eux, Bonaparte était un Marceau plus heureux que son devancier. Aussi les femmes se disposaient-elles fort gaiement à danser. Quelques-uns des chefs qui s'étaient battus avec les Bleus connaissaient seuls la gravité de la crise actuelle, et sachant que s'ils parlaient du premier Consul et de sa puissance à leurs compatriotes arriérés, ils n'en seraient pas compris, tous causaient entre eux en regardant les femmes avec une insouciance dont elles se vengeaient en se critiquant entre elles. »

Balzac, *Les Chouans, op. cit.*, p. 304-305.

D'autre part, le texte ne se contente pas de *transcrire* la vision du monde propre à un groupe donné ; on peut également dire qu'il y *réagit*. La relation du roman au réel passe par les rapports complexes qu'entretiennent l'*Histoire* (le processus historique) et l'*histoire* (le récit romanesque). La seconde se donne souvent comme un discours officieux venant remettre en cause ou compléter le discours officiel. Le roman balzacien affine et complique le discours historique sur la Restauration ; le roman zolien est, à sa façon, un apport au discours historique sur la troisième République. Dans le jeu des points de vue qui fonde la dynamique du texte, on ne peut évacuer celui de l'auteur en tant que moi particulier : ce qu'exprime le texte, ce sont les relations (souvent complexes, ambivalentes et contradictoires) entre un individu (l'auteur) et le contexte socio-historique qui est le sien.

DÉFORMATION ET REFORMULATION

La façon dont le texte réagit aux modèles idéologiques en vigueur passe par une reformulation-déformation de l'univers social qui peut prendre plusieurs formes.

Tout roman mettant en scène des individus qui se comportent d'une certaine façon dans un espace et un temps donnés, on s'intéressera d'abord à la

« société du texte ». L'analyse devra s'interroger sur les objets qui la peuplent et les conventions qui la régissent : qu'y retrouve-t-on de la « réalité » ? Quel est l'enjeu de cette « réécriture » ? On fera la part belle à l'étude des personnages en examinant notamment les combinaisons entre rôles actantiels et rôles thématiques, surtout lorsque ces derniers sont définis socialement (voir chapitre IV). On se penchera, par exemple, sur l'image du prêtre et du policier telles qu'elles ressortent des *Misérables* ou sur les opinions politiques du « plébéien » Julien Sorel.

L'image du prêtre dans Les Misérables : Mgr Myriel

« Il était indulgent pour les femmes et les pauvres sur qui pèse le poids de la société humaine. Il disait : – Les fautes des femmes, des enfants, des serviteurs, des faibles, des indigents et des ignorants sont la faute des maris, des pères, des maîtres, des forts, des riches et des savants.

Il disait encore : – À ceux qui ignorent, enseignez-leur le plus de choses que vous pourrez ; la société est coupable de ne pas donner l'instruction gratis ; elle répond de la nuit qu'elle produit. Cette âme est pleine d'ombre, le péché s'y commet. Le coupable n'est pas celui qui fait le péché, mais celui qui fait l'ombre.

Comme on voit, il avait une manière étrange et à lui de juger les choses. Je soupçonne qu'il avait pris cela dans l'Évangile. »

V. Hugo, *Les Misérables, op. cit.*, t. I, p. 38.

On s'intéressera également à certains détails particulièrement significatifs sur le plan sociologique. Pourquoi, dans *Les Chouans*, certains des conscrits réquisitionnés par le Directoire vont-ils pieds nus ? Que signifie, dans *Illusions perdues*, que David Séchard invente un nouveau mode de fabrication du papier ? Pourquoi le narrateur du *Rouge et le Noir* précise-t-il que M. de Rênal tient sa fortune d'une fabrique de clous ? C'est la réponse à ce genre de questions qui permet de reconstituer un regard historiquement déterminé.

Le statut de la déviance et de la marginalité est également révélateur. Là, explique Pierre Barbéris, se dit toujours quelque chose sur la norme en vigueur et l'idéologie dominante. La figure du marginal doit être analysée dans son discours, son être et son faire. Discours aberrants, êtres inattendus, comportements insolites sont généralement les vecteurs privilégiés d'une parole du texte sur l'Histoire et les valeurs. La société qui considère comme « idiot » un saint comme le prince Mychkine *(L'Idiot)* ne doit-elle pas s'interroger sur elle-même ? Que signifie le statut héroïque d'un géant ravisseur d'enfants dans *Le Roi des Aulnes* ? Pourquoi Charles Bovary parle-t-il si peu et si mal ?

Le rapport du roman à l'Histoire se manifeste aussi par ses effacements et ses silences. Pourquoi la révolution de 1830 est-elle absente des *Misérables*? Pourquoi, dans les lettres d'*Oberman*, écrites sous la Révolution française, n'y a-t-il aucune mention de l'événement? C'est d'abord par ce qui y figure ou n'y figure pas (et devrait normalement y être) que le texte témoigne d'un double point de vue sur la société et l'Histoire.

L'écho de l'Histoire dans Oberman

« "Qui a pu ainsi dénaturaliser l'Homme?" se demandait Senancour dans *Les Premiers Âges*. On a souvent noté chez lui l'absence de préoccupations sociales; on s'est surpris de ce que, chez cet émigré tout involontaire, la part des événements révolutionnaires soit passée sous silence. Elle est en fait omniprésente, si l'on entend, non qu'une propension imaginaire le pousse à la description, mais que cette dernière contient la transposition de l'expérience sociale là où elle n'a pas lieu d'être. Oberman, qui se projette en personne dans son tableau, inverse à proprement parler le paysage politique et le métamorphose en accidents visuels – si bien qu'au milieu des formidables turbulences, des images consternantes, du fracas des torrents, se répercute le chaos des événements que sinon il n'a pas décrits. »

J.-M. Monnoyer, préface à *Oberman*, Paris, Gallimard, coll. « Folio », 1984, p. 37-38.

On étudiera enfin les contestations spécifiquement formelles. Refuser les clichés, subvertir la ponctuation, fragmenter la phrase ou déconstruire l'intrigue traditionnelle, c'est s'opposer à une norme qui n'est jamais uniquement esthétique. Lorsque le groupe Tel Quel propose, dans les années 1970, de miner la fonction représentative du récit, c'est pour dénoncer l'idée qu'elle véhicule d'un monde cohérent et ordonné (vision idéologique qui participe de l'aliénation sociale).

Le refus de la mimesis, une pratique subversive

« [...] en mettant en cause l'expressivité subjective ou soi-disant objective, nous avons touché les centres nerveux de l'inconscient social dans lequel nous vivons et, en somme, la distribution de la propriété symbolique. Par rapport à la "littérature", ce que nous proposons veut être aussi subversif que la critique faite par Marx de l'économie classique. »

Ph. Sollers, « Écriture et révolution », *in Tel quel. Théorie d'ensemble*, Paris, Le Seuil, coll. « Points », 1968, p. 70.

STRUCTURES TEXTUELLES ET STRUCTURES SOCIALES

Si le roman peut transcrire l'univers social et y réagir, c'est parce qu'il existe un point commun entre le texte et la société : le langage. L'univers social peut en effet se concevoir comme un ensemble de discours collectifs en interaction que le texte littéraire n'a, par définition, aucun mal à absorber et à transformer. En d'autres termes, si le texte romanesque est un fait social et idéo-logique, c'est dans la mesure où il réagit à d'autres textes parlés ou écrits, qui articulent des problèmes et des intérêts collectifs.

Pierre V. Zima propose ainsi de remplacer l'étude de l'homologie (chère à L. Goldmann) par celle des relations entre discours. Plus précisément, il s'agit d'appréhender le roman comme un ensemble de structures sémantiques, syn-taxiques et narratives qui lui permettent de réagir aux problèmes sociaux et économiques au niveau du langage.

Une telle approche revient à considérer la relation entre roman et société comme un processus intertextuel. Le roman, en polémiquant avec d'autres genres ou discours, s'attaque aux valeurs et visions du monde qui leur sont atta-chées. Ainsi, en subvertissant le langage du roman policier dans *Les Gommes* ou *Le Voyeur*, Robbe-Grillet s'en prend-il à l'idée, véhiculée par le genre, d'une rationalité du réel : si ses enquêteurs sont incapables de percer le mystère, c'est moins par incompétence qu'en raison du caractère indifférent et opaque d'une réalité privée de sens.

MÉTHODE

À partir des principes que l'on vient de rappeler, il est donc possible de pro-poser une méthode pour analyser la façon dont le roman assimile les discours sociaux et y réagit. Si l'on définit le « sociolecte » comme le langage d'un groupe social, c'est-à-dire d'un sujet collectif, il convient de s'interroger sur les rapports qu'un texte littéraire entretient avec les sociolectes d'une époque. Comment s'en nourrit-il et les met-il en scène ? Est-ce pour les cautionner ou pour s'en désolidariser ? On pourra ainsi s'interroger sur la façon dont le parler « ouvrier » s'intègre au texte littéraire chez Zola ou sur les enjeux et les fonc-tions du discours familier, voire argotique, chez Céline.

Selon Pierre V. Zima, tout sociolecte comprend trois dimensions : lexicale, sémantique et syntaxique.

LE RÉPERTOIRE LEXICAL

Le sociolecte est composé de mots symptomatiques qui sont ceux d'un groupe social ou politique. On peut identifier un sociolecte chrétien (« âme », « vie éternelle », « salut », « grâce »), un sociolecte libéral (« individu », « libre arbitre », « concurrence »), un sociolecte marxiste (« lutte des classes », « prolétariat », « bourgeoisie »), un sociolecte existentialiste, surréaliste, etc.

Le sociolecte n'est pas simplement un langage spécialisé, mais un ensemble de termes qui, au sein d'un langage spécialisé, témoignent d'un engagement social et politique. Ainsi, à l'intérieur du langage spécialisé de la psychanalyse, on peut distinguer entre les sociolectes freudien, jungien, lacanien qui expriment, chacun, une vision du monde particulière. Reportons-nous à la fin de *Quatrevingt-treize*, où le narrateur commente en ces termes la mort de Gauvain et de Cimourdain : « Et ces deux âmes, sœurs tragiques, s'envolèrent ensemble, l'ombre de l'une mêlée à la lumière de l'autre » (*op. cit.*, p. 482). La présence d'un sociolecte religieux dans cette ultime phrase d'un roman historique ne peut manquer de frapper l'attention. Ce dispositif lexical témoigne d'une vision de l'Histoire (dont le cours tortueux répondrait, *in fine*, aux desseins de la Providence) qui s'enracine, en dernière instance, dans le groupe social dont participe V. Hugo (conscient, en dépit du malaise suscité par ses aspects les plus sombres, de ce qu'il doit à la Révolution).

LE CODE (NIVEAU SÉMANTIQUE)

Le sociolecte ne se contente pas d'utiliser des termes marqués : il s'appuie sur des distinctions et des oppositions structurant une vision du monde. Le répertoire lexical qu'il emploie est en effet codifié selon les lois d'une *pertinence collective particulière*. Distinguer (et, *a fortiori*, opposer) permet d'organiser et, donc, d'interpréter le monde. Le sociolecte nationaliste met ainsi en avant l'opposition « patriotisme »/« cosmopolitisme » et le sociolecte communiste l'opposition « démocratie libérale »/« démocratie populaire ». Dans le registre littéraire, recourir massivement au discours scientifique (comme le fait, par exemple, Robbe-Grillet dans *Le Voyeur*) est une façon de refuser le langage idéologique humaniste et la vision du monde qu'il véhicule.

La dimension idéologique des oppositions sémantiques

« En refusant, dans sa critique du "vocabulaire analogique" et des métaphores usées, des expressions comme "montagne majestueuse" ou "soleil impitoyable", Robbe-Grillet ne rejette pas seulement des unités lexicales discréditées, mais aussi des taxinomies sémantiques dans lesquelles le *majestueux* est opposé au *trivial*, le soleil *impitoyable* et *exotique* au *bon*, au *doux* soleil de la patrie, le soleil *banal* de tous les jours au *soleil d'Austerlitz*, etc. En rejetant ces oppositions ainsi que les oppositions sémantiques plus générales entre le *grand* et le *mesquin*, le *bien* et le *mal*, le *normal* et l'*anormal*, Robbe-Grillet s'en prend, de manière implicite, aux discours idéologiques structurés par ces oppositions au niveau actantiel. »

Pierre V. Zima, *Manuel de sociocritique*, Paris, L'Harmattan, 2000, p. 166.

Dans un autre registre, c'est par l'ambivalence (voir le thème de l'amour-haine ou la figure de l'hermaphrodite) et les paradoxes (comme la « science superstitieuse » ou « le pacifisme qui mène à la guerre ») que Musil remet en cause, dans *L'Homme sans qualités*, les dichotomies idéologiques et l'idée qu'il existerait un ensemble de valeurs univoques et naturelles.

LA MISE EN DISCOURS (NIVEAU NARRATIF)

Le répertoire lexical qui définit le sociolecte est non seulement codifié, mais mis en discours à travers un modèle narratif. L'analyse des structures narratives doit prendre en compte le plan de l'énonciation (discours du narrateur et des protagonistes) et le plan de l'énoncé (régi par une structure actantielle).

Sur le plan de l'énonciation, on peut s'intéresser au traitement de la phrase qui, lorsqu'elle reduplique au niveau syntaxique les oppositions du niveau sémantique, renvoie au niveau « morphogénétique » du texte. Une opposition du type ordre/chaos peut, par exemple, se retrouver à la fois au niveau formel et au niveau du contenu. Il reste ensuite à l'analyser sur le plan des valeurs : remettre en question la norme syntaxique (comme l'ont fait le romantisme et le surréalisme) revient, par exemple, à privilégier l'individuel, alors que la phrase « équilibrée » reflète la vision classique d'un monde harmonieux et ordonné.

Sur le plan de l'énoncé, tout discours se donne à lire comme une construction narrative dont le caractère conflictuel peut être représenté sous la forme d'un schéma actantiel. Un discours socialiste campera ainsi en opposant le capitalisme et désignera comme adjuvant la classe ouvrière ; dans un discours chrétien, c'est l'athéisme qui sera l'opposant, la foi ou l'Église faisant office d'adjuvants. Les autres rôles actantiels sont également à prendre en compte. Il est ainsi significatif que la catégorie du « destinateur » soit assumée par le déterminisme aveugle des forces naturelles dans *L'Étranger* et par le déterminisme de l'économie et de la sexualité dans *Le Voyeur*.

ROMAN ET CULTURE

Le roman, genre littéraire le plus populaire, se présente comme un objet d'étude privilégié pour les « études culturelles ».

LES ÉTUDES CULTURELLES : DÉFINITION

Les *cultural studies* sont un courant de recherche apparu en Angleterre dans les années 1960, sous la houlette de Richard Hoggart. Il s'agissait, à l'époque, d'utiliser les outils et les méthodes de la critique littéraire pour les appliquer à l'analyse des nouvelles formes de culture (ouvrière, jeune, immigrée, féministe, etc.) apparues dans le champ social. Aujourd'hui, les études culturelles s'intéressent à tous les phénomènes et à toutes les pratiques à travers une approche interdisciplinaire ouverte et expérimentale qui puise dans l'ensemble des sciences humaines et sociales. À toutes les disciplines, les études culturelles, qui conçoivent leur nouveauté en termes d'enjeux, empruntent librement concepts et méthodes. Plus précisément, elles s'intéressent aux relations entre culture et pouvoir et possèdent une forte dimension critique.

Pour les études littéraires, la conséquence est double : une redéfinition de l'objet (les textes littéraires sont considérés comme des objets culturels parmi d'autres ; ils n'ont pas de spécificité) ; une redéfinition du projet (les textes littéraires sont à étudier, voire à « évaluer », comme documents culturels).

EXEMPLE : LA FIGURE DU VAMPIRE

Les romans, surtout lorsqu'ils connaissent une audience remarquable, sont un objet d'étude particulièrement prisé par les culturalistes. À titre d'exemple, le succès actuel de la figure du vampire, s'il excède largement le champ littéraire (on trouve des vampires au cinéma, à la télé, dans les jeux vidéo et les bandes dessinées), s'enracine dans une ancienne et solide tradition romanesque.

Le personnage du vampire est issu d'anciennes traditions folkloriques, mais c'est au XVIIIe siècle qu'il devient une figure clairement identifiable, en particulier en Europe orientale (le mot « vampire » aurait fait son apparition en Serbie vers 1725). À la différence de la figure du loup-garou, vulgarisée par le cinéma, celle du vampire a une forte dimension littéraire. C'est dans le sillage du roman gothique (et de son engouement pour l'horreur et le macabre) que l'intérêt pour le vampire se développe en littérature. Trois œuvres ont fortement contribué à l'émergence du mythe : *Le Vampire* de John William Polidori (1819), *Carmilla* de Sheridan Le Fanu (1872) et *Dracula* de Bram Stoker (1897).

The Vampyre, nouvelle de John Polidori, est le premier texte à faire du vampire ce personnage élégant et raffiné qui aura une si grande postérité dans les fictions modernes. Le héros, sans doute inspiré de Lord Byron, dont Polidori fut le médecin personnel, se nourrit du sang de jeunes vierges qu'il a séduites. À travers le regard d'Aubrey, un riche et jeune orphelin qui l'accompagne dans ses voyages, on suit les aventures de lord Ruthven, élégant aristocrate qui utilise son pouvoir de séduction pour s'introduire dans de riches familles européennes. Même si on lui attribue un massacre aux environs de Rome, il provoque surtout des ruines financières, suçant plus la fortune que le sang de ses victimes.

L'originalité de *Carmilla*, publié en 1872 à Dublin par Sheridan Le Fanu, est de présenter le vampire comme une victime de sa nature. A une époque où l'homosexualité était sévèrement condamnée, l'auteur n'hésite pas à prendre à rebrousse-poil les lecteurs bien-pensants en attribuant au vampire, ici de sexe féminin, un lesbianisme explicite. Laura, la fille unique d'un gentilhomme anglais, accueille Carmilla, une inconnue d'une exquise beauté, qu'un accident a mise sur son chemin. La jeune aristocrate, candide à souhait, succombe progressivement au charme sombre et venimeux de la morte-vivante jusqu'à y laisser sa vie.

Mais c'est surtout l'ouvrage de Bram Stoker paru en 1897, *Dracula*, qui reste la quintessence du genre, établissant une image du vampire qui fixe pour longtemps les traits du mythe. S'inspirant des légendes courant sur un prince valaque, l'écrivain irlandais a su donner un certain réalisme à son histoire, qui se passe en partie dans les rues de Londres. Plusieurs raisons expliquent l'audience extraordinaire de ce roman qui demeure à ce jour l'un des plus grands succès de l'édition. Il y a d'abord l'écriture novatrice de Bram Stoker, qui mêle différentes formes, des lettres au journal intime en passant par les articles de journaux. La configuration narrative (ce roman à la première personne épouse plusieurs points de vue, hormis celui du comte) est pour beaucoup dans la sensation d'angoisse qui imprègne le récit : le personnage de Dracula est toujours présenté de façon indirecte à la manière d'un hors-champ au cinéma. L'apport décisif de Bram Stoker est cependant d'avoir fait du comte, au-delà de la créature aux pouvoirs surnaturels, un être humain qui suscite la pitié autant que l'épouvante. Si Dracula est un monstre, c'est aussi un réprouvé, un rejeté de Dieu, qui, en tant que tel, appelle la compassion.

Plus généralement, la figure du vampire est l'occasion, pour Stoker, de méditer sur de nombreux thèmes.

Le roman se présente d'abord comme une réflexion sur la modernité. L'Angleterre de la fin du XIXe siècle est celle de la révolution industrielle. Si les personnages du roman tirent profit des dernières inventions en date (machine à écrire, phonographe, télégraphe, train), la Transylvanie reste un lieu englué dans le passé, les coutumes et les superstitions. Le combat contre Dracula symbolise ainsi une confrontation entre deux mondes, l'un tourné vers l'avenir et l'autre écrasé sous le poids des traditions.

La question du rapport à la science apparaît, dès lors, comme essentielle. A un portrait du savant qui asservit le savoir à ses intérêts (Dracula utilise la connaissance à des fins maléfiques) s'oppose la figure du scientifique, humble et ouvert d'esprit, mettant son savoir au service de tous.

Le vampirisme interroge également la frontière entre la folie et la raison : confrontés au surnaturel, beaucoup de personnages ont peur de basculer dans la démence ; seul le constat de l'existence réelle des vampires les guérira de cette angoisse. Significativement, et conformément aux théories criminologiques du temps, le roman présente le criminel, sinon comme un malade, du moins comme un être infantile. Ainsi, l'intelligence de Dracula manque-t-elle singulièrement d'inventivité.

Un des aspects les plus intéressants du roman est sans doute son traitement de la parole et de la communication. Dracula tire une grande partie de sa force de l'aura mystérieuse qui l'entoure. Il bénéficie du climat positiviste de la société anglaise du XIXᵉ siècle : personne, à moins d'assister à ses activités démoniaques, n'est prêt à croire à la réalité des vampires. Il y a ainsi un parallèle étroit entre la circulation du sang et la répression de la parole. Il est, de ce point de vue, significatif que *Dracula* soit un roman *épistolaire* : le savoir est éclaté et se transmet lentement. Ce n'est qu'à partir du moment où les personnages commencent à communiquer entre eux que le vampire se retrouve sur la défensive et que ses jours sont comptés. Dans cette perspective, *Dracula* pointe la contradiction entre les exigences d'un siècle scientiste (le progrès suppose la circulation du savoir) et la censure victorienne sur la parole.

Par la suite, le personnage du vampire est devenu l'un des plus vigoureux mythes modernes, donnant naissance à une riche littérature, qui a su épouser des genres littéraires fort divers : le fantastique, bien entendu, mais également la science-fiction, le récit érotique, le roman historique, la parodie, le roman policier et la littérature de jeunesse.

Différentes interprétations ont été avancées pour expliquer l'universalité du mythe.

La dimension religieuse est la plus évidente : le vampire, avatar de l'Antéchrist, incarne les forces du Mal dans leur lutte manichéenne contre les forces du Bien. On rappellera que, contre les vampires, une arme redoutable est le crucifix.

La lecture psychanalytique semble également s'imposer. Le vampire, par son identité même, pose la question des relations entre les deux ressorts fondamentaux de l'être humain, le désir sexuel et la pulsion de mort. Il invite à réfléchir sur les frontières entre l'instinct et la raison, la bête et l'homme, la vie et la mort. Symbole de la psyché humaine, il renvoie chacun à sa part d'ombre. Le vampirisme est, en particulier, intimement lié à la sexualité. Les dents rétractiles sont un symbole phallique et le baiser morsure une métaphore de l'acte sexuel. Plus précisément, l'agression vampirique s'apparente à une défloration.

Enfin, le mythe du vampire a reçu, très tôt, des connotations politiques et idéologiques. Dès le XVIIIᵉ siècle, le mot « vampire » prend le sens de « tyran qui suce le sang de son peuple ». Le comte Dracula, personnage d'aristocrate, renvoie métonymiquement à l'Ancien Régime.

Aujourd'hui, le vampire, à la fois prédateur et victime, incarnation des différences, d'une marginalité qui fait peur, est devenu le symbole de toutes les minorités (culturelles, sociales, ethniques et sexuelles).

Synthèse

La psychocritique de Ch. Mauron vise à mettre en évidence le « phantasme » fondamental dont les différents textes d'un écrivain seraient, chacun à sa façon, le reflet plus ou moins lointain. Ce qu'on peut retenir d'une telle démarche, c'est la possibilité de dégager dans un texte donné, aussi bien sur le plan du signifié que sur celui du signifiant, la présence d'une logique fantasmatique. Une méthode opératoire peut consister, d'une part, à retrouver dans l'écriture les principes qui régissent le langage de l'Imaginaire, d'autre part, à interpréter le comportement du narrateur ou des personnages à travers les modèles dégagés par la psychanalyse. La dimension socio-historique d'un récit se manifeste aussi bien par les renvois (directs ou indirects) à la société de l'écrivain que par les rapports que le texte entretient avec les sociolectes de son époque. Enfin, le roman, genre littéraire le plus populaire, se présente comme un document culturel de premier plan.

LECTURES CONSEILLÉES

J. BELLEMIN-NOËL
Psychanalyse et littérature, Paris, PUF, 2002.

Un excellent ouvrage de synthèse sur le recours à la psychanalyse dans les études littéraires.

Ch. MAURON
Des métaphores obsédantes au mythe personnel. Introduction à la psycho-critique, Paris, Corti, 1962.

Texte fondateur qui présente la démarche, la méthode et les enjeux de la psychocritique.

Cl. DUCHET
« Pour une socio-critique », *Littérature*, 1, 1971.
Article programmatique qui propose de renouveler l'approche sociologique des textes en centrant l'étude sur les structures formelles.

Pierre V. ZIMA
Manuel de sociocritique, Paris, L'Harmattan, 2000.
Historique et présentation critique des notions fondamentales et des problèmes méthodologiques de la sociologie de la littérature. Plaidoyer pour une sociologie du texte, illustré par des analyses littéraires.

E. CROS
La Sociocritique, Paris, L'Harmattan, 2003.
Présentation d'une théorie sociocritique du texte culturel, illustrée par de nombreux exemples, empruntés, pour la plupart, au cinéma.

Revue d'Études Culturelles, n° 1, « Érotisme et ordre moral », Dijon, Abell, mai 2005.
Numéro programmatique et pionnier, posant les fondements des études culturelles « à la française » à travers de nombreuses références à la littérature romanesque.

LE LECTEUR DANS LE ROMAN

La prise en compte du lecteur dans l'analyse n'est pas contradictoire avec l'approche poéticienne. Si l'on part du principe que le lecteur est d'abord un rôle inscrit dans le récit, une place proposée à quiconque lit un roman, on reste bien dans le cadre d'une étude formelle. La notion de « narrataire » (figure du lecteur postulée par le texte) est, à l'origine, une proposition des poéticiens. C'est donc ce lecteur inscrit qu'il convient d'examiner pour commencer : de quelle façon un roman construit-il son destinataire ? Par quelles stratégies fait-il entrer le lecteur dans son jeu ? Dans un second temps, on se demandera comment l'individu concret réagit à ce rôle qui lui est proposé. À partir des travaux d'Umberto Eco, on tentera de faire le lien entre une approche sémiologique fondée sur le détail du texte et une étude d'inspiration plus « pragmatique » concernant les réactions du lecteur réel.

LE LECTEUR DU ROMAN

Le « lecteur du roman », c'est le lecteur imaginé, construit par le roman : il renvoie à la figure que l'auteur avait en tête lorsqu'il a élaboré son récit. L'identifier, c'est mettre au jour les stratégies, tant locales que globales, ourdies par le texte à l'intention de son destinataire.

LE LECTEUR INSCRIT

Gerald Prince (« Introduction à l'étude du narrataire ») a tenté de répertorier les caractéristiques de ce lecteur inscrit. Selon lui, tout récit construit son destinataire à travers les modifications qu'il fait subir à un ensemble de « traits basiques » qui constituent le narrataire « degré zéro » (instance encore très vague, impliquée par le seul fait que tout récit s'adresse à quelqu'un).

LE NARRATAIRE « DEGRÉ ZÉRO »

En l'absence de toute précision du texte, le narrataire se définit par une série de traits positifs et négatifs. Du côté des aptitudes, on retiendra :

– une maîtrise de la langue et des langages du narrateur (tout récit suppose chez son lecteur la compréhension du code utilisé) ;

– diverses facultés intellectuelles (mémoire à toute épreuve, connaissance de la grammaire du récit, capacité à dégager présupposés et conséquences) sans lesquelles il n'est pas de lecture possible.

Mais le narrataire « degré zéro » se définit aussi par ses limites :

– une incapacité à dépasser la lecture linéaire ;

– une absence d'identité psychologique ou sociale ;

– un manque d'expérience et de bon sens.

C'est en modifiant l'une ou plusieurs de ces caractéristiques qu'un roman peut construire son narrataire propre.

LE NARRATAIRE SPÉCIFIQUE

Pour reconstituer la figure particulière du narrataire dans un texte donné, Prince propose de retenir les éléments suivants :

– les adresses directes au lecteur (les énoncés du type « ami lecteur », « vous qui me lisez », « cher public », etc.) auxquelles on peut ajouter les précisions du texte sur les caractéristiques socioculturelles de son destinataire et les références aux pronoms et formes verbales de la deuxième personne ;

– les prises à témoin implicites du lecteur à travers l'évocation de vérités générales ou de sentiments répandus qu'il est censé partager ;

– les questions ou pseudo-questions mises sur le compte du narrataire ;

– les négations (présentées comme une réfutation de ce que le destinataire est censé penser, elles dessinent indirectement sa vision des choses) ;

– certains démonstratifs qui, renvoyant à un autre texte ou à un élément extra-textuel supposés connus du récepteur, nous renseignent sur son bagage culturel et le champ de son savoir ;

– les comparaisons et analogies (définissant une réalité par rapport à une autre considérée comme plus familière, elles éclairent obliquement l'univers du lecteur) ;

– les « surjustifications » (précisions du narrateur sur son propre récit), qui indiquent en creux les attentes du narrataire aux yeux duquel certaines pratiques d'écriture, dans la mesure où elles appellent une explication, ne vont pas de soi.

Les *adresses directes au lecteur*, on en trouve un exemple dans ce passage de *Jacques le fataliste* :

> « Vous voyez, lecteur, que je suis en beau chemin, et qu'il ne tiendrait qu'à moi de vous faire attendre un an, deux ans, trois ans le récit des amours de Jacques [...]. »
>
> Diderot, *Jacques le fataliste et son maître*, Paris, Garnier-Flammarion, 1970, p. 26-27.

Ou encore dans cet extrait célèbre du *Rouge et le Noir* :

> « Eh, monsieur, un roman est un miroir qui se promène sur une grande route. Tantôt il reflète à vos yeux l'azur des cieux, tantôt la fange des bourbiers de la route. Et l'homme qui porte le miroir dans sa hotte sera par vous accusé d'être immoral ! Son miroir montre la fange, et vous accusez le miroir ! Accusez bien plutôt le grand chemin où est le bourbier, et plus encore l'inspecteur des routes qui laisse l'eau croupir et le bourbier se former. »
>
> *op. cit.*, p. 361.

Concernant les *précisions du texte sur les caractéristiques socioculturelles de son destinataire*, il n'est pas indifférent que Mariane s'adresse à un officier français dans *Les Lettres portugaises*, Félix de Vandenesse à la comtesse Natalie de Manerville dans *Le Lys dans la vallée*, ou des Grieux à M. de Renoncour, « homme de qualité », dans *Manon Lescaut*.

L'*évocation de vérités générales que le lecteur est censé partager* se fait souvent par le biais de la première personne du pluriel. Dans *Sodome et Gomorrhe*, le narrateur, qui vient de penser à la peine qu'il a pu, lorsqu'elle était vivante, causer à sa grand-mère, explique :

> « [...] comme les morts n'existent plus qu'en nous, c'est nous-mêmes que nous frappons sans relâche quand nous nous obstinons à nous souvenir des coups que nous leur avons assénés. »
>
> *op. cit.*, p. 156.

Le « nous » renvoie, ici, à la fois au narrateur et au narrataire.

Comme exemple de *pseudo-question mise sur le compte du narrataire*, on citera cet extrait où le narrateur hugolien vient d'évoquer « l'excès d'amour » de Mgr Myriel :

> « Qu'était-ce que cet excès d'amour ? C'était une bienveillance sereine, débordant les hommes, comme nous l'avons indiqué déjà, et, dans l'occasion, s'étendant jusqu'aux choses. »
> *Les Misérables, op. cit.*, t. I, p. 78.

Les *négations*, le narrateur les utilise dans le portrait de ce même personnage pour réfuter ce que le lecteur doit logiquement être amené à penser après l'insistance du texte sur le caractère exceptionnel de l'évêque :

> « Il n'essayait point de faire faire à sa chasuble les plis du manteau d'Élie ; il ne projetait aucun rayon d'avenir sur le roulis ténébreux des événements, il ne cherchait pas à condenser en flamme la lueur des choses ; il n'avait rien du prophète et rien du mage. Cette âme humble aimait ; voilà tout. »
> *ibid.*, p. 83.

Un *démonstratif renseignant sur le champ de savoir du narrataire*, on en trouve un dans ce passage où Fantine croit reconnaître la voix de Cosette dans les rires d'une petite fille qui joue dans la cour :

> « C'est là un de ces hasards qu'on retrouve toujours et qui semblent faire partie de la mystérieuse mise en scène des événements lugubres. »
> *ibid.*, p. 316.

L'*analogie* suivante suppose un lecteur moins familier avec les complexités de la vie intérieure qu'avec l'univers marin :

> « On n'empêche pas plus la pensée de revenir à une idée que la mer de revenir à un rivage. Pour le matelot, cela s'appelle la marée ; pour le coupable, cela s'appelle le remords. Dieu soulève l'âme comme l'océan. »
> *ibid.*, p. 254.

On rencontre une « *surjustification* » au début du roman. Le narrateur, s'expliquant sur une digression, montre qu'il a parfaitement conscience que cette pratique d'écriture ne correspond pas aux attentes de son lecteur :

« Quoique ce détail ne touche en aucune manière au fond même de ce que nous avons à raconter, il n'est peut-être pas inutile, ne fût-ce que pour être exact en tout, d'indiquer ici les bruits et les propos qui avaient couru sur son compte au moment où il était arrivé dans le diocèse. »

ibid., p. 25.

Tous ces éléments permettent de dégager le lecteur postulé par le roman. Le narrataire est donc un rôle du récit au même titre que le narrateur. Il s'agit bien d'un *rôle*, que le lecteur réel pourra ou non trouver à son goût mais qui, en tout état de cause, sera un point de passage obligé dans sa relation au texte. *Gilles*, le roman de Drieu La Rochelle, dessine un narrataire antisémite, xénophobe et anticommuniste : il est impossible de lire le roman sans se rendre compte que ces caractéristiques idéologiques sont considérées par le narrateur comme étant partagées par son lecteur. Le sujet qui refuse un tel rôle n'a le choix qu'entre deux options : interrompre sa lecture ou choisir de considérer le roman comme un pur objet d'analyse.

Le texte ne se contente pas de construire son destinataire : il tente également d'orienter la lecture aussi bien au niveau local, par une série de procédés qui déterminent le rapport du lecteur au monde romanesque, qu'au niveau global, par la structure d'ensemble du roman.

LES STRATÉGIES LOCALES

La relation au récit dépend pour une grande part de la dialectique distance/participation : l'intrigue canonique, telle qu'elle est présentée par les sémioticiens, montre, on l'a vu (voir chapitre 3), que le récit classique, en narrant la réduction d'un désordre, c'est-à-dire le retour à un ordre, est fondamentalement conservateur. Le texte, pouvant conforter ou désamorcer l'investissement dans la fiction, a donc toute latitude pour conduire le lecteur soit à l'acceptation soit à la remise en cause des schémas dominants.

LES PROCÉDÉS DE DISTANCIATION

Parmi les principales techniques qui, mettant en évidence l'énonciation, cassent l'illusion produite par la fiction, on peut mentionner :

– l'emboîtement des récits, qui dénonce le texte comme artefact (on le trouve, par exemple, dans *Les Mille et Une Nuits* et le *Manuscrit trouvé à Saragosse*) ;

– les procédés typographiques (mise en pages expressive, pointillés, soulignements, capitales) qui rappellent la réalité textuelle du monde romanesque (les différents chapitres du *Procès-Verbal* de Le Clézio sont délimités par des majuscules suivies d'un point ; *La Mise à mort* d'Aragon est truffé de citations en italiques) ;

– les titres de chapitre *rhématiques*, c'est-à-dire désignant le texte en tant que tel (la table des matières des *Misérables* en offre plusieurs exemples : « Chapitre où l'on s'adore », « Deux portraits complétés ») ;

– l'intertextualité explicite (références culturelles, allusions) telle qu'on la trouve dans le chapitre central de *La Condition humaine* (la situation des communistes attendant leur exécution parqués dans un préau évoque la célèbre « pensée » de Pascal comparant la condition des hommes à celle de prisonniers condamnés à mort) ;

– la « monstration » des artifices du récit (coïncidences forcées, voire soulignées, comme dans la nouvelle d'Alphonse Allais, *Un drame bien parisien*, analysée par U. Eco dans *Lector in fabula*) ;

– le vocabulaire traditionnel d'un genre (les expressions « astres habités », « voyages interplanétaires », « déplacements intersidéraux » que l'on trouve dans les premières pages de *La Planète des singes* de Pierre Boulle signalent un roman d'anticipation, donc un texte littéraire correspondant à des conventions précises) ;

– le jeu avec l'onomastique, en particulier la valeur symbolique des noms (derrière des noms comme ceux de Revel, le protagoniste de *L'Emploi du temps* qui aspire justement à la révélation, ou de Ferral, le capitaine d'industrie de *La Condition humaine*, dur et froid comme le métal qu'il évoque, il est difficile de ne pas percevoir le clin d'œil que l'auteur adresse au lecteur) ;

– le rappel de la situation de communication (telle qu'on la trouve dans ce passage du *Roman comique* de Scarron : « Je suis trop homme d'honneur pour n'avertir pas le lecteur bénévole que, s'il est scandalisé de toutes les badineries qu'il a vues jusques ici dans le présent livre, il fera fort bien de n'en lire pas davantage, car en conscience il n'y verra pas d'autre chose, quand ce livre serait aussi gros que le Cyrus ») ;

– la parodie qui, prenant pour cible un texte connu, s'inscrit dans un débat d'abord littéraire (*Virginie Q*, signé Marguerite Duraille, se présente comme le pastiche d'une manière littéraire, c'est-à-dire d'un style et d'une écriture) ;

– la mise en abyme de l'objet-livre (comme, par exemple, dans *Les Faux-Monnayeurs* où le personnage d'Édouard est en train d'écrire un roman portant le même titre que celui de Gide).

LES PROCÉDÉS DE L'EMPRISE AFFECTIVE

Les procédures qui visent à susciter l'adhésion du lecteur se répartissent en deux champs principaux : les techniques de l'illusion référentielle (dont certaines sont propres à un genre particulier) ; la densité fantasmatique de certains passages (qui, par l'émotion qu'ils suscitent, contribuent à la fascination du lecteur).

Concernant *l'illusion référentielle*, les procédés les plus efficaces sont les suivants :

– une intrigue linéaire et progressive (qui, facilitant la lecture en mimant la succession événementielle, conduit le lecteur à déplacer son attention du texte vers le monde du texte) : c'est le modèle de prédilection des romans naturalistes de Zola ou des romans d'aventures de Jules Verne ;

– des personnages vraisemblables (dont le comportement est conforme à la logique narrative) qui favorisent l'identification : le lecteur se reconnaîtra également dans l'identité de l'agent (un écolier se retrouvera dans Augustin Meaulnes, une provinciale dans Mme Bovary), la positivité de l'action entreprise (secourir et protéger pour Jean Valjean), les motifs et les mobiles (on s'identifiera à Saint-Preux parce qu'il agit par amour, à Rastignac parce qu'il désire s'affirmer), un statut social valorisé (le comte de Monte-Cristo) ;

– un cadre spatio-temporel connu, qui se réfère explicitement à une réalité identifiable : Paris pendant la Commune dans *La Débâcle* de Zola, la ville de Shanghai en 1927 dans *La Condition humaine* de Malraux ;

– le renvoi au monde du lecteur (la référence à la *doxa*, à différents types de savoirs et de documents, donne une impression de « déjà lu » qui conforte l'illusion) : le double jeu avec l'intertextualité des contes pour enfants et les documents historiographiques sur le nazisme contribue, paradoxalement, à faire du *Roi des Aulnes* un roman très lisible.

L'emprise fantasmatique du roman, quant à elle, tient essentiellement à la réactivation par le récit des *fantasmes originaires* (voir le chapitre précédent, p. 133) au fondement de l'identité du sujet. Rares sont les récits où les « scénarios » imaginaires de l'enfance ne sont pas, plus ou moins clairement, rejoués par les personnages. Le lecteur ne peut manquer de les reconnaître, voire de *se* reconnaître à travers eux. Dans la mesure où les fantasmes originaires sont, pour la plupart, liés à des lieux, il est facile pour un texte de les réactiver en utilisant les motifs spatiaux : les cavernes, cercles et souterrains pourront renvoyer à « la vie intra-utérine » ; les portes, chambres et serrures à « la scène originaire » ; la nature vierge et sauvage à « la mère archaïque », etc. À titre d'exemples, on évoquera la transposition zolienne de la scène originaire où un personnage voit ce qu'il ne devrait pas (Nana surprise par Muffat dans les bras d'un autre homme ; Jacques Lantier assistant, dans *La Bête humaine*, au meurtre du président Grandmorin) et le mythe de la robinsonnade (fantasme d'omnipotence et de maîtrise de l'espace qui, comme l'a montré Marthe Robert, s'enracine dans le roman familial de l'enfant préœdipien).

Le mythe de la robinsonnade

« Nouvel Adam jeté sur une terre vierge dont il est l'unique habitant (il faut noter qu'il n'y a pas la moindre trace d'Ève dans cet Éden exotique, et par suite pas non plus de serpent, les bêtes de l'île sont remarquablement inoffensives), Robinson vit le retour au Paradis pour lequel il a tout laissé : il renaît à l'âge de vingt-six ans – le jour anniversaire de sa naissance par surcroît, afin qu'il n'ait pas de doute sur la signification de l'événement – dans des conditions idéales qui recréent pour lui l'état de pure nature caractéristique du bonheur premier. Nu, dépossédé de son existence antérieure et par suite lavé de tout péché (son naufrage ayant évidemment valeur de baptême), il est dans la situation la plus proche de l'état adamique parfait [...]. »

M. Robert, *Roman des origines et origines du roman*,
Paris, Gallimard, coll. « Tel », 1972, p. 137.

En dégageant, dans un passage donné, d'une part les techniques de distanciation et d'autre part les procédures de l'emprise, on cernera assez précisément le projet du narrateur.

La lecture entre distance et participation

« La lecture littéraire, qui *est* la littérature, sollicite dans le lecteur plusieurs instances, dont les degrés d'activité et de conscience sont fort différents. Les processus secondaires et le processus primaire, la réflexion lucide, informée, voire érudite, et l'abandon au fantasme, le corps sourdement présent et la mémoire faussement perdue, bref, le joueur et le joué, construisent ensemble selon des dialectiques complexes cette *épreuve de réalité ludique* qu'offre la fiction. En nous l'enfant s'identifie, dans le délire et dans l'effroi, aux rêves que le texte lui donne à lire par transparence, par analogies, et qu'il reconnaît ; l'adulte lit autre chose, et cependant les mêmes choses, il analyse, plus ou moins délibérément, met en œuvre son savoir, exerce sa sagacité, relève les indices, s'adonne à la jubilation herméneutique. Leurs modes ludiques respectifs mais associés, *playing* et *game*, s'équilibrent mutuellement. »

M. Picard, *Nodier, La Fée aux miettes : Loup y es-tu ?*,
Paris, PUF, coll. « Le texte rêve », 1992, p. 5.

Un texte qui suscite le recul critique (voir l'extrait de *La Modification* analysé p. 213-217) ne suppose pas le même lecteur qu'un texte qui s'attache à conforter l'illusion référentielle (voir le texte de Balzac commenté p. 198-202). À travers le lecteur postulé, on peut identifier la visée d'un récit, ses intentions, et l'idéologie dans laquelle il s'inscrit.

LES STRATÉGIES GLOBALES

Si les stratégies locales permettent d'orienter la lecture de tel ou tel passage, c'est surtout par sa structure globale que le texte agit sur le lecteur. Pour mettre au jour la façon dont le roman organise les conditions de sa réception, il faut prendre en compte sa dynamique d'ensemble. Le modèle proposé par W. Iser (*L'Acte de lecture*) est l'un des plus opératoires. Il considère la lecture comme un jeu de perspectives réglementé par les structures narratives.

La lecture comme jeu de perspectives

« Les textes narratifs se caractérisent par le fait que les perspectives du texte – que ce soient celles du narrateur, celles des personnages pris dans leur ensemble, celles du héros ou celles d'autres personnages importants pris isolément – ne coïncident pas. Ce fait se complique souvent dès lors que l'action des personnages dans le récit ne correspond pas à la conception que ceux-ci se font d'eux-mêmes, et va souvent même à l'encontre de celle-ci. Le texte met en jeu plusieurs perspectives qui, dans la mesure où elles s'opposent ou ne coïncident pas, constituent les conditions d'un conflit. Le lecteur le vit s'il cherche à faire coïncider ces perspectives ; inévitablement les divergences internes surgissent. Elles apparaissent comme l'envers de la superposition des perspectives du texte à laquelle se livre le lecteur. Si le conflit se développe à cause des caractéristiques propres à ces perspectives, avec des divergences qui prouvent également qu'elles ne sont pas sans rapport les unes avec les autres, la solution par contre naît de la représentation de la façon de dépasser les tensions non explicitées qui résultent de la confrontation de ces perspectives. Étant donné que le lecteur est capable de se représenter une telle situation, il serait absurde que le texte lui aussi énonce ces solutions, à moins de pouvoir se substituer au lecteur. »

W. Iser, *L'Acte de lecture*, trad. fse, Bruxelles, Mardaga, 1985, p. 90.

Le lecteur, ne pouvant adopter simultanément tous les points de vue, se déplace au cours de la lecture (selon des modalités déterminées par le texte) de perspective en perspective. C'est à travers la façon (imposée par la construction du récit) dont il coordonne les différentes perspectives qu'il construit le sens du texte. Il est donc essentiel, lorsqu'on analyse un roman, de dégager la relation entre les points de vue. Selon Iser, il n'existe que quatre types de coordination.

LA COORDINATION PAR COMPENSATION.

Elle consiste à mettre tous les points de vue au service de la même idée : le point de vue du ou des personnages secondaires n'est là que pour compenser les déficiences du point de vue du héros. La coordination par compensation apparaît ainsi comme le propre de la littérature didactique. Dans *Le Nœud de vipères* de Mauriac, la conversion du héros, Louis, au seuil de la mort, démontre que la foi est la seule issue possible à une vie d'avarice et d'égoïsme. L'itinéraire de Louis, cependant, n'illustre qu'un aspect de la foi : la rédemption. Or, le christianisme a bien d'autres vertus. Le roman, pour en témoigner et compléter le point de vue du héros, a recours aux personnages secondaires. Ainsi, Marie, la fille de Louis, rachetant par une maladie douloureuse et une mort prématurée les péchés de son père, renvoie au dogme catholique de la réversibilité des mérites. De même, Isa, la femme de Louis, qui continue, au-delà des barrières de la rancœur et du silence, à vouer à son mari un amour muet et profond, illustre un des aspects de l'amour divin. Personnage central et personnages secondaires servent le même but romanesque. Quand le point de vue de Louis ne serait pas entièrement satisfaisant, les points de vue des personnages secondaires en colmateraient les failles.

LA COORDINATION PAR OPPOSITION

Elle est fondée sur la confrontation de deux points de vue inconciliables. L'opposition entre le point de vue du héros et le point de vue du personnage secondaire, ou encore entre le point de vue du héros et celui du narrateur, aboutit à la relativisation des perspectives l'une par l'autre et contribue, en conséquence, à éveiller l'esprit critique du lecteur. Les deux protagonistes de *Jacques le fataliste* offrent une telle opposition de perspectives. Le point de vue de Jacques qui pense que la liberté est illusoire et que tout est écrit a pour horizon le point de vue optimiste de son maître convaincu de l'existence du libre arbitre. Chacune des perspectives est ainsi relativisée par l'autre. Le lecteur, promené sans arrêt de la figure du valet à celle du maître et vice versa, ne peut qu'envisager le fatalisme de Jacques à l'horizon de la liberté d'indifférence prônée par son maître et le principe de la volonté libre à l'horizon de l'idée d'un déterminisme aveugle. Si l'on ajoute que le comportement des personnages va souvent à l'encontre de leurs discours (le valet semble doué d'une extraordinaire liberté alors que le maître fait plutôt penser à une marionnette agissant mécaniquement), il devient très vite impossible d'ériger l'une ou l'autre thèse en norme absolue. Le lecteur est ainsi amené à construire son propre point de vue à partir du principe qu'aucune référence n'est universelle.

LA COORDINATION PAR ÉCHELONNEMENT

Elle consiste, pour le récit, à proposer un éventail de points de vue dépourvu d'orientation centrale. La relation entre les différentes perspectives mises en scène est volontairement brouillée. En piégeant le lecteur dans son activité de compréhension, le texte lui montre que le sens du réel est toujours reconstruit. *Le Bruit et la Fureur* de Faulkner est fondé sur un tel procédé. Aucune perspective centrale ne permet d'unifier sous une orientation narrative claire les divers monologues de Benjy, Quentin ou Jason. Le point de vue de chacun des personnages (dont nul n'est élevé au rang de héros) n'éclaire pas complètement l'obscurité des autres. La construction de l'histoire exige un important travail de la part du lecteur.

LA COORDINATION PAR SUCCESSION

Elle n'est qu'une intensification du processus d'échelonnement. Les points de vue variant désormais d'une phrase à l'autre, il est impossible au lecteur d'élaborer une perspective globalisante qui puisse rendre compte du texte dans son ensemble. Le lecteur est ainsi conduit à remettre constamment en cause ses représentations. L'œuvre de Joyce est la manifestation la plus aboutie de cette organisation sérielle. *Ulysse*, en proposant un récit segmenté à l'extrême, oblige à trouver, pour chaque phrase, la perspective qui lui est propre. Le lecteur, mis constamment en échec dans son travail de déchiffrement, s'interroge sur sa façon de concevoir le sens.

L'analyse, pour être complète, doit non seulement envisager les stratégies du texte de façon *synchronique* (à travers la relation des points de vue en présence), mais aussi de façon *diachronique* (en identifiant les endroits du récit où s'opèrent les changements de perspective). Que le point de vue d'Emma soit présenté au lecteur *après* le point de vue de Charles est une donnée fondamentale pour la compréhension de *Madame Bovary*.

L'existence d'un lecteur inscrit (le lecteur du roman) est donc incontestable. Mais la signification d'un texte tient à la façon dont le lecteur réel va adopter ce rôle qui lui est réservé. La fonction essentielle du *lecteur du roman* est de servir de fondement au *roman du lecteur*.

LE ROMAN DU LECTEUR

Ce sont les travaux d'Umberto Eco qui ont permis de faire le lien entre l'approche poéticienne et les théories de la lecture. En cherchant à comprendre comment les structures du récit influent sur la réception, Eco a proposé un modèle permettant d'analyser la lecture tout en restant dans le système du texte.

L'acte de lecture se présente comme une *performance* que le lecteur réalise grâce à une *compétence*. Dans la mesure où elles sont objectivement sollicitées par les structures textuelles, performance et compétence du lecteur sont nécessaires au fonctionnement du roman.

PERFORMANCE

Selon Umberto Eco *(Lector in fabula)*, le lecteur construit sa lecture en déchiffrant l'un après l'autre les différents niveaux du texte. Il part des structures les plus simples pour en arriver aux plus complexes : il actualise ainsi successivement les structures *discursives, narratives, actantielles* et *idéologiques.*

Le rôle du lecteur

« Le texte est [...] un tissu d'espaces blancs, d'interstices à remplir, et celui qui l'a émis prévoyait qu'ils seraient remplis et les a laissés en blanc pour deux raisons. D'abord parce qu'un texte est un mécanisme paresseux (ou économique) qui vit sur la plus-value de sens qui y est introduite par le destinataire [...]. Ensuite parce que, au fur et à mesure qu'il passe de la fonction didactique à la fonction esthétique, un texte veut laisser au lecteur l'initiative interprétative, même si en général il désire être interprété avec une marge suffisante d'univocité. Un texte veut que quelqu'un l'aide à fonctionner. »

Umberto Eco, *Lector in fabula*, trad. fse, Paris, Grasset, 1985, p. 66-67.

L'ACTUALISATION DES STRUCTURES DISCURSIVES

Cette première étape correspond à la phase d'explicitation sémantique. Ne pouvant convoquer pour chaque signe l'ensemble des éléments recensés par le dictionnaire, le lecteur, dans son déchiffrement, ne retient que les propriétés nécessaires à la compréhension. Ce sont donc les réseaux de sens objectivement présents dans le texte qui indiquent la façon dont les mots sont à comprendre. Voici un passage du *Génie du christianisme* de Chateaubriand : « Une heure après le coucher du soleil, la lune se montra au-dessus des arbres, à l'horizon opposé. Une brise embaumée, que cette reine des nuits amenait de l'orient avec elle, semblait la précéder dans les forêts, comme sa fraîche haleine » (I, V, 12). Le mot « lune » n'a pas besoin d'être rapporté à sa définition astronomique de « satellite de la Terre, recevant sa lumière du Soleil ». Sa propriété consistant à tourner autour de la Terre en vingt-sept jours, sept heures et quarante-trois minutes ne demande pas à être actualisée. C'est, ici, sa seule réalité d'astre nocturne qui – par ses connotations de mélancolie et de douceur – demande à être prise en compte.

L'ACTUALISATION DES STRUCTURES NARRATIVES

Dans cette deuxième étape, le lecteur se livre à un important travail de synthèse : il rassemble les structures discursives en une série de macropropositions qui lui permettent de dégager les grandes lignes de l'intrigue. Ces structures narratives lui permettent de faire le point après la lecture de plusieurs pages, d'une longue scène ou d'un chapitre. Après avoir lu le début de *Germinal*, voici les structures narratives que l'on peut dégager : un ouvrier solitaire, Étienne Lantier, vient de trouver un emploi dans une mine ; il s'intègre rapidement à une famille de mineurs – les Maheu ; peu à peu, il prend conscience du caractère inacceptable des conditions de travail. Les structures narratives constituent, on le voit, la charpente du récit : ce sont elles que l'on retiendra pour un résumé de l'intrigue.

L'ACTUALISATION DES STRUCTURES ACTANTIELLES

Passant à un niveau d'abstraction supplémentaire, le lecteur associe, dès qu'il le peut, les différents acteurs du récit à des rôles actantiels. Nous avons vu (*supra*, p. 80-82) qu'il est possible de retrouver dans tout récit le schéma actantiel dégagé par Greimas. Si l'on admet que *À la recherche du temps perdu* est une quête dont l'objet est la création artistique, Marcel se présente immédiatement comme le sujet/destinataire. Le groupe des destinateurs comprend les auteurs dont les livres ont suscité la vocation littéraire du héros, tels George Sand et Mme de Sévigné. Les opposants sont les artistes stériles, Swann et Charlus, qui n'ont jamais pu se résoudre à sacrifier la vie à l'art. Du côté des adjuvants, on trouve les créateurs accomplis, tels Elstir et Vinteuil. Marcel deviendra lui-même artiste lorsqu'il aura compris que les premiers incarnent le danger suprême et les seconds le modèle à suivre.

L'ACTUALISATION DES STRUCTURES IDÉOLOGIQUES

C'est en repérant dans le schéma actantiel un fort marquage axiologique que le lecteur peut dégager les structures idéologiques du récit. La valeur attribuée par le texte au *sujet*, à l'*objet* et aux autres rôles actantiels permet de dégager la vision du monde véhiculée par le roman. Si l'on reprend l'exemple de *La Recherche*, il semble clair que l'opposition entre Swann/Charlus, d'un côté, et Elstir/Vinteuil, de l'autre, illustre, pour le narrateur, une opposition plus profonde entre valeurs négatives et valeurs positives. Il se dégage ainsi de la somme proustienne une idéologie de l'art comme valeur absolue exigeant de l'artiste un sacrifice total.

COMPÉTENCE

Si le lecteur peut réaliser une *performance* (actualiser les différents niveaux d'un texte), c'est parce qu'il dispose d'une *compétence*. Ce qui empêche l'analyse de se perdre dans l'arbitraire, c'est que cette compétence, indispensable à la compréhension du roman, est postulée (voire produite) par le texte lui-même.

La compétence du lecteur

> « Pour organiser sa stratégie textuelle, un auteur doit se référer à une série de compétences (terme plus vaste que "connaissance de codes") qui confèrent un contenu aux expressions qu'il emploie. Il doit assumer que l'ensemble des compétences auquel il se réfère est le même que celui auquel se réfère son lecteur. C'est pourquoi il prévoira un Lecteur Modèle capable de coopérer à l'actualisation textuelle de la façon dont lui, l'auteur, le pensait et capable aussi d'agir interprétativement comme lui a agi générativement. »
>
> Umberto Eco, *Lector in fabula, op. cit.*, p. 71.

Selon Eco, la compétence du lecteur comprend la connaissance d'un *dictionnaire de base* et des *règles de coréférence*, la capacité à repérer les *sélections contextuelles et circonstancielles*, l'aptitude à interpréter l'*hypercodage rhétorique et stylistique*, une familiarité avec les *scénarios communs et intertextuels* et, enfin, un point de vue *idéologique*.

LE DICTIONNAIRE DE BASE

Il permet de déterminer le contenu sémantique élémentaire des signes. Sans une maîtrise minimale du code linguistique, il est impossible de déchiffrer un texte. Lorsqu'au premier chapitre du *Docteur Pascal*, on lit la phrase suivante : « Debout devant l'armoire, en face des fenêtres, le docteur Pascal cherchait une note, qu'il y était venu prendre » (*op. cit.*, p. 9), il faut être en mesure de dégager immédiatement les signifiés de base du mot « docteur » – notamment, « savant » et « médecin » – sous peine de perdre rapidement le fil d'un roman construit sur l'opposition du savoir scientifique et de la croyance religieuse.

LES RÈGLES DE CORÉFÉRENCE

Elles servent à comprendre correctement les expressions déictiques (qui renvoient à la situation d'énonciation) et anaphoriques (qui désignent un élément antérieur). Le lecteur, pour ne pas se noyer dans le texte, doit être capable de déchiffrer le contenu de formules comme « en ce moment » ou « ici » et d'identifier le personnage éventuellement repris par un « il » ou un « elle ». Ainsi, lorsque, poursuivant la lecture du texte de Zola, on tombe sur la phrase « Plein de patience, il fouillait, et il eut un sourire, quand il trouva enfin » (*ibid.*, p. 10), il faut, pour saisir la cohérence et la continuité de l'action, savoir reconnaître le docteur Pascal sous le pronom personnel de la troisième personne.

LES SÉLECTIONS CONTEXTUELLES ET CIRCONSTANCIELLES

Le lecteur doit pouvoir interpréter les expressions en fonction de leur contexte linguistique (le mot « loup » n'aura pas la même signification dans un conte pour enfants ou dans un manuel de zoologie) et de leurs circonstances d'énonciation (la formule « mer agitée » n'aura pas le même référent selon qu'elle est prononcée dans le cadre d'un voyage en mer ou au cours d'une exposition de peinture). Pour nous limiter au champ romanesque, le terme « voyage » est à comprendre très différemment dans *Voyage au centre de la terre* et dans *Voyage au bout de la nuit*. Alors qu'il est à prendre au sens littéral dans le récit de Jules Verne (qui évoque une expédition des plus concrètes), il a, comme on l'a vu (voir *supra*, p. 12), un sens métaphorique appuyé dans le texte de Céline (renvoyant non seulement aux déambulations du héros, mais aussi à son parcours existentiel).

L'HYPERCODAGE RHÉTORIQUE ET STYLISTIQUE

Sa connaissance est indispensable pour comprendre certaines tournures, plus ou moins figées, léguées par l'histoire littéraire. Le « Il était une fois » inaugural des contes ne peut faire office de signal générique que s'il est compris comme tel. D'une façon générale, on ne peut lire un texte sans maîtriser les conventions du genre auquel il appartient. Concernant le roman, il est, par exemple, d'usage que le titre d'un chapitre en annonce le contenu. Ainsi, dans le chapitre des *Misérables* intitulé « Le vieux cœur et le jeune cœur en présence », c'est en fonction de règles génériques qu'on identifiera sans peine le père Gillenormand « [qui] avait à cette époque ses quatre-vingt-onze ans bien sonnés » (*op. cit.*, t. III, p. 54) au « vieux cœur » annoncé par le titre.

LES SCÉNARIOS COMMUNS ET INTERTEXTUELS

Par « scénarios », il faut entendre des situations-types qui permettent à la fois de comprendre ce qui se passe et d'anticiper la suite.

– *Les scénarios communs* sont des suites d'événements qu'on rencontre fréquemment dans la vie quotidienne. Fondés sur l'expérience ordinaire, ils sont partagés par les membres d'une même culture. Ainsi, lorsqu'il est question d'un voyage en train, on peut inférer que le personnage a dû acheter un billet, monter dans le wagon, etc., sans qu'il soit nécessaire que le texte le précise. Le lecteur a donc recours aux scénarios communs pour tenter de comprendre de quoi il est question. Quand, au début du *Procès*, K. voit surgir chez lui des individus inquiétants et mandatés, le lecteur active spontanément le scénario « arrestation ». Or, lorsqu'un individu désarmé est arrêté par des agents puissants et décidés, il a peu de chances de s'en sortir. Le scénario commun « arrestation » laisse ainsi présager pour K. un avenir assez sombre.

– *Les scénarios intertextuels* ne sont pas hérités de l'expérience commune, mais de la connaissance des textes. Lorsqu'il lit des récits appartenant à un même genre, le lecteur s'attend logiquement à retrouver des suites d'actions stéréotypées. L'amateur de contes de fées, par exemple, peut raisonnablement penser, lorsqu'il ouvre un livre, que le héros va triompher et épouser la fille du roi. Le narrateur, bien sûr, peut jouer sur la compétence intertextuelle de son lecteur en prenant le contre-pied d'une séquence traditionnelle. Ainsi, dans *Le Duel* de Tchekov, les deux adversaires se quittent réconciliés et humainement enrichis. D'une façon générale, cependant, plus le genre est défini, plus ses lois orientent le déroulement de l'histoire. S'il devient très vite difficile de concevoir une fin heureuse pour Gervaise dans *L'Assommoir*, c'est dû aux exigences du récit réaliste autant qu'au mouvement dramatique du texte.

Le jeu avec les scénarios intertextuels : le dénouement du Duel *de Tchekhov*

« Le docteur s'arrêta. Von Koren visa Laïevski.

"C'en est fait !" pensa celui-ci.

Le canon du pistolet, braqué sur son visage, l'expression de haine et de mépris qui s'exhalait de toute l'attitude et de toute la personne de von Koren, le meurtre qu'un honnête homme allait accomplir en plein jour, en présence d'honnêtes gens, le silence, la force inconnue qui le contraignait à rester en place au lieu de fuir, que tout cela était mystérieux, incompréhensible, étrange ! Le temps que mit von Koren à viser parut à Laïevski plus long que la nuit. Il jeta sur les témoins un regard suppliant ; ils étaient immobiles et pâles.

"Tire donc plus vite !" pensait-il, et il sentait que sa figure pâle, tremblante, pitoyable, devait éveiller en von Koren une haine encore plus forte.

"Je vais le tuer, pensait von Koren, visant au front et le doigt tâtant déjà la détente. Oui, bien sûr, je vais le tuer…"

"Il va le tuer !" s'écria soudain, tout près, une voix désespérée.

Aussitôt le coup de feu retentit. Ayant constaté que Laïevski restait debout, tout le monde regarda dans la direction d'où était venu le cri et aperçut le diacre. Pâle, les cheveux mouillés et collés sur le front et les joues, trempé d'eau et de boue ; il se tenait dans le maïs, sur l'autre rive, avec un curieux sourire et agitait son chapeau mouillé. Chechkovski rit de bonheur, fondit en larmes et s'écarta… »

> Tchekhov, *Le Duel* (1891), trad. fse, Paris, Gallimard, coll. « Folio », 1971, p. 160-161.

LA COMPÉTENCE IDÉOLOGIQUE

Chaque lecteur aborde un texte avec ses propres valeurs. Cette « compétence idéologique », qu'elle soit ou non prévue par le texte, affecte la façon dont il actualise les structures sémantiques de l'œuvre. Les positions idéologiques du lecteur peuvent ainsi, dans certains cas, contredire le projet de l'auteur. Eco a montré comment *Les Mystères de Paris* d'Eugène Sue, d'abord destiné à un public aisé que le feuilletoniste espérait divertir par un tableau pittoresque des bas-fonds parisiens, fut reçu par le prolétariat du XIXe siècle comme une dénonciation de ses conditions de vie misérables.

Si l'on peut décrire assez précisément la façon dont le lecteur se confronte au texte, reste à savoir ce qu'il en retire. Une fois dégagées la performance et la compétence du lecteur, on s'interrogera donc sur l'expérience de lecture.

EXPÉRIENCE

Il est bien sûr impossible de mettre au jour l'expérience de chaque lecteur. Ce que l'analyse peut prétendre dégager, c'est le fond commun à toutes les lectures – cette part de la réception qui dépend des formes et de l'organisation du texte.

Schématiquement, les structures textuelles peuvent conduire à une expérience de régression ou, au contraire, à un développement de la conscience critique du lecteur.

LA RÉGRESSION

Elle menace lorsque les techniques favorisant la participation l'emportent sur les procédures de distanciation.

Le premier risque est la passivité idéologique. Conduit, par le pacte de lecture, à reconnaître l'autorité de la voix narrative, le lecteur en arrive parfois, par glissements successifs, à accepter sans réagir l'ensemble du « message » transmis par le récit. Si, en vertu des conventions romanesques, on accepte tout ce que le narrateur nous dit de ses personnages (c'est lui qui les fait « grands » ou « petits », « jeunes » ou « vieux »), comment faire pour refuser son autorité lorsqu'il présente une figure (telle Rébecca dans *Gilles* de Drieu La Rochelle) comme négative en raison de ses qualités de « juive », d'« étrangère » et de « communiste » ?

L'investissement affectif est un autre danger. Le lien qui nous unit à un personnage (lien qui, nous l'avons vu, est largement construit par le texte) est parfois si fort que seul son destin narratif finit par nous intéresser. Le texte s'adressant uniquement à son affectivité, le lecteur voit sa faculté critique anesthésiée et abandonne tout recul. À la lecture d'un *James Bond*, par exemple, on est rapidement amené à souhaiter le triomphe de l'agent secret – et ce, quels que soient le nombre des morts qu'il laisse derrière lui ou la légitimité des valeurs qui animent ses adversaires.

Enfin et surtout, la forte charge fantasmatique de certains romans peut conduire à une forme de régression. Nombre de passages romanesques rappellent qui la relation œdipienne (confrontation entre jeunes premiers et pères autoritaires, attirance pour les figures maternelles, thématique du désir contrarié), qui la scène originaire, qui le complexe de castration, etc. (voir *supra*, p. 133-138). Michel Picard *(La Lecture comme jeu)* a montré comment *Les Trois Mousquetaires* entraînent le lecteur dans une régression franchement œdipienne. D'Artagnan et ses amis n'ont d'autre souci que de racheter la faute imputée à la mère (la reine) en luttant contre ces pères démissionnaires ou violents que sont le roi et le cardinal. Cette tentative de rachat de la figure maternelle se double, chez le héros et le lecteur qui s'investit en lui, d'un refoulement du principe d'altérité incarné par Milady. On retrouve bien dans le récit de Dumas toutes les composantes du schéma œdipien. En l'absence de distance critique, cette répétition du passé n'apporte rien au lecteur : il ne fait que reproduire négativement une scène qu'il a déjà vécue.

LE DÉVELOPPEMENT

Pour peu, cependant, que le texte amène le lecteur à équilibrer ses investissements par un travail de distanciation, la lecture, au lieu de conduire à la régression, peut se révéler une expérience enrichissante.

Le recul critique est, on l'a vu, essentiellement déterminé par la position de lecture. Prenons le cas de *Madame Bovary*. Le lecteur est d'abord conduit à épouser le point de vue de la narration à travers le « nous » qui ouvre le roman : « Nous étions à l'étude, quand le Proviseur entra. » Il « sympathise » ensuite successivement avec Charles et Emma dont les perspectives dominent, à tour de rôle, la narration. Enfin, quelques chapitres avant la fin, on voit réapparaître le narrateur-témoin, par le biais d'un « on » collectif et indéfini d'abord, puis, plus précisément, à travers le présent terminal où viennent se rejoindre temps de l'histoire et temps du récit (voir *supra*, p. 34). La figure du narrateur se manifeste donc aux deux seuils du roman pour « encadrer » le regard du lecteur sur les personnages. Entre-temps se réalise une expérience affective assez riche qui, unissant le lecteur au sort des protagonistes (dont les points de vue sont par ailleurs opposés), est susceptible de remettre en cause la vision du narrateur. On retrouve dans les avatars de cette « aventure lectorale » toute l'ambiguïté du roman qui fait d'Emma une héroïne à la fois négative (sa sensibilité « romantique » se nourrit de poncifs déjà éculés) et positive (en tant que victime de la « bêtise » qui l'entoure). Le lecteur, partagé entre le regard distancié que lui impose le narrateur aux deux bords de l'histoire et une participation compréhensive aux sentiments de Charles d'abord, à ceux d'Emma ensuite, vit cette ambiguïté pour ainsi dire « de l'intérieur ».

LES ROMANS « LITTÉRAIRES »

Tous les romans n'entraînent donc pas le même type de lecture et, partant, la même qualité d'expérience. Sans risquer une évaluation (toujours subjective), il est possible, à la suite de M. Picard (*La Lecture comme jeu*), de dégager certaines constantes des romans « littéraires ». Ces derniers se reconnaîtraient aux caractéristiques suivantes :

– ils font éclater les frontières d'un genre, permettant, dans un même mouvement, de goûter une culture et sa remise en cause (*Voyage au bout de la nuit* affirme sa nouveauté en référence aux récits picaresques ; le roman balzacien se revendique du modèle de Scott tout en s'en dégageant) ;

– ils offrent une pluralité de significations. Un grand roman suggère toujours d'autres sens que celui qui est immédiatement compris. Si *Germinal* se présente comme un roman social traitant des conditions de vie des mineurs dans la société industrielle, on peut aussi y lire un récit de formation (on retrouve certains épisodes-types du parcours initiatique, comme la « descente aux enfers ») ou une quête intérieure se déroulant sur l'« Autre Scène » (s'enfoncer dans la mine, c'est explorer l'espace – obscur et angoissant – de son inconscient) ;

– en donnant à vivre, sur le mode imaginaire, des situations inédites, ils permettent la « modélisation ». Le roman nous aide en effet à affiner les modèles de comportement qui dirigent nos décisions dans le monde réel. Même si on n'aspire pas à devenir un grand écrivain, on peut s'intéresser à l'itinéraire d'un épanouissement individuel, tel que le présente *La Recherche*. Dans un autre registre, on peut, sans être libertin, mettre à profit le savoir sur les mécanismes de séduction qu'apporte la lecture des *Liaisons dangereuses*. Même quand on ne se reconnaît pas dans les personnages qu'il met en scène (pensons à certains textes de Céline), le roman, en donnant les moyens de comprendre de l'intérieur une attitude que l'on condamnerait dans le monde réel, donne des outils pour mieux appréhender l'existence.

Subversion dans la conformité, élection du sens dans la polysémie, modélisation par une expérience de réalité fictive, la lecture littéraire est, de ces trois façons, une pratique fructueuse dont le sujet sort transformé.

Synthèse

Si l'existence d'une figure de lecteur postulée par le roman est incontestable, la signification du texte tient essentiellement à la façon dont le lecteur réel va adopter ce rôle qui lui est réservé. L'acte de lecture se présente ainsi comme une *performance* (déchiffrer l'un après l'autre les différents niveaux du texte) que le lecteur réalise grâce à une *compétence* (l'ensemble des savoirs nécessaires à la compréhension du récit). La lecture d'un roman peut conduire à une expérience de régression ou, au contraire, à un développement de la conscience critique.

LECTURES CONSEILLÉES

G. PRINCE

« Introduction à l'étude du narrataire », *Poétique*, 14, avril 1973.

Article incontournable qui propose un relevé précis des marques textuelles permettant d'identifier le narrataire.

U. ECO

Lector in fabula (1979), trad. fse, Paris, Grasset, 1985.

Ce livre, qui marque une étape importante dans la théorisation de la lecture, avance la notion de « lecteur-modèle » : figure de lecteur postulée par le texte et qui réagirait parfaitement à toutes les sollicitations d'un récit.

M. PICARD

La Lecture comme jeu, Paris, Éd. de Minuit, 1986.

Ouvrage qui s'intéresse à la réception du lecteur réel envisagé dans son affectivité, son intelligence, son inconscient et son idéologie.

CHAPITRE 8
LE PLAISIR DU ROMAN

Dans le sillage des théories de la lecture, plusieurs chercheurs, parmi lesquels R. Baroni (voir *La Tension narrative*, Paris, Seuil, coll. « Poétique », 2007), se proposent de dépasser une approche simplement descriptive du récit pour se demander en quoi et comment il procure du plaisir. Insatisfaits par les études formalistes, ces théoriciens, qui s'inscrivent dans ce qu'on appelle la « nouvelle narratologie », entendent renouer avec le sens originel du mot « intrigue ». La question n'est plus simplement « comment un récit est-il fabriqué ? » ; mais « qu'est-ce qui rend un récit captivant ? ».

LA TENSION NARRATIVE

Pour R. Baroni, le récit – qui est, rappelons-le, un art du temps – se caractérise par son incertitude (ce qu'oblitèrent les schémas figés de la narratologie) et l'émotion qu'il suscite (ce dont ne rend pas compte l'approche logique du structuralisme). Le plaisir du texte se joue dans la tension entre la réponse anticipée du lecteur et la réponse textuelle.

La tension narrative

« La tension est le phénomène qui survient lorsque l'interprète d'un récit est encouragé à attendre un dénouement, cette attente étant caractérisée par une anticipation teintée d'incertitude qui confère des traits passionnels à l'acte de réception. La tension narrative sera ainsi considérée comme un effet poétique qui structure le récit et l'on reconnaîtra en elle l'aspect dynamique ou la « force » de ce que l'on a coutume d'appeler une intrigue. »

Raphaël Baroni, La Tension narrative, Paris, Seuil, coll. « Poétique », 2007, p. 18.

Étonné, surpris ou décontenancé, le lecteur est conduit à se demander pourquoi il avait prévu une autre issue, imaginé une autre fin, songé à un autre cours des choses. Une telle expérience n'est pas seulement divertissante : elle nous contraint à réviser nos préjugés de manière à produire une compréhension renouvelée du texte et du monde.

Si la tension narrative peut être inhérente à l'action représentée (un combat, une catastrophe suscitent en eux-même angoisse et incertitude), elle repose le plus souvent sur une gestion efficace de l'information narrative. Les trois émotions fondamentales provoquées par la lecture d'un récit sont ainsi la *surprise*, le *suspense* et la *curiosité*.

La *surprise* est provoquée par le dévoilement soudain d'une information passée sous silence : une bombe est cachée dans une voiture à l'insu des lecteurs ; brusquement, elle explose. Le *suspense* tient à l'issue incertaine d'une situation connue : les lecteurs savent qu'on a mis une bombe dans une voiture ; va-t-elle exploser ? La *curiosité*, enfin, est la conséquence d'une information parcellaire : quelqu'un a mis un objet dans une voiture sans qu'on sache de quoi il s'agit.

Tout roman (et, au-delà, tout récit) est donc fondé sur une alternance entre tension et détente. Si la tension est en général dysphorique, elle laisse attendre l'euphorie d'un retour à l'équilibre. Mais, même si ce dernier n'intervient pas, la dialectique de l'incertitude et de l'anticipation aura de toute façon rendu le récit palpitant en impliquant le lecteur dans son déroulement.

L'INTÉRÊT : INATTENDU ET COMPLEXITÉ

Dans le modèle de Baroni, l'intérêt du récit est donc lié à son incertitude : rien de plus ennuyeux qu'un texte entièrement prévisible. On peut voir dans cette approche une extension au récit de la théorie de l'information de Shannon. Selon ce dernier, en effet, plus une information est inattendue, plus elle est intéressante. « Il a neigé sur Paris au mois d'août » sera ainsi considéré comme une information beaucoup plus riche que « Il a neigé sur Paris en décembre ».

Cette approche de l'intérêt en termes d'inattendu a cependant ses limites.

En premier lieu, si elle permet d'évaluer l'intérêt de la dynamique narrative une fois la situation installée, elle ne rend pas compte de l'intérêt de la situation ou des objets mis en scène. À la lecture des *Trois Mousquetaires*, on peut certes se demander si d'Artagnan et ses amis vont récupérer les ferrets de la reine ; mais quel est l'intérêt de nous parler des mousquetaires du roi sous le règne de Louis XIII ? Il en va de même concernant les objets (pourquoi décrire la casquette de Charles Bovary ? le bouclier d'Achille ? un quartier de tomate ?) et les personnages (à quoi bon nous parler d'Hamlet ? de Don Quichotte ? de Bardamu ?).

En second lieu, une telle approche ne prend pas bien en compte la notion d'*incongru*. Or, l'incongru (non pas ce qui est difficile à prévoir, mais ce qui ne convient pas) est un puissant facteur d'accroche narrative. C'est sur l'incongru que jouent nombre de textes humoristiques, parodiques ou fantastiques. L'intérêt de *La Métamorphose* de Kafka, par exemple, ne se laisse pas formuler en termes de probabilité. Les chances qu'un individu se transforme en cafard ne figurent sur aucune courbe ; la valeur du récit est ailleurs : dans ce qu'exprime cette allégorie sur le plan symbolique.

Enfin, la corrélation entre l'intérêt et l'inattendu présuppose la connaissance explicite de l'ensemble des alternatives, ce qui est la faiblesse de toutes les modélisations de la lecture fondées sur la notion de « prévision ». Quand un personnage est pris dans un incendie, on peut se demander si oui ou non il va s'en sortir ; mais, lorsqu'un personnage s'accoude à la fenêtre pour rêver, l'objet de sa rêverie est potentiellement infini (ce qui n'empêche pas qu'on puisse s'y intéresser).

L'intéressant ne se confond donc pas systématiquement avec l'inattendu. D'où l'intérêt de compléter le modèle de Shannon par celui de Kolmogorov. Au lieu de partir de l'idée que l'intéressant, c'est l'imprévisible, Kolmogorov part de l'hypothèse que l'intéressant, c'est le complexe. L'idée principale de la théorie algorithmique de l'information est qu'un objet est d'autant plus complexe qu'il est difficile à « compresser » (au sens informatique du terme). Autrement dit, l'objet le plus complexe est celui qu'on ne peut décrire plus brièvement qu'en faisant une liste exhaustive de ses propriétés : il n'existe pas de règle permettant d'en résumer telle ou telle dimension. Kolmogorov en est arrivé à cette conclusion en tentant de répondre à la question suivante : à quoi voit-on qu'une suite de nombres est tirée au hasard ? Une suite tirée au hasard est une suite qui n'obéit à aucune loi, qui n'a été générée par aucun algorithme.

Le texte littéraire, n'étant pas dû au hasard, obéit bien sûr à des algorithmes. L'ambition de la poétique ou de la sémantique structurale est précisément de les identifier en mettant au jour une « grammaire du récit » ou un modèle achronique de la signification. Mais ce qui est intéressant en lui, c'est ce qui échappe (encore) à la modélisation par algorithmes. Un texte est donc formellement d'autant plus complexe qu'il échappe aux schémas narratifs et sémantiquement d'autant plus complexe qu'il échappe aux schémas interprétatifs. Rappelons cependant qu'aucun texte ne vise la complexité absolue : il serait alors illisible. Toute la difficulté est de trouver un équilibre entre le maintien d'un minimum de repères (pour assurer la lisibilité) et une part de complexité (pour accrocher l'intérêt).

Pour résumer, lorsque je lis un récit, je tente de comprendre ce qu'on me raconte ; et, quand je ne dispose pas d'un modèle standard me permettant de comprendre une situation (soit que ce modèle n'existe pas, soit que je l'ignore, soit que j'hésite entre plusieurs modèles), je suis confronté à la complexité. On se demandera, par exemple, pourquoi le vice-consul de Duras tire sur les lépreux dans les jardins de Shalimar ou pourquoi Swann s'entiche d'une femme qui n'est pas son genre.

La tension narrative n'est donc pas uniquement celle du certain et de l'incertain, mais aussi celle du fait brut et de la signification. L'alternative binaire succès/échec ne se pose que pour les genres surcodés comme le récit policier. Dans les grands textes, on ne sait pas ce qui va se passer : la quête des personnages est loin d'être explicite et l'enjeu de la lecture est de la reconstituer. Le lecteur ne se demande pas : voici la quête des personnages, comment vont-ils s'y prendre pour la mener à bien ? ; mais : voici ce que font les personnages ; quelle est la quête sous-jacente ? Autrement dit, que nous raconte le texte ? C'est cela la tension interprétative : non pas l'incertitude sur l'issue, mais l'incertitude sur le sens. Le lecteur ne répond pas à sa façon aux questions posées par le texte ; mais répond à sa façon aux questions qu'il a lui-même construites en lisant le texte.

La complexité seule ne suffit cependant pas à susciter l'intérêt. Si je raconte que j'ai croisé un pope dont la croix comportait sept pointes, je m'entendrai répondre par la plupart des gens « et alors ? ». Pour qu'une telle remarque suscite l'intérêt, il faut savoir que la croix orthodoxe comprend normalement huit pointes : l'intéressant, ce n'est donc pas seulement ce qui sort de l'ordinaire, c'est ce que l'on remarque, ce qui frappe l'attention. Mais qu'est-ce qui fait qu'un événement retient l'attention ? Un moyen indirect de répondre à cette question consiste à observer les paramètres qui influent sur la mémorisation. D'après les recherches en psychologie cognitive, on peut retenir trois facteurs principaux : la discrimination, la localisation, la structuration.

Les individus mémorisent d'autant plus facilement une situation qu'elle est facile à discriminer, autrement dit qu'elle tranche avec leurs habitudes. Si je croise un pigeon dans la rue, je ne vais sans doute pas le remarquer ; il va se fondre dans le décor ambiant. Mais il n'en ira pas de même si le pigeon en question est rose avec des pois verts ou pèse vingt kilos. On peut penser que si les cas de déviance (les meurtres, les actes barbares, ou plus communément les actes illicites) offrent une excellente accroche narrative, c'est (outre leur forte charge dramatique) en raison de la simplicité de leur discrimination (ils retiennent immédiatement l'attention). On peut en dire autant des personnages atypiques : le monstre sensible (Quasimodo), le bagnard généreux (Jean Valjean), l'enfant au visage mutilé (Gwynplaine dans *L'Homme qui rit*).

D'une manière générale, les événements ou les personnages sont d'autant plus accessibles qu'ils sont simples à situer. Les repères facilitent la perception, surtout s'ils sont déjà connus du lecteur ou de l'auditeur avant le récit. C'est pourquoi les romans contemporains sont majoritairement réalistes et ancrés dans le présent des lecteurs (même lorsqu'il s'agit de romans fantastiques). Les récits de vampires ou de zombies se passent en général dans notre monde. En termes de lisibilité, le bénéfice est double : les créatures monstrueuses entraînent une discrimination maximale ; le cadre familier facilite l'immersion.

Rappelons enfin qu'en vertu du modèle de Kolmogorov, la complexité d'une structure diminue en présence de symétries, de duplications et plus généralement de formes simples. De fait, plus un récit est structuré, plus il est facile d'accès (il suffit pour s'en convaincre de comparer une nouvelle de Maupassant à un roman de Faulkner).

Mais, si le roman procure du plaisir, ce n'est pas seulement parce qu'il provoque de l'intérêt ; c'est aussi parce qu'il suscite des émotions.

L'ÉMOTION

Il est très difficile de savoir d'où viennent les émotions (et on ne se risquera pas ici à proposer une théorie). En revanche, on peut mettre en évidence les facteurs qui pèsent sur l'*intensité* émotionnelle. Selon les approches cognitivistes, l'intensité émotionnelle varie en fonction des facteurs suivants : la proximité, l'improbabilité, la gradualité.

Un événement nous touchera d'autant plus qu'il implique des gens qui nous sont familiers (autrement dit, affectivement proches). La disparition d'un inconnu m'affectera moins que celle d'un parent ou ami, voire d'une simple connaissance. De manière analogue, l'intensité émotionnelle augmentera avec la proximité spatiale (un cambriolage retiendra d'autant plus mon attention qu'il s'est passé dans mon quartier, dans ma rue, en face de chez moi), ou encore avec la proximité temporelle (à niveau équivalent, une catastrophe récente me bouleversera toujours plus qu'une catastrophe ancienne). Ce mécanisme de proximité fonctionne également dans le récit de fiction où il joue un rôle fondamental dans le système de sympathie : plus on en sait sur un personnage, plus il nous est familier, plus on est ému par ce qui lui arrive (voir le chapitre 4, « le personnage comme effet de lecture »).

En second lieu, une situation dramatique l'est d'autant plus qu'elle avait toutes les chances de ne pas se produire. Si l'improbable augmente l'intensité émotionnelle, c'est sans doute qu'il renforce le sentiment d'injustice. L'information « Un enfant a sauté sur une mine alors qu'il allait à l'école » est ressentie comme plus révoltante que l'information « un soldat a sauté sur une mine alors qu'il montait à l'assaut ». Symétriquement, le lien entre improbable et émouvant explique pourquoi nous devenons insensibles aux drames répétitifs. La valeur émotionnelle de l'improbable se retrouve bien sûr dans le récit de fiction. Mais l'improbable ne l'est plus seulement par rapport aux scénarios communs (suites d'événements qu'on rencontre fréquemment dans la vie quotidienne); il l'est aussi par rapport aux scénarios intertextuels (suites d'actions stéréotypées propres à un genre particulier) : un conte qui se terminerait mal, par la mort de la princesse, par exemple, serait ressenti comme particulièrement dramatique.

L'émotion causée par un événement dépend enfin d'un paramètre graduel, comme une plus ou moins grande somme d'argent gagnée ou perdue, un nombre plus ou moins grand de victimes dans une catastrophe, une forme plus ou moins contagieuse d'épidémie. Il semble que, dans toute situation, il existe un seuil au-delà duquel on est dans l'intolérable. On parlera d' « effet de mur » lorsqu'on se rapproche de ce seuil. L' « effet de mur » est un puissant générateur d'émotion. Dans le film *Il faut sauver le soldat Ryan* de S. Spielberg, l'intensité émotionnelle est directement liée à l'effet de mur : l'enjeu n'est pas tant de préserver une vie que de ne pas franchir une limite insupportable, l'élimination totale d'une fratrie dont trois membres ont déjà été tués.

L' « effet de mur » dans *Il faut sauver le soldat Ryan*

« Ces trois victimes ne sont pas perçues dans le contexte non borné de toutes les victimes possibles de la guerre, mais au sein du réservoir limité de vies qu'une seule famille peut offrir. L'impact émotionnel lié à la proximité de l'absolue limite qui marque l'extermination totale des enfants mâles de cette famille est supposé assez fort pour émouvoir le général Marshall, pourtant parfaitement au fait du nombre total de victimes de la journée. »

Jean-Louis Dessalles, « Le rôle de l'impact émotionnel dans la communication des événements ». in J. Lang, Y. Lespérance, D. Sadek et N. Maudet (ed.), *Modèles formels de l'interaction*, Université Paris Dauphine, Annales du LAMSADE, 2007, p. 118.

Dans le récit de fiction, l'intensité de l'émotion est fortement liée à l'effet de mur, qui explique, entre autres, la force d'impact des situations à échéance décisive comme une condamnation à mort (*Le Dernier Jour d'un condamné*), l'attaque d'un fort (*Le Désert des Tartares*), l'imminence de la guerre (*Un Balcon en forêt*) ou la fin du monde (*La Guerre des mondes*). On notera que ces situations, au fondement du *suspense*, sont largement exploitées dans les *thrillers* cinématographiques.

Synthèse

La « nouvelle narratologie » s'interroge sur les sources du plaisir narratif. Le récit, art du temps, joue sur la tension entre les hypothèses du lecteur et la réponse textuelle. Les trois émotions narratives fondamentales sont la surprise, le suspense et la curiosité. L'intérêt pris à la lecture dépend de l'inattendu et de la complexité de l'histoire racontée. L'intensité émotionnelle augmente avec la proximité, l'improbabilité et la gradualité.

LECTURES CONSEILLÉES

R. BARONI

La Tension narrative, Paris, Seuil, 2007.

Ouvrage de référence, marquant le renouveau de la narratologie : l'auteur, appréhendant le récit comme tension, étudie en détail les effets de surprise, de suspense et de curiosité.

J.-L. DESSALLES

« Complexité cognitive appliquée à la modélisation de l'intérêt narratif », http ://www.Dessalles.fr/papers/Dessalles–06111201.pdf.

Article pionnier sur l'approche cognitive de l'intérêt narratif, étudié dans le cadre de l'interaction conversationnelle.

J.-L. DESSALLES

« Le rôle de l'impact émotionnel dans la communication des événements », in *Modèles formels de l'interaction*, Collectif, Université Paris Dauphine, Annales du LAMSADE, 2007, p. 113-125.

Analyse des facteurs jouant sur l'intensité émotionnelle dans la relation des événements.

LE TITRE

« GERMINAL » (É. ZOLA)
FONCTION DESCRIPTIVE

Nous avons affaire à un titre *thématique métaphorique*, qui renvoie, sur le mode symbolique, au contenu central du roman. Mois du calendrier révolutionnaire, mois du printemps, « germinal » évoque à la fois la renaissance et la germination. Le titre, obliquement mais sans ambiguïté, désigne l'espérance historique portée par le mouvement ouvrier.

VALEURS CONNOTATIVES

Les connotations du titre choisi par Zola sont à la fois historiques et génériques. « Germinal » évoque l'époque révolutionnaire, mais envisagée dans sa dimension lyrique. Étrangement opaque pour un titre romanesque – et, qui plus est, naturaliste –, le terme fait plus penser au genre poétique qu'au genre narratif : il annonce ainsi le caractère épique et visionnaire du récit. Sur le plan formel, ce nom solitaire, présenté sans qualificatif ni déterminant, signale une certaine modernité.

FONCTION SÉDUCTIVE

Sur le plan du contenu, l'obscurité du terme, sa valeur symbolique évidente, peuvent susciter la curiosité du lecteur. Sur le plan du signifiant, la structure trisyllabique du mot et la liquide finale retentissent comme un appel.

« LA JALOUSIE » (ALAIN ROBBE-GRILLET)
FONCTION D'IDENTIFICATION

La fonction désignative de ce titre est loin d'être assurée. Non seulement, le terme « jalousie » se retrouve sur la couverture de nombreux ouvrages de fiction mais, hors du champ littéraire, il existe des traités de psychologie, de psychanalyse, de philosophie, voire des essais critiques ainsi intitulés. On retrouve le goût du Nouveau Roman pour le brouillage des frontières entre le banal et l'intéressant, le littéraire et le non-littéraire.

FONCTION DESCRIPTIVE

S'il n'est pas douteux que ce titre relève de la catégorie des titres *thématiques* (le roman postule un personnage de jaloux qui, à travers une persienne, peut voir sa femme sans être vu), il est en revanche difficile de décider s'il se présente comme *littéral, métonymique* ou *métaphorique*. Le titre renvoie-t-il à la jalousie comme sentiment (hypothèse littérale), à la jalousie entendue comme « contrevent », « store », « persienne », c'est-à-dire à un objet de l'histoire (hypothèse métonymique), ou aux deux à la fois – la jalousie-objet étant symbolique de la jalousie-sentiment – (hypothèse métaphorique)? Le texte ne permettant pas de trancher, chacune de ces interprétations est légitime.

VALEURS CONNOTATIVES

Les valeurs connotatives sont nombreuses mais assez facilement repérables. Ce titre littéral, court et à valeur symbolique apparaît aujourd'hui comme typique des romans de l'après-guerre qu'on a rangés sous l'étiquette « Nouveau Roman » (voir *Le Planétarium, Degrés, La Modification*). Outre cette connotation historique, on peut voir dans ce titre une évocation de la manière propre à Robbe-Grillet (*Les Gommes, Le Voyeur*). Enfin, ce titre évoque, de façon ironique et détournée, le champ de prédilection du roman classique : la psychologie amoureuse.

FONCTION SÉDUCTIVE

La fonction séductive se révèle à travers le côté aguicheur d'une thématique appréciée des lecteurs de roman, avec, semble-t-il, la perspective d'un renouvellement. On peut également noter l'aspect universel du sujet abordé (souligné par la valeur généralisante de l'article défini) et, sur le plan formel, la concision et la fluidité du signifiant.

LA PRÉFACE

« Le chef-d'œuvre de la philosophie serait de développer les moyens dont la fortune se sert pour parvenir aux fins qu'elle se propose sur l'homme, et de tracer d'après cela quelques plans de conduite qui pussent faire connaître à ce malheureux individu bipède la manière dont il faut qu'il marche dans la carrière épineuse de la vie, afin de prévenir les caprices bizarres de cette fortune qu'on a nommée tour à tour Destin, Dieu, Providence, Fatalité, Hasard, toutes dénominations aussi vicieuses, aussi dénuées de bon sens les unes que les autres, et qui n'apportent à l'esprit que des idées vagues et purement subjectives.

Si, pleins d'un respect vain, ridicule et superstitieux pour nos absurdes conventions sociales, il arrive malgré cela que nous n'ayons rencontré que des ronces, où les méchants ne cueillaient que des roses, les gens naturellement vicieux par système, par goût, ou par tempérament, ne calculeront-ils pas, avec assez de vraisemblance, qu'il vaut mieux s'abandonner au vice que d'y résister ? [...]

C'est, nous ne le déguisons plus, pour appuyer ces systèmes, que nous allons donner au public l'histoire de la vertueuse Justine. Il est essentiel que les sots cessent d'encenser cette ridicule idole de la vertu, qui ne les a jusqu'ici payés que d'ingratitude, et que les gens d'esprit, communément livrés par principes aux écarts délicieux du vice et de la débauche, se rassurent en voyant les exemples frappants de bonheur et de prospérité qui les accompagnent presque inévitablement dans la route débordée qu'ils choisissent. Il est affreux sans doute d'avoir à peindre, d'une part, les malheurs effrayants dont le ciel accable la femme douce et sensible qui respecte le mieux la vertu ; d'une autre, l'influence des prospérités sur ceux qui tourmentent et mortifient cette même femme. Mais l'homme de lettres, assez philosophe pour dire le *vrai*, surmonte ces désagréments ; et, cruel par nécessité, il arrache impitoyablement d'une main les parures dont la sottise embellit la vertu, et montre effrontément de l'autre, à l'homme ignorant que l'on trompait, le vice au milieu des charmes et des jouissances qui l'entourent et le suivent sans cesse.

Tels sont les sentiments qui vont diriger nos travaux ; et c'est en raison de ces motifs, qu'unissant le langage le plus cynique aux systèmes les plus forts et les plus hardis, aux idées les plus immorales et les plus impies, nous allons, avec une courageuse audace, peindre le crime comme il est, c'est-à-dire toujours triomphant et sublime, toujours content et fortuné, et la vertu comme on la voit également, toujours maussade et toujours triste, toujours pédante et toujours malheureuse. »

Sade, *La Nouvelle Justine* (1797), Paris, UGE, coll. « 10/18 », 1978, t. I, p. 25-27.

COMMENTAIRE

Ce passage – intégré au premier chapitre du récit sous la forme d'une « introduction » – peut être assimilé à une préface *auctoriale originale*. On examinera comment il remplit les deux fonctions traditionnelles de valorisation du texte et de programmation de la lecture avant de s'interroger sur sa singularité.

L'INCITATION À LA LECTURE
UNE ŒUVRE UTILE

Sur le plan *intellectuel* et *philosophique*, le texte doit permettre d'éclairer l'homme sur sa place dans la nature (« développer les moyens dont la fortune se sert pour parvenir aux fins qu'elle se propose sur l'homme ») et de montrer la vacuité d'un certain nombre de concepts philosophiques (« Destin, Dieu, Providence, Fatalité, Hasard [...] qui n'apportent à l'esprit que des idées vagues et purement subjectives »).

Sur le plan *pratique*, le roman montrera au lecteur comment se comporter dans la société où il vit, le bon sens consistant, loin du respect « vain, ridicule et superstitieux » des conventions sociales, à « s'abandonner au vice ».

Sur le plan *psychologique*, l'utilité de l'œuvre consistera à rassurer les débauchés, c'est-à-dire, selon Sade, les « gens d'esprit ».

UNE ŒUVRE VÉRIDIQUE

L'*amour du vrai* signale une autre caractéristique du récit – la véridicité – qui, donnant de la valeur à l'ouvrage, doit inciter à le lire. Tant dans le fond (Sade, « homme de lettres », se considère comme « assez philosophe pour dire le *vrai* ») que dans la forme (au moyen du langage « le plus cynique »), il n'est pas question de se laisser brider par une quelconque pudeur.

On remarquera la violence de l'image du dévoilement qui utilise, significativement, le lexique du viol : « cruel par nécessité, il arrache impitoyablement d'une main les superstitieuses parures dont la sottise embellit la vertu ».

Il s'agit de présenter une double vérité : sur le crime (« toujours content et fortuné »), sur la vertu (« toujours pédante et toujours malheureuse »).

UNE ŒUVRE ORIGINALE ET AMBITIEUSE

Un dernier procédé de valorisation semble ici particulièrement efficace : l'insistance sur l'*originalité* et la *nouveauté* du projet. Le dernier paragraphe abonde en superlatifs. Le récit présentera le langage « le plus cynique », les systèmes « les plus forts et les plus hardis », les idées « les plus immorales et les plus impies ». Cette défense de l'« immoralité » témoignait, à l'époque, d'une certaine singularité au regard de l'exaltation de la « vertu » révolutionnaire. On goûtera à cet égard la réticence ironique : « il est affreux, sans doute, d'avoir à peindre… »

Sade consacre donc l'essentiel de la préface à justifier son dire, ce qui s'explique, bien sûr, par le caractère particulièrement provocateur de l'ouvrage. La seconde fonction de la préface n'est cependant pas négligée pour autant.

LA PROGRAMMATION DE LA LECTURE

Sade, de façon directe ou oblique, indique dans quelle perspective le livre demande à être lu.

LES DÉCLARATIONS D'INTENTION

Les *affirmations explicites* sont nombreuses : l'auteur veut être sûr d'être compris. Le but de l'ouvrage est de prouver, par l'exemple, l'absurdité de la vertu (« c'est […] pour appuyer ces systèmes que nous allons donner au public l'histoire de la malheureuse Justine »). L'ambition du roman n'est rien de moins que de montrer la vérité (fin du troisième paragraphe).

Les déclarations d'intention passent par un *commentaire du titre* (l'auteur précise qui est Justine et pourquoi il va parler des « infortunes de la vertu »).

Concernant *l'appartenance générique*, le texte relève autant de l'essai philosophique que de la fiction romanesque (« Le chef-d'œuvre de la philosophie serait… »).

LE CHOIX DU PUBLIC

Le contrat de lecture est également noué à travers *le choix du public*. Sade adresse son œuvre aux « gens d'esprit » (« livrés par principes aux écarts délicieux du vice et de la débauche ») et aux « sots » (définis comme ceux qui admirent la vertu). Le texte doit rassurer les premiers et éclairer les seconds.

Ce choix du public est une façon oblique de préciser l'enjeu et l'ambition de l'œuvre. S'adresser aux sots et aux gens d'esprit, c'est s'adresser à tous : *La Nouvelle Justine* revendique une portée universelle.

Ce texte de Sade apparaît donc comme une préface classique qui remplit scrupuleusement les deux fonctions usuelles. Mais il se signale aussi par une série d'infractions qui lui donnent une indéniable singularité.

LES SINGULARITÉS DE LA PRÉFACE SADIENNE

Ce texte se démarque du fonctionnement habituel des préfaces par un ensemble de traits.

LE BESOIN FORCENÉ DE JUSTIFIER SON DIRE

Si les deux fonctions canoniques de la préface sont, comme on l'a vu, présentes, la surévaluation de la première ne peut manquer de frapper l'attention. Habituellement, la hiérarchie est en effet inverse : les préfaces s'occupent plus d'orienter la lecture que de la susciter, partant du principe que la seconde fonction suppose dans une large mesure la première. Or, ici, Sade consacre l'essentiel de son texte à exposer les raisons qui doivent amener à le lire. Les procédés employés (organisation logique du discours, redondances, appels au lecteur) semblent montrer que, pour l'auteur, l'essentiel est peut-être moins de guider la lecture que de se justifier. Dès lors, ce texte ne répond-il pas avant tout à une angoisse de communication ? N'oublions pas que Sade, éternel accusé, fut emprisonné par les différents régimes qui se sont succédé de la Monarchie à l'Empire.

L'AUTOVALORISATION

La mise en évidence par l'auteur de son génie ou de son talent est, en principe, prohibée par la préface : elle risque de provoquer chez le lecteur une réaction de rejet. Or, ici, Sade insiste sans arrêt sur son audace, son courage et la valeur incomparable de son écriture : il se présente comme un écrivain « cynique », « fort », « hardi », « immoral », « impie » et « audacieux ». L'abondance des qualificatifs élogieux est telle qu'on en vient à se demander si l'auteur ne se livre pas à une sorte d'auto-ironie.

Cette valorisation de soi témoigne, plus vraisemblablement, de l'orgueil d'un auteur qui se soucie peu d'indisposer le lecteur et semble ainsi n'écrire que pour lui-même. On retrouve ici la solitude profonde du texte sadien (défoulement de l'imaginaire plus que pamphlet destiné à convaincre). Dans cette infraction à la stratégie préfacielle se signale déjà la négation de l'autre qui va marquer le roman proprement dit.

L'ABSENCE DE LA FONCTION « PARATONNERRE »

Dernière grande infraction aux règles de la préface : l'absence de la fonction « paratonnerre ». Cette fonction, rappelons-le, consiste à plaider l'insuffisance du traitement dans le but d'éviter l'autovalorisation. Or, on ne trouve dans ce texte aucune trace de modestie. On remarque, au contraire, une double valorisation et du fond et de la forme. L'auteur, nous est-il dit, traitera comme il convient un sujet de la plus haute importance.

Mais cette valorisation du traitement, qui – c'est à noter – concerne moins le génie de l'auteur que sa sincérité, est peut-être aussi une façon de faire apparaître l'authenticité du projet.

Avec cette « introduction » à *La Nouvelle Justine*, nous sommes donc confrontés à un passage qui, bien que remplissant les deux fonctions canoniques de la préface, ne répond pas au fonctionnement habituel de ce lieu paratextuel. Cette particularité s'explique par la singularité du projet et la personnalité de l'auteur.

L'INCIPIT

Ce texte est le début d'une nouvelle de Romain Gary. Pour la commodité de l'analyse, on divisera l'extrait en trois sections :

SECTION 1

« Il sortit sur la terrasse et reprit possession de sa solitude : les dunes, l'Océan, des milliers d'oiseaux morts dans le sable, un canot, la rouille d'un filet, avec parfois quelques signes nouveaux : la carcasse d'une baleine échouée, des traces de pas, un chapelet de barques de pêche au lointain, là où les îles de guano luttaient de blancheur avec le ciel. Le café se dressait sur pilotis au milieu des dunes ; la route passait à cent mètres de là : on ne l'entendait pas. Une passerelle en escalier descendait vers la plage ; il la relevait chaque soir, depuis que deux bandits échappés de la prison de Lima l'avaient assommé à coups de bouteille pendant qu'il dormait : le matin, il les avait retrouvés ivres morts dans le bar. »

SECTION 2

« Il s'accouda à la balustrade et fuma sa première cigarette en regardant les oiseaux tombés sur le sable : il y en avait qui palpitaient encore. Personne n'avait jamais pu lui expliquer pourquoi ils quittaient les îles du large pour venir expirer sur cette plage, à dix kilomètres au nord de Lima : ils n'allaient jamais ni plus au nord ni plus au sud, mais sur cette étroite bande de sable longue de trois kilomètres exactement. Peut-être était-ce pour eux un lieu sacré comme Bénarès aux Indes, où les fidèles vont rendre l'âme : ils venaient jeter leur carcasse ici avant de s'envoler vraiment. Ou peut-être volaient-ils simplement en ligne droite des îles de guano qui étaient des rochers nus et froids alors que le sable était doux et chaud lorsque leur sang commençait à se glacer et qu'il leur restait juste assez de force pour tenter la traversée. »

SECTION 3

« Il faut s'y résigner : il y a toujours à tout une explication scientifique. On peut évidemment se réfugier dans la poésie, se lier d'amitié avec l'Océan, écouter sa voix, continuer à croire aux mystères de la nature. Un peu poète, un peu rêveur… On se réfugie au Pérou, au pied des Andes, sur une plage où tout finit, après s'être battu en Espagne, dans le maquis en

France, à Cuba, parce qu'à quarante-sept ans on a tout de même appris sa leçon et qu'on n'attend plus rien ni des belles causes ni des femmes : on se console avec un beau paysage. Les paysages vous trahissent rarement. Un peu poète, un peu rê… La poésie sera du reste expliquée un jour scientifiquement, étudiée comme un simple phénomène sécrétoire. La science avance triomphalement sur l'homme de tous les côtés. On devient propriétaire d'un café sur les dunes de la côte péruvienne, avec seulement l'Océan comme compagnie […]. »

R. Gary, *Les oiseaux vont mourir au Pérou*,
Paris, Gallimard, coll. « Folio », 1962, p. 13-15.

COMMENTAIRE

On montrera comment ce texte remplit les fonctions traditionnelles de l'incipit : informer, intéresser et nouer le pacte de lecture.

LA PRÉSENTATION DE L'UNIVERS NARRATIF

Les trois questions que se pose tout lecteur à l'orée du récit reçoivent ici une réponse.

OÙ ?

Sur une plage péruvienne, au pied des Andes, dans un café sur pilotis qui se dresse au milieu des dunes (sections 1 et 3).

QUAND ?

Dans la seconde moitié du XXᵉ siècle, après la guerre d'Espagne, la Seconde Guerre mondiale et le début de la révolution cubaine, c'est-à-dire autour des années 1959-1960 (section 3).

QUI ?

Un homme de quarante-sept ans, ayant participé aux grandes luttes du siècle et connu une vie sentimentale agitée (section 3). Propriétaire du café qu'il paraît avoir acquis récemment, il a perdu beaucoup d'illusions et aspire au repos.

Le texte en dit donc suffisamment pour poser le cadre de l'histoire, mais suffisamment peu pour susciter l'intérêt du lecteur.

L'ACCROCHAGE DU RÉCIT

Ce passage met en œuvre une série de procédés destinés à « accrocher » le lecteur.

L'ENTRÉE *IN MEDIAS RES*

L'entrée *in medias res* (la nouvelle s'ouvre sur l'image d'un homme en train de contempler l'océan) place d'emblée le lecteur au cœur de l'histoire.

LES QUESTIONS EN SUSPENS

Un certain nombre de questions incitent à poursuivre la lecture : qui est exactement cet homme ? Quelles sont les raisons de sa résignation ? Quel fut précisément son passé affectif et politique ? Comment a-t-il échoué sur cette plage du Pérou ?

LES THÈMES ANNONCÉS

Plusieurs grands thèmes se profilent, avec la charge de séduction qui leur est propre :
– la solitude (dont l'homme reprend possession dès la première phrase) ;
– la mort (l'agonie des oiseaux, la carcasse de la baleine et la référence à Bénarès : sections 1 et 2) ;
– le combat entre science et poésie (section 3).

L'ATMOSPHÈRE

L'atmosphère particulière de cet incipit, évocateur de mort, mais aussi de liberté (le grand large, l'océan, les dunes), l'exotisme de ce paysage péruvien sont, pour le lecteur, promesse de dépaysement.

LE PACTE DE LECTURE : UN RÉALISME SUBJECTIF

De nombreux signaux indiquent que ce roman est à lire comme un récit réaliste :
– la référence initiale à une action banale (regarder le paysage en s'accoudant à la balustrade d'une terrasse) ;
– des personnages socialement typés (un propriétaire de café, des bandits évadés, des ivrognes) ;
– des lieux correspondant à ceux du monde réel (Lima, le Pérou, les Andes, l'Espagne, la France, Cuba) ;
– la référence à « une plage au pied des Andes » qui suscite le même effet de vérité que la « petite localité de province » dans les romans du XIXᵉ siècle ;
– l'allusion à des événements historiques connus de la plupart des lecteurs (la guerre d'Espagne, la Résistance française, la révolution castriste).

L'entrée dans la fiction, conformément à l'esthétique réaliste, est rigoureusement motivée :

– la découverte de l'histoire par le lecteur au seuil du récit correspond à la découverte du paysage par l'homme à partir de la terrasse ;

– le début *in medias res*, indépendamment du fait qu'il suscite l'intérêt pour cet homme dont on pénètre immédiatement les pensées, joue son rôle habituel d'authentification de l'univers fictif (il suppose un passé).

La présentation de cette première page sous la forme d'une méditation intérieure (bien qu'elle soit narrée à la troisième personne – voir *infra*, p. 192) annonce un récit qui, accordant une grande place à la rêverie, s'intéressera d'abord à l'aventure intérieure des personnages.

LES STRUCTURES DU RÉCIT

On s'interrogera sur le statut du narrateur et les modes de la représentation narrative dans le texte de R. Gary (voir *supra* l'étude de l'incipit).

COMMENTAIRE
STATUT ET FONCTIONS DU NARRATEUR

Le narrateur est *extradiégétique* (il raconte l'histoire en récit premier) et *hétérodiégétique* (il narre à la troisième personne un récit dans lequel il n'intervient pas comme personnage).

Il se contente des deux fonctions indispensables à toute narration : la *fonction narrative* et la *fonction de régie*. L'explication sur le statut religieux de Bénarès et les coutumes qui s'y attachent, les jugements sur la vie, le monde, la science et la poésie ne sont pas à mettre sur son compte, mais sur celui du personnage, dont le point de vue, on le verra, organise l'ensemble du passage.

Le narrateur se caractérise donc par une très grande discrétion.

Il y a de sa part une volonté manifeste de faire oublier sa présence, de donner l'illusion que son personnage est autonome. L'effet de réel de ce dernier en sort renforcé.

LES MODES DE LA REPRÉSENTATION NARRATIVE

La narration fait clairement le choix de la proximité.

Sur le plan des événements, le texte nous décrit une action en cours (un homme méditant, de sa terrasse, sur l'océan et les dunes qui s'offrent à son regard) de façon détaillée. Pas de sommaire ni de commentaire, mais une volonté de « coller » aussi précisément que possible à l'événement.

Les pensées du personnage sont rapportées au travers du *style indirect libre* et du *discours immédiat*, deux techniques qui privilégient la proximité. On constate en effet une prédominance du style indirect libre dans la deuxième section et du monologue intérieur dans la troisième. On notera à ce propos le passage du passé (« Ou peut-être volaient-ils simplement en ligne droite… »), style indirect libre, au présent (« Il faut s'y résigner : il y a toujours à tout une explication scientifique »), citation exacte des pensées du personnage présentées sans formule introductive ni guillemets. Si la transition ne choque pas, c'est que le style indirect libre invite, dès le début, à mettre l'ensemble des remarques et jugements énoncés sur le compte du personnage.

Tant dans le récit d'événements que dans le récit de pensées, le narrateur prend donc très peu de distance par rapport à l'acteur romanesque : il se contente de décrire ses gestes et de citer ses pensées en se gardant de tout commentaire.

Fidèle à l'esthétique réaliste que nous avions déjà soulignée dans l'identification du contrat de lecture, le narrateur donne l'illusion de laisser vivre son personnage.

Cela est confirmé par le recours à la *focalisation interne*. L'information délivrée par le narrateur est, du début à la fin de l'extrait, filtrée par la conscience du personnage. Notre accès à l'histoire passe par le point de vue de ce dernier.

Ce choix narratif a une série de conséquences :
– il amorce un processus d'identification ;
– il signale l'importance du personnage ;
– il contribue à la dissimulation du narrateur.

Il témoigne ainsi de l'ambition du texte : donner à voir, non un hypothétique « réel » objectif, mais la « réalité » telle qu'elle est vue par un individu.

Proximité de la narration et focalisation interne se rejoignent pour conforter l'illusion référentielle du passage.

LE TEMPS

Dans les dernières pages de *L'Éducation sentimentale,* Frédéric Moreau et son ami Deslauriers se retrouvent au coin du feu et constatent l'échec de leurs ambitions de jeunesse. Évoquant leur adolescence, ils s'attardent sur un épisode des vacances de 1837.

« Or, un dimanche, pendant qu'on était aux vêpres, Frédéric et Deslauriers, s'étant fait préalablement friser, cueillirent des fleurs dans le jardin de Mme Moreau, puis sortirent par la porte des champs, et, après un grand détour dans les vignes, revinrent par la Pêcherie et se glissèrent chez la Turque, en tenant toujours leurs gros bouquets.

Frédéric présenta le sien, comme un amoureux à sa fiancée. Mais la chaleur qu'il faisait, l'appréhension de l'inconnu, une espèce de remords, et jusqu'au plaisir de voir, d'un seul coup d'œil, tant de femmes à sa disposition, l'émurent tellement, qu'il devint très pâle et restait sans avancer, sans rien dire. Toutes riaient, joyeuses de son embarras ; croyant qu'on s'en moquait, il s'enfuit ; et, comme Frédéric avait l'argent, Deslauriers fut bien obligé de le suivre.

On les vit sortir. Cela fit une histoire qui n'était pas oubliée trois ans après.

Ils se la contèrent prolixement, chacun complétant les souvenirs de l'autre ; et, quand ils eurent fini :

– C'est là ce que nous avons eu de meilleur ! dit Frédéric.

– Oui, peut-être bien ? c'est là ce que nous avons eu de meilleur ! dit Deslauriers. »

Flaubert, L'Éducation sentimentale (1869), Paris,
Garnier-Flammarion, 1969, p. 444-445.

COMMENTAIRE

On construira l'analyse de ce passage autour des quatre questions classiques du moment de la narration, de la vitesse, de la fréquence et de l'ordre.

LE MOMENT DE LA NARRATION : RECUL ET NOSTALGIE

La narration est *ultérieure* : le recours au passé indique que le récit se situe après le déroulement des faits.

Le décalage entre le moment de la narration et le moment de l'histoire vient renforcer le décalage temporel entre la situation décrite par le narrateur (une conversation au coin du feu) et les événements auxquels les personnages font allusion (qui ont eu lieu bien des années auparavant).

Cette série d'hiatus temporels (entre le récit et l'histoire, le présent des personnages et le passé qu'ils évoquent) incite le lecteur à une double position de recul : recul par rapport aux personnages qui eux-mêmes considèrent avec distance un passé à la fois proche et lointain.

Une telle disposition fait sentir le poids du temps sur notre représentation des choses et la nostalgie qui en découle.

LA VITESSE : L'ENFANCE IMMOBILE ET LA FUITE DU TEMPS

Le passage présente successivement :

– une *scène* (l'escapade chez la Turque, racontée en détail) ;

– un *sommaire* (les conséquences de l'escapade, qui s'étendent sur trois ans) ;

– un retour à la *scène* du récit premier (le dialogue de Frédéric et Deslauriers).

On est donc en présence d'un rythme narratif assez haché où alternent évocations rapides et lenteur de scènes décrites avec complaisance.

Ce contraste permet d'évoquer efficacement la relativité subjective du temps : malgré l'impitoyable défilement des années qui, dans sa rapidité, emporte tout, certains souvenirs restent présents à la mémoire dans une sorte d'intemporalité subjective.

Sur le fond des années d'enfance, évoqué rapidement, avant notre extrait, au moyen du sommaire, se détache la scène inoubliable – qui tout d'un coup semble suspendre le temps – de ce premier contact avec la sensualité (quatorze lignes pour un jour). Mais cette scène, d'autant plus marquante que le désir, inassouvi, y échappe à l'épreuve de la réalité, est elle-même brutalement rejetée dans le passé par le sommaire qui la conclut (deux lignes pour trois ans) : elle est montrée comme définitivement perdue. Le retour à la scène du récit premier (le dialogue entre Frédéric et Deslauriers, « cité » en « temps réel »), nouveau et dernier ralentissement, nous laisse sur un présent en cours qui apparaît comme complètement coupé d'un passé dissous sous le poids des années.

LA FRÉQUENCE : LE PRÉSENT SANS RELIEF ET LE PASSÉ COMME ÉVÉNEMENT

L'extrait s'ouvre sur le mode *singulatif* : l'apparition du passé simple signale un épisode remarquable qui, sortant de l'arrière-plan confus des souvenirs, a valeur d'événement. Sur le fond des faits quotidiens (que le texte, auparavant, a évoqués à l'imparfait), émerge un événement singulier que le texte rapporte comme tel, avec force détails.

L'analyse de la fréquence est ici extrêmement révélatrice. Le seul événement notable dans ce dialogue entre les personnages est le souvenir d'un passé regretté. Le présent des personnages n'est plus qu'un cadre morne d'où rien ne ressort. L'extraordinaire, l'infini du désir, ils les ont connus durant les années d'adolescence, aujourd'hui révolues.

Dans ce passage, c'est le présent des personnages qui sert d'arrière-plan à l'événement que constitue un épisode du passé. Tout le désenchantement du texte est dans ce procédé.

L'ORDRE : LE SOUVENIR COMME PERSPECTIVE

L'ordre du récit présente une série de discordances par rapport à l'ordre des événements. La première *anachronie* est une *analepse* qui nous fait quitter le récit du dialogue entre ces adultes que sont Frédéric et Deslauriers pour une évocation de leur passé. Ces retrouvailles entre les deux amis se situant, d'après les indications assez vagues du roman, en 1868 ou 1869 et les vacances décrites étant celles de 1837, l'analepse a une *portée* d'environ trente ans et une *amplitude* d'un jour (tout s'est passé l'espace d'un dimanche).

La longueur de la portée et la brièveté de l'amplitude soulignent l'importance d'un événement qui, malgré son caractère éphémère, n'est, trente ans plus tard, toujours pas oublié.

À l'intérieur de cette analepse, on peut relever la présence d'une *prolepse* (« trois ans après ») qui précède le retour au moment de l'action première (la discussion des personnages) par rapport auquel on peut situer les décalages temporels. Le statut très particulier de la seule prolepse du passage suggère que, désormais, pour les personnages, le seul futur envisageable est celui du passé. La distinction présent/futur qui fonde la dynamique de l'existence n'a plus de référence que dans le passé, le présent étant définitivement bouché.

L'ordre du récit est donc le suivant : récit premier – référence au passé – futur de ce passé – retour au récit premier. La narration des vacances est encadrée par deux références au présent. La seule durée possible, dans cette

France du Second Empire où les perspectives politiques sont désormais res-
treintes, c'est celle du souvenir et de la nostalgie. Les personnages, comme
le suggère l'ordre de la narration, sont enfermés dans un présent aux allures
de carcan.

Les différentes techniques de la représentation du temps (moment de la
narration, vitesse, fréquence et ordre) se conjuguent, on le voit, pour évoquer
le double désenchantement d'un âge et d'une époque.

LA DESCRIPTION

L'action se passe en 1799. Marie de Verneuil, espionne envoyée par Fouché pour capturer un chef chouan, le marquis de Montauran, tombe amoureuse de ce dernier. Escortée par une troupe républicaine, elle accepte de suivre Montauran (dont elle a percé la véritable identité) au château de la Vivetière. Alors que sa calèche vient de pénétrer dans la cour du château, Marie de Verneuil se demande si elle n'est pas tombée dans un guet-apens.

« En entendant crier les gonds rouillés de la porte et en passant par la voûte en ogive d'un portail ruiné par la guerre précédente, mademoiselle de Verneuil avança la tête. Les couleurs sinistres du tableau qui s'offrit à ses regards effacèrent presque les pensées d'amour et de coquetterie entre lesquelles elle se berçait. [...] Le château semblait abandonné depuis longtemps. Les toits paraissaient plier sous le poids des végétations qui y croissaient. Les murs, quoique construits de ces pierres schisteuses et solides dont abonde le sol, offraient de nombreuses lézardes où le lierre attachait ses griffes. Deux corps de bâtiment réunis en équerre à une haute tour et qui faisaient face à l'étang, composaient tout le château, dont les portes et les volets pendants et pourris, les balustrades rouillées, les fenêtres ruinées, paraissaient devoir tomber au premier souffle d'une tempête. La bise sifflait alors à travers ces ruines auxquelles la lune prêtait, par sa lumière indécise, le caractère et la physionomie d'un grand spectre. Il faut avoir vu les couleurs de ces pierres granitiques grises et bleues, mariées aux schistes noirs et fauves, pour savoir combien est vraie l'image que suggérait la vue de cette carcasse vide et sombre. Ses pierres disjointes, ses croisées sans vitres, sa tour à créneaux, ses toits à jour lui donnaient tout à fait l'air d'un squelette ; et les oiseaux de proie qui s'envolèrent en criant ajoutaient un trait de plus à cette vague ressemblance. Quelques hauts sapins plantés derrière la maison balançaient au-dessus des toits leur feuillage sombre, et quelques ifs, taillés pour en décorer les angles, l'encadraient de tristes festons, semblables aux tentures d'un convoi. Enfin, la forme des portes, la grossièreté des ornements, le peu d'ensemble des constructions, tout annonçait un de ces manoirs féodaux dont s'enorgueillit la Bretagne, avec raison peut-être, car ils forment sur cette terre gaélique une espèce d'histoire monumentale des temps nébuleux qui précèdent l'établissement de la monarchie. Mademoiselle de Verneuil, dans l'imagination de laquelle le mot de château réveillait toujours les formes d'un type convenu, frappée de la physionomie funèbre

de ce tableau, sauta légèrement hors de la calèche, et le contempla toute
seule avec terreur, en songeant au parti qu'elle devait prendre. »
    Balzac, *Les Chouans* (1834), Paris, Garnier-Flammarion, 1988, p. 186-187.

COMMENTAIRE

L'étude de cette description va s'organiser autour des trois questions suivantes : comment est-elle insérée dans le récit ? Comment fonctionne-t-elle ?
Quelles sont ses fonctions ?

UNE INSERTION NATURELLE DANS LE RÉCIT

Le thème-titre, indiqué au début du passage (« Le château semblait
abandonné depuis longtemps »), relève d'une *désignation par ancrage* qui
facilite la compréhension immédiate : la description, dénuée de tout effet
d'ambiguïté ou de « suspense », est donnée comme transparente.

Ce fragment descriptif est, en outre, triplement *motivé* :

– par le statut de l'héroïne (espionne, il est logique qu'elle ait un sens
aigu de l'observation) ;

– par la situation (arrivant pour la première fois dans un lieu appartenant
à l'ennemi, Marie de Verneuil se doit d'être sur ses gardes – et, donc, atten-
tive au moindre détail) ;

– par l'état psychologique de la jeune femme (partagée entre l'appréhension et la curiosité).

Malgré les quelques commentaires du narrateur (sur la puissance évoca-
trice des pierres granitiques, sur l'orgueil que la Bretagne tire de ses manoirs),
qui signalent l'omniscience, la description est, dans l'ensemble, présentée en
focalisation interne (à travers le regard de Mlle de Verneuil).

L'introduction du passage descriptif (« Les couleurs sinistres du tableau
qui s'offrit à ses regards ») et sa fin (où l'on voit l'héroïne « frappée de la
physionomie funèbre de ce tableau ») suggèrent que l'aspect effrayant du
château est la traduction de la vision qu'en a le personnage.

Dès lors, loin de jouer son rôle habituel de « pause » dans l'action, la description est parfaitement intégrée à la trame narrative.

Le texte obéissant aux contraintes du récit réaliste, on retrouve les principales étapes de la séquence-type définie par Ph. Hamon :

– l'observation est celle d'un *personnage qualifié pour voir* (une
espionne pénétrant en territoire ennemi),

– se trouvant dans un *milieu propice* (l'examen des lieux, fait à partir de la calèche, justifie le caractère dynamique de la description et permet d'envisager le château sous des angles différents),

– avec une *motivation* (l'appréhension et la curiosité, naturelles à une figure doublement définie comme espionne et amoureuse),

– et une *cause* (la découverte de l'espace est permise par le mouvement de la calèche qui pénètre dans la cour du château pour s'y garer).

La fin de la description est également motivée. Elle s'interrompt avec l'arrêt de la calèche, lorsque cesse l'observation de Mlle de Verneuil.

Le retour au récit proprement dit se signale discrètement à travers le jeu des temps : après la présentation de l'*arrière-plan* du décor (évoqué, comme il se doit, à l'imparfait), le passé simple final (Mlle de Verneuil « sauta » hors de la calèche), renouant avec le passé simple initial (les couleurs sinistres « effacèrent » les pensées d'amour et de coquetterie), indique le retour au *premier plan* de l'action et à l'enchaînement événementiel.

La double motivation de l'apparition et de l'interruption de la description répond au désir de « naturaliser » le passage descriptif, de ne pas briser la dynamique du récit. On retrouve le souci réaliste de conforter, autant que faire se peut, l'illusion référentielle.

LE FONCTIONNEMENT DE LA DESCRIPTION : DÉCOMPOSITION ET FANTASMAGORIE

L'analyse des *composants* montre que la description se présente sous la forme d'une succession de détails. Le château est décrit élément par élément. Sont mentionnés successivement les toits, les murs, les pierres, la tour, les portes, les volets, etc.

L'aspect fragmentaire de cette présentation est renforcé par le recours à la *parataxe* : les phrases, juxtaposées, ne sont pas reliées entre elles par des connecteurs logiques.

L'effet de cette présentation est que le château, bien loin d'apparaître comme un tout, un ensemble solidaire d'éléments, se donne à voir comme une succession de fragments sans lien les uns avec les autres, comme un grand corps en décomposition. Il n'y a que le regard de Marie de Verneuil (au début et à la fin) qui soit capable de lui donner une unité – et cette unité est négative (le château n'est qu'un tableau « sinistre » à la physionomie « funèbre »).

À l'idée de décomposition vient s'ajouter une atmosphère fantastique et menaçante. Le décor, en effet, semble doté d'une âme : sujets de nombreux verbes actifs (« offraient », « attachait », « composaient », « balançaient »,

« encadraient »), les parties du château semblent vivre et bouger. L'insistance sur la modalité du paraître (« semblait », « paraissaient », « indécise », « suggérait », « donnaient l'air », « vague ressemblance ») évoque le piège et la trahison.

Monde du faux-semblant animé d'une vie sourde, réalité décomposée et inquiétante, ce décor a une dimension symbolique évidente.

LA VALEUR SYMBOLIQUE DE LA DESCRIPTION

La *fonction sémiosique* de cette description apparaît à plusieurs niveaux.

Ce passage vise d'abord à dramatiser le récit. Une double impression d'angoisse et d'isolement se dégage de la description du château. L'angoisse est connotée à la fois par les *propriétés* et la *situation* de l'objet décrit. Envisagé dans sa globalité, le château est présenté comme un tableau aux « couleurs sinistres » et à la « physionomie funèbre ». Cette *aspectualisation* négative est renforcée, sur le plan de la situation, par une *mise en relation* du château avec la « bise », la « lune » et les « oiseaux de proie », autant d'éléments à la connotation inquiétante ou maléfique. L'isolement est, lui aussi, une conséquence de la situation du château, présenté comme bordé de sapins et entouré de quelques ifs. La dramatisation du récit est donc bien l'un des enjeux de cette description : l'angoisse fait craindre le danger et l'isolement rend possibles le piège et la trahison.

Mais ce qui caractérise, plus que tout, ce tableau, c'est le thème omniprésent de la mort. Il est introduit dans la description à travers la *nomenclature* (l'énumération des composants). Les éléments qui composent le château évoquent tous une idée de mort, soit par leurs propriétés (aspectualisation), soit par leur assimilation à d'autres réalités (mise en relation). La mort, la destruction et la dégénérescence semblent ainsi s'infiltrer partout, ronger chaque élément : les murs sont « lézardés », les portes et volets « pendants » et « pourris », les balustrades « rouillées », les fenêtres « ruinées », les pierres « disjointes », les croisées « sans vitres », les constructions de « peu d'ensemble », etc. Cette atmosphère morbide est renforcée par la mise en relation du château (par assimilation) avec « un grand spectre », une « carcasse vide et sombre » et un « squelette ».

Cette décomposition d'un château dont les origines semblent remonter à la nuit des temps (aux âges « nébuleux », « qui précèdent l'établissement de la monarchie ») ne peut manquer d'avoir une valeur symbolique très forte dans un roman dont l'action se situe en 1799 : emblème de la fin du siècle et de la fin d'une époque, il témoigne de l'irrémédiable décomposition de l'Ancien Régime et de ses valeurs.

Cette description ne se limite donc pas à la fonction référentielle. Loin d'être une pause, elle joue un rôle fondamental dans le déroulement même du récit. Indicateur d'atmosphère, élément de la dramatisation de l'histoire, instrument de l'évaluation du château (dénommé « La Vivetière » par antiphrase), et donc de la monarchie finissante, ce passage descriptif a d'abord une fonction symbolique.

LA FIN

Ce texte est la dernière page d'un roman à l'« intrigue » particulièrement complexe. Le narrateur, Jacques Hold, nous raconte l'histoire de Lol V. Stein dont la vie a basculé le jour où une femme, Anne-Marie Stretter, lui a ravi son fiancé, Michael Richardson, au bal du casino de T. Beach. Depuis, Lol « fait la morte », comme si le temps s'était brutalement arrêté. Mais les causes du traumatisme sont plus confuses qu'il n'y paraît : le roman suggère en effet que le bal fut le lieu d'un bonheur, celui de voir l'amour dans la perfection de son intensité absolue. La souffrance de Lol trouverait donc sa source, non dans le bal, mais dans la fin du bal.

Lol se marie avec un certain Jean Bedford, puis, après dix ans d'absence, revient à S. Thala où elle rencontre Jacques Hold, amant de son amie d'enfance Tatiana Karl. Elle prend l'habitude de se poster dans un champ de seigle, face à l'hôtel où Jacques Hold et Tatiana font l'amour. Ce comportement étrange peut se lire comme une tentative d'exorciser la scène du bal. À travers une double « délégation », Lol désire voir ce qu'elle n'a pu qu'imaginer lors de la nuit fatale : la conjonction des amants.

Mais, à la fin du roman, l'héroïne semble opter pour un second scénario, qui devrait lui permettre de « liquider » ce passé qui la hante. Les dernières pages racontent en effet le voyage commun de Lol et Jacques Hold à T. Beach. Ils visitent le casino et la salle du bal, puis font l'amour dans une chambre d'hôtel. Durant l'étreinte, Lol demande à Jacques Hold de prononcer le nom de Tatiana. Les deux personnages prennent ensuite le chemin du retour.

« Dans la rue nous nous sommes regardés. Je l'ai appelée par son nom, Lol. Elle a ri.

Nous n'étions pas seuls dans le compartiment, il fallait parler à voix basse.

Elle me parle de Michael Richardson sur ma demande. Elle dit combien il aimait le tennis, qu'il écrivait des poèmes qu'elle trouvait beaux. J'insiste pour qu'elle en parle. Peut-elle me dire plus encore ? Elle peut. Je souffre de toutes parts. Elle parle. J'insiste encore. Elle me prodigue de la douleur avec générosité. Elle récite des nuits sur la plage. Je veux savoir plus encore. Elle me dit plus encore. Nous sourions. Elle a parlé comme la première fois, chez Tatiana Karl.

La douleur disparaît. Je le lui dis. Elle se tait. »

Jacques Hold fait alors explicitement référence à la fin :

« C'est fini, vraiment. Elle peut tout me dire sur Michael Richardson, sur tout ce qu'elle veut.

Je lui demande si elle croit Tatiana capable de prévenir Jean Bedford qu'il se passe quelque chose entre nous. Elle ne comprend pas la question. Mais elle sourit au nom de Tatiana, au souvenir de cette petite tête noire si loin de se douter du sort qui lui est fait.

Elle ne parle pas de Tatiana Karl.

Nous avons attendu que les derniers voyageurs sortent du train pour sortir à notre tour.

J'ai quand même ressenti l'éloignement de Lol comme une très grande difficulté. Mais quoi ? une seconde. Je lui ai demandé de ne pas rentrer tout de suite, qu'il était tôt, que Tatiana pouvait attendre. Envisagea-t-elle la chose ? Je ne le crois pas. Elle a dit :

– Pourquoi ce soir ? »

Après un blanc typographique, le roman s'achève sur les phrases suivantes :

« Le soir tombait lorsque je suis arrivé à l'Hôtel des Bois.

Lol nous avait précédés. Elle dormait dans le champ de seigle, fatiguée, fatiguée par notre voyage. »

Marguerite Duras, *Le Ravissement de Lol V. Stein*, Paris, Gallimard, coll.

« Folio », 1964, p. 190-191.

COMMENTAIRE

Nous examinerons comment ce texte se donne à lire comme fin en identifiant les signaux qui annoncent le terme du récit et en nous interrogeant sur les fonctions que remplit cette dernière page.

SIGNAUX

LA FIN MATÉRIELLE

Sur le plan matériel, la fin est doublement marquée : des blancs typographiques isolent l'ensemble du dernier chapitre (qui constitue un tout) et, à l'intérieur de celui-ci, différentes séquences, dont la dernière. Nous sommes confrontés, dans ces deux fins, à une relation charnelle : le dernier chapitre narre la scène d'amour entre Lol et Jacques Hold, la dernière séquence évoque Lol dormant dans le champ face à l'Hôtel des Bois où Jacques Hold a rejoint Tatiana.

On peut faire état d'un premier paradoxe. Si le dernier chapitre semble annoncer une clôture sémantique, cette dernière est remise en cause par la séquence finale.

La scène d'amour à T. Beach – accomplie jusqu'au bout – fait en effet figure de « réponse » à la scène d'amour du début (entre Anne-Marie Stretter et Michael Richardson) – dont Lol avait été exclue : le manque semble donc réparé et la boucle bouclée.

Le dernier fragment, en revanche, suggère que cette fin n'achève rien : Lol continue ses séances de voyeurisme, comme si tout n'avait pas été vu, comme si la nuit à T. Beach n'avait rien changé. Au lieu d'interrompre son comportement étrange, la jeune femme le réitère. Il semblerait donc que la tentative d'exorcisme n'ait pas entièrement réussi : les réapparitions ultérieures de Lol (dans *L'Amour*, par exemple) la montreront d'ailleurs devenue tout à fait folle. La fin du récit ne coïncide donc pas avec la fin de l'histoire.

L'ÉNONCIATION : LA FIN DU RÉCIT

On peut noter dans la dernière séquence deux ruptures notables, qui signalent la fin du récit : l'une concerne le moment de la narration, l'autre le rythme.

Après une narration « simultanée » au présent (« elle me parle », « elle dit », « j'insiste », « je souffre », etc.), témoignant de la force affective d'un événement que le narrateur « revit » en le racontant, le retour à la narration ultérieure avec le passé composé (« nous avons attendu ») et l'imparfait (« le soir tombait », « elle dormait ») signale un recul du narrateur, une prise de distance. Rappelons que Jacques Hold (dont le nom signifie en anglais « tenir », « se saisir de ») cherche, durant tout le roman, à comprendre l'histoire de Lol : il désire « prendre possession » de la jeune femme. Or, en cette fin de roman, le personnage lui reste toujours étranger ; entre lui et Lol, la distance n'a pas été résorbée. Le recul n'exprime donc pas ici la maîtrise mais l'échec.

Si l'on peut parler de rupture de rythme, c'est que cette fin de récit présente une accélération. Après la *scène* du retour en train (qui restitue le dialogue entre les deux personnages), une *ellipse* nous fait passer sans transition au tableau final (Lol dormant dans le champ de seigle). On a donc l'impression que les choses s'accélèrent, comme si la situation s'était débloquée. Mais, là encore, ce n'est qu'une illusion : l'accélération débouche sur le retour à l'identique. L'urgence pour Lol, en cette fin de roman, c'est de continuer à agir de la même façon après la parenthèse du voyage à T. Beach.

Loin d'avoir renoué avec le temps progressif de la normalité, la jeune femme semble s'enliser définitivement dans le « hors-temps ».

L'ÉNONCÉ : LA FIN DE L'HISTOIRE

Sur le plan événementiel, la fin de l'histoire n'est pas clairement signalée : le processus de transformation n'aboutit pas. Il n'y a ni « liquidation », ni « métamorphose », ni « ouverture ». Si chacun de ces trois mouvements est amorcé, aucun n'est mené à terme.

Le processus de liquidation est sans doute le mieux représenté : si Jacques Hold demande à Lol d'évoquer Michael Richardson, c'est sans doute pour lui permettre de se débarrasser une fois pour toutes du passé, de faire enfin son deuil. Le dialogue avec Lol, destiné à servir d'exutoire, fonctionne comme une *« talking cure »*. Mais le dernier paragraphe montre l'échec de l'entreprise.

La métamorphose aurait consisté pour Lol à « devenir » Tatiana pour aller jusqu'au bout du processus passionnel et accéder, par identification, à la connaissance de ce « rêve solaire » à peine entrevu. Mais, comme le montrent les dernières lignes, Lol préfère « voir » Tatiana qu'« être » Tatiana.

Il n'y a pas non plus ouverture dans la mesure où la fin n'est pas promesse d'autre chose, mais répétition de l'identique.

Cette absence de perspective est confirmée sur le plan thématique : la fin du texte est associée à la « sortie » du train et à l'« éloignement » de Lol. Mais elle coïncide surtout avec le motif du soir. On peut y lire les connotations traditionnellement négatives associées à la tombée de la nuit : abattement, désespoir, enfoncement dans l'obscurité. Mais sans doute s'agit-il moins ici d'exprimer la fin d'un processus que le choix définitif du monde du rêve et de l'imaginaire (le monde de la nuit) contre l'univers normé de la réalité.

FONCTIONS

LA TOTALISATION DU SENS : BILAN ET HIÉRARCHISATION DE L'INFORMATION

La hiérarchisation de l'information passe ici par le personnage-narrateur de Jacques Hold. S'il choisit d'achever son récit par la mention du retour de Lol à l'Hôtel des Bois, c'est que ce fait a une importance essentielle pour les deux histoires qui structurent le roman : la sienne et celle de Lol. De son point de vue, cette fin sanctionne un double échec.

D'une part, Lol n'a pas « guéri » : le retour à T. Beach, censé l'arracher à son attitude « anormale », s'achève sur la perpétuation (l'aggravation ?) de son comportement pathologique.

Jacques Hold, d'autre part, n'a pas réussi à « saisir » Lol autrement que par le biais de ses relations avec Tatiana. Le recours au passé composé, la construction paratactique du récit, soulignent sa difficulté à trouver un lien logique entre des événements qui se bousculent et qu'il est incapable d'intégrer à une cohérence globale.

LE DÉNOUEMENT : RÉPONSES ET SOLUTIONS

Si la fin du texte ne répond pas à toutes les questions posées, on peut cependant considérer qu'elle apporte un éclairage décisif sur le titre. Ce dernier posait en effet une double question : comment comprendre le mot « ravissement » ? Le génitif est-il objectif ou subjectif ? En cette fin de roman, le mot « ravissement » conserve, à l'évidence, sa signification d'« enchantement », de « transport délicieux » : c'est bien l'extase éprouvée lors de la scène du bal que Lol essaie de revivre indéfiniment à travers ses séances de voyeurisme. Le sens de « rapt », d'« enlèvement », n'a pas pour autant disparu : Lol, eu égard à son comportement pathologique, est en effet « ravie » à la normalité et à la société. Mais la jeune femme (et le texte répond ici à la deuxième question) se présente aussi comme sujet du ravissement. Non seulement, elle ravit Jacques Hold à Tatiana, mais elle le dérobe aussi à lui-même en l'obligeant à se redéfinir.

Le dénouement se présente également comme une réponse à l'incipit : le soir de la fin renvoie au soir du début, comme si rien n'avait changé. Lol, revenue au champ de seigle, semble confortée dans l'idée que le plus grand bonheur est de tout voir.

L'équilibre initial n'est donc pas rétabli : la quête de Lol ne débouche pas sur un retour à la normalité. Mais il n'y a peut-être échec qu'en apparence. Dans un roman où la normalité est souvent présentée comme pétrifiante, la « déraison » est-elle en effet si négative ? N'est-ce pas l'« anormalité » du personnage qui fait sa force subversive et sa puissance libératrice ?

LA CLÉ : LES DIRECTIVES INTERPRÉTATIVES

Cette dernière page donne un certain nombre d'indices sur le « sens » à tirer du parcours de Lol.

Comme dans de nombreux romans, la dernière phrase est particulièrement travaillée et retentit sur l'ensemble du texte. Le rythme lent, envoûtant, exprime une sorte de sérénité, comme si l'histoire s'achevait sur une forme d'apaisement : « Elle dormait dans le champ de seigle, fatiguée, fatiguée par notre voyage. » Mais, si le dernier mot, « voyage », est connoté positivement (il renvoie à l'« aventure » et à l'« ailleurs »), sa portée est annulée par la répétition de « fatiguée ». Le tableau final nous montre Lol comme « une belle au bois dormant » que le « baiser » du « prince » Jacques Hold n'a pas réussi à réveiller. Ce qui l'emporte, en cette fin de roman, c'est donc l'image de la fragilité et de la vulnérabilité : Lol apparaît comme une enfant refusant de quitter le monde du rêve et de l'imaginaire. Le retour au casino n'a cependant pas été inutile : il a confirmé Lol dans le choix qu'elle a fait d'en rester au temps du bal : elle ne désire pas renouer le fil du temps, mais l'arrêter ; plus exactement, elle continue à vouloir l'arrêter.

Prise plus globalement, la dernière page – si on la considère comme un épilogue – demeure assez énigmatique. Tout se passe comme si le roman interrompait arbitrairement le récit d'une histoire en cours. Eu égard à cette fin « ouverte », la « leçon » de l'histoire reste fondamentalement ambiguë.

Sur le plan de l'histoire comme sur le plan du récit, cette dernière page se présente donc comme une fin en trompe-l'œil qui ne répond que partiellement aux questions posées par le roman. Le personnage est renvoyé à une incertitude, synonyme de liberté. L'enjeu est de solliciter la participation d'un lecteur qui n'a d'autre choix que de s'impliquer activement dans la construction du sens.

L'EFFET-PERSONNAGE

Le passage retenu est extrait de la première partie du roman. Le « héros », qui, après une longue errance, se retrouve dans la chambre de sa mère, entame un récit rétrospectif. Il en vient à l'évocation suivante :

« Ma mère me voyait volontiers, c'est-à-dire qu'elle me recevait volontiers, car il y avait belle lurette qu'elle ne voyait plus rien. Je m'efforcerai d'en parler avec calme. Nous étions si vieux, elle et moi, elle m'avait eu si jeune, que cela faisait comme un couple de vieux compères, sans sexe, sans parenté, avec les mêmes souvenirs, les mêmes rancunes, la même expectative. Elle ne m'appelait jamais fils, d'ailleurs je ne l'aurais pas supporté, mais Dan, je ne sais pourquoi, je ne m'appelle pas Dan. Dan était peut-être le nom de mon père, oui, elle me prenait peut-être pour mon père. Moi je la prenais pour ma mère et elle elle me prenait pour mon père. Dan, tu te rappelles le jour où j'ai sauvé l'hirondelle. Dan, tu te rappelles le jour où tu as enterré la bague. Voilà de quelle façon elle me parlait. Je me rappelais, je me rappelais, je veux dire que je savais à peu près de quoi elle parlait, et si je n'avais pas toujours participé personnellement aux incidents qu'elle évoquait, c'était tout comme. Moi je l'appelais Mag, quand je devais lui donner un nom. Et si je l'appelais Mag c'était qu'à mon idée, sans que j'eusse su dire pourquoi, la lettre G abolissait la syllabe ma, et pour ainsi dire crachait dessus, mieux que toute autre lettre ne l'aurait fait. Et en même temps je satisfaisais un besoin profond et sans doute inavoué, celui d'avoir une ma, c'est-à-dire une maman, et de l'annoncer, à haute voix. »

Beckett, Molloy, Paris, Éd. de Minuit, 1951, p. 20-21.

COMMENTAIRE

On analysera la façon dont les deux personnages se donnent à lire (les « effets » qu'ils suscitent et la signification qu'il convient d'en tirer).

MOLLOY, PERSONNAGE-PRÉTEXTE

Molloy, par son statut de narrateur-personnage, est la figure prédominante du passage : c'est lui qui va décider de la position du lecteur. L'autre figure de l'extrait – la mère – a une valeur essentiellement démonstrative. Mag est moins une personne que le support des réflexions de son fils. Simple élément du récit, elle renforce l'identification du lecteur à Molloy. Pour l'un comme pour l'autre, la mère est une figure opaque et inanimée. Cette différence de statut entre les deux personnages souligne le problème de l'incommunicabilité.

Molloy, personnage-prétexte, s'adresse donc d'abord à l'inconscient du lecteur. Le voyeurisme auquel nous invite le passage joue sur la *libido sciendi*. Le texte, en effet, nous rapporte une scène privée : la visite d'un fils à sa vieille mère impotente et gâteuse. Non seulement on pénètre dans l'intimité des personnages, mais le sentiment de culpabilité est renforcé par la confession sans complaisance du narrateur. Le lecteur, mal à l'aise, assiste en voyeur à une confrontation particulièrement pénible.

Les deux personnages sont sur la voie d'une régression à un stade préhumain où, déresponsabilisés, ils échapperaient à leurs tourments. Mag, aveugle et impotente, semble être retournée à l'inconscience minérale. Elle forme avec Molloy un couple « sans sexe » en deçà de l'humain et condamné à l'expectative. Il y a, dans le texte, une fascination pour l'immobile et le retour à la vie élémentaire.

Les pulsions œdipiennes sont également sollicitées. Le rapport à la figure maternelle, eu égard à la bisexualité de l'enfant, relève à la fois du désir et de l'agressivité. On retrouve cette contradiction dans les relations de Dan et Mag. Dan est partagé entre un sentiment de tendresse (« cela faisait comme un couple de vieux compères »), où l'aspect sexuel est significativement gommé, et une pulsion destructrice (« si je l'appelais Mag c'était qu'à mon idée [...] la lettre G abolissait la syllabe ma, et pour ainsi dire crachait dessus »). Le refoulement œdipien se libère ici dans son ambivalence. Mais le lecteur ne peut pour autant assouvir sa propre violence. Les figures parentales se présentent sans masque, le texte n'offre pas le moindre alibi. L'effet-prétexte, loin d'apporter ses gratifications habituelles, renforce, au contraire, le malaise du lecteur.

Ce que vise Molloy, à travers l'agression ou la tendresse, c'est une réappropriation de la figure maternelle. Le rôle du langage est ici essentiel : nommer, c'est faire sien (dans la Genèse, Dieu crée le monde par la parole). Appeler sa mère Mag, c'est, d'une certaine façon, la recréer. La *libido dominandi* n'est donc pas absente de ce passage. Dan, assumant l'œdipe, incarne la revanche du ça sur le surmoi.

Le désir de régression que suscite la scène est cependant à nuancer. Car, si les personnages sont d'abord à lire comme prétextes, ils se présentent également comme fonctions textuelles et illusions de personne.

PERSONNEL ROMANESQUE ET STRATÉGIE NARRATIVE

Dan et Mag, en tant que personnel entre les mains du romancier, se présentent comme supports du jeu d'anticipation inhérent à la lecture et éléments du sens de l'œuvre.

Concernant le premier point, une des particularités de ce texte est qu'il ne permet pas d'imaginer une évolution des personnages. Souvenirs, dégradation physique et difficulté à communiquer renvoient à l'impossibilité de s'arracher à soi. L'histoire est bloquée dès la première ligne. Le narrateur est revenu au point de départ : la chambre de sa mère. Avant même la fin de ce récit rétrospectif, on sait qu'il interdit la moindre perspective. Molloy-personnage ne pourra que tourner sur lui-même à travers le ressassement de Molloy-narrateur. La mère, ayant perdu la plupart de ses facultés, est également exclue de toute évolution narrative. Les personnages semblent condamnés à une immobilité anémique qui fait de leur existence une lente agonie.

Le « sens » des personnages tient en grande partie à la contradiction entre leurs *rôles thématiques* (le fils et la mère) et leur *rôle actantiel*. Les relations mère/fils, si l'on se fie aux évocations célèbres de la littérature (*Du côté de chez Swann, Le Château de ma mère*), témoignent en général d'une communication étroite, proche de la communion. Dan et Mag, tels qu'ils apparaissent dans ce passage, dénoncent l'inanité d'une telle vision. Les rapports mère/fils, contrairement à l'image d'Épinal, sont lourds d'une agressivité que la tendresse ne parvient pas toujours à dissimuler. Avoir une mère satisfait chez Molloy un besoin, non un désir. Les deux personnages méritent d'ailleurs bien mal le nom d'« acteurs ». Immobile et privée de la vue, la mère semble avoir rejoint le non-être. Molloy, se trouvant dans sa chambre et à sa place, est sur la voie d'une dégradation similaire. L'individu semble se réduire à un discours qui apparaît dès lors comme l'expression majeure de son existence. Si Mag, gâteuse, ne sait plus que radoter, Molloy, en revanche, témoigne d'une certaine maîtrise du langage : le jeu des signifiants entre « maman », « Mag » et « ma » en est à lui seul une illustration. Dans cette longue agonie qu'est la vie, le langage est la dernière barrière qui sépare du néant.

L'EFFET DE VIE ET LE SYSTÈME DE SYMPATHIE

On ne s'étonnera pas en conséquence de la faible illusion référentielle des personnages. Le fait le plus marquant est probablement leur carence modale. Dan et sa mère semblent ne rien pouvoir, et leur vouloir est plutôt ténu. Ils échappent dès lors à toute logique narrative et abolissent la notion même d'intrigue. Comment saisir dans la durée des personnages que n'anime aucun désir ? Si Molloy présente une densité référentielle assez faible, il est cependant « sauvé » par son statut de narrateur. La mère, en revanche, se réduit à son surnom. C'est Molloy qui, la faisant exister par le langage, lui donne ce reste de vie qui l'arrache à un naufrage absolu. Le discours apparaît comme le seul ancrage existentiel des personnages.

Concernant le système de sympathie, il semble y avoir une opposition entre les codes narratif et affectif d'un côté et le code culturel de l'autre. Le code narratif suscite une identification à Molloy qui nous impose son regard sur des événements dont il est le narrateur, et le code affectif nous le rend sympathique en tant que personnage dont on pénètre l'intériorité (il a un goût prononcé pour l'introspection) et porteur d'un désir contrarié (établir une communication). Si le code culturel intervient dans la lecture, c'est que nous avons affaire à un texte contemporain qui refuse les conventions traditionnelles du romanesque : le lecteur est donc sollicité comme sujet. Les valeurs dominantes semblent défavorables à Molloy dont le rapport à la mère est contraire au modèle admis et favorables à Mag dont la faiblesse attire la compassion. Mais la pitié ressentie pour la mère ne fait peut-être que renforcer l'identification à Molloy : sous son détachement apparent, ce dernier a pour elle une forme de tendresse. Il semble donc que l'incommunicabilité entre Molloy et sa mère soit compensée, au niveau de la réception, par une communication entre Molloy et le lecteur. Le langage s'affirme, une fois de plus, comme la seule réalité objective.

Le passage étant centré sur l'effet-prétexte, l'implication du lecteur se joue d'abord à travers l'investissement fantasmatique. Le sujet lisant revit un certain nombre de scènes plus ou moins refoulées : inversion des rapports mère/fils, évacuation du père, schéma œdipien. Cette « répétition », cependant, grâce à la distance ironique imposée par le narrateur, n'aboutit pas à un ressassement névrotique, mais à un réinvestissement libérateur. Cette forme de *catharsis* permet au lecteur de sortir plus conscient de son rapport au texte.

L'ÉNONCIATION

Ce texte correspond au début de *La Modification* de M. Butor. On le découpera en trois sections :

SECTION 1

« Vous avez mis le pied gauche sur la rainure de cuivre, et de votre épaule droite vous essayez en vain de pousser un peu plus le panneau coulissant.

Vous vous introduisez par l'étroite ouverture en vous frottant contre ses bords, puis, votre valise couverte de granuleux cuir sombre couleur d'épaisse bouteille, votre valise assez petite d'homme habitué aux longs voyages, vous l'arrachez par sa poignée collante, avec vos doigts qui se sont échauffés, si peu lourde qu'elle soit, de l'avoir portée jusqu'ici, vous la soulevez et vous sentez vos muscles et vos tendons se dessiner non seulement dans vos phalanges, dans votre paume, votre poignet et votre bras, mais dans votre épaule aussi, dans toute la moitié du dos et dans vos vertèbres depuis votre cou jusqu'aux reins.

Non, ce n'est pas seulement l'heure, à peine matinale, qui est responsable de cette faiblesse inhabituelle, c'est déjà l'âge qui cherche à vous convaincre de sa domination sur votre corps, et pourtant, vous venez seulement d'atteindre les quarante-cinq ans. »

SECTION 2

« Vos yeux sont mal ouverts, comme voilés de fumée légère, vos paupières sensibles et mal lubrifiées, vos tempes crispées, à la peau tendue et comme raidie en plis minces, vos cheveux, qui se clairsèment et grisonnent, insensiblement pour autrui mais non pour vous, pour Henriette et pour Cécile, ni même pour les enfants désormais, sont un peu hérissés et tout votre corps à l'intérieur de vos habits qui le gênent, le serrent et lui pèsent, est comme baigné, dans son réveil imparfait, d'une eau agitée et gazeuse pleine d'animalcules en suspension.

Si vous êtes entré dans ce compartiment, c'est que le coin couloir face à la marche à votre gauche est libre, cette place même que vous auriez fait demander par Marnal comme à l'habitude s'il avait été encore temps de retenir, mais non, que vous auriez demandée vous-même par téléphone, car il ne fallait pas que quelqu'un sût chez Scabelli que c'était vers Rome que vous vous échappiez pour ces quelques jours. »

SECTION 3

« Un homme à votre droite, son visage à la hauteur de votre coude, assis en face de cette place où vous allez vous installer pour ce voyage, un peu plus jeune que vous, quarante ans tout au plus, plus grand que vous, pâle, aux cheveux plus gris que les vôtres, aux yeux clignotants derrière des verres très grossissants, aux mains longues et agitées, aux ongles rongés et brunis de tabac, aux doigts qui se croisent et se décroisent nerveusement dans l'impatience du départ, selon toute vraisemblance le possesseur de cette serviette noire bourrée de dossiers dont vous apercevez quelques coins colorés qui s'insinuent par une couture défaite, et de livres sans doute ennuyeux, reliés, au-dessus de lui comme un emblème, comme une légende qui n'en est pas moins explicative, ou énigmatique, pour être une chose, une possession et non un mot, posée sur le filet de métal aux trous carrés, et appuyée sur la paroi du corridor. »

Michel Butor, *La Modification*, Paris, Éd. de Minuit, 1957, p. 9-10.

COMMENTAIRE

Ce passage pourrait bien sûr être étudié en tant qu'incipit. Il serait productif d'analyser comment il suscite l'intérêt et oriente la lecture en nouant avec son destinataire un contrat quelque peu singulier. Pour la clarté de l'exposé, l'étude se limitera aux problèmes de l'énonciation. On se penchera successivement sur l'effet-sujet, la dimension intertextuelle et l'intention ironique de l'extrait.

L'EFFET-SUJET : LE BROUILLAGE DES FRONTIÈRES ENTRE NARRATEUR ET PERSONNAGE

Repérer l'effet-sujet de ce passage est relativement difficile : les relations entre le narrateur et ses personnages présentent une certaine complexité. Comme Butor l'a expliqué dans *Essais sur le roman*, le narrateur de *La Modification* incarne la prise de conscience progressive par le protagoniste de sa propre situation. Le narrateur et les autres personnages du compartiment peuvent donc être interprétés comme la réfraction de la conscience du héros qui essaie de se saisir à travers un ordonnancement de la réalité. Si l'on passe en revue les trois plans où, habituellement, s'inscrit une subjectivité, plusieurs caractéristiques de l'instance narrative se laissent toutefois appréhender.

Sur le plan sémantique, on peut constater la prédilection du narrateur pour les objets, les couleurs et, d'une façon générale, l'extériorité des êtres et des choses. Si la psychologie n'est pas complètement absente (les sections 1 et 2 évoquent les pensées désabusées du personnage), les sensations l'emportent nettement sur les sentiments. Le narrateur peut se lire soit comme une simple émanation du personnage, soit comme un descripteur qui se contente d'inventorier un compartiment de chemin de fer. Le registre de langue utilisé est généralement soutenu, voire, par moments, technique sinon spécialisé. Hormis quelques comparaisons, le langage est essentiellement référentiel et donne au passage des allures de compte rendu. Il y a peu de jugements subjectifs et d'expressions évaluatives ; les seules modalisations portent sur l'interprétation (incertaine) des constats objectifs (section 3).

Sur le plan syntaxique, les notations descriptives suivent très rigoureusement le regard du protagoniste. L'enchaînement du discours semble répondre à un souci réaliste (présenter la description à travers les yeux du personnage) et à une volonté de structurer l'espace (l'entrée du compartiment, le coin couloir à gauche, la banquette à droite, le portrait du voyageur assis face à la place que le protagoniste va occuper). Tout se passe comme si le narrateur cherchait à donner une image cohérente d'un ensemble *a priori* épars et disséminé.

Sur le plan pragmatique, le détournement des procédés traditionnels du roman psychologique suppose un lecteur complice, à la fois nourri de la tradition du roman classique et capable d'en apprécier la remise en cause. Le recours au *pathos* (amertume du personnage vieillissant, difficultés de sa vie conjugale) demeure assez discret et révèle une intention ironique. Le passage joue essentiellement sur l'*ethos* et le *logos*. Le narrateur apparaît comme un locuteur fiable et digne de confiance : la précision technique du vocabulaire employé, la minutie de la description le campent en observateur attentif et scrupuleux. D'une façon générale, le narrateur s'adresse plus à la raison qu'à la sensibilité du lecteur. L'examen des objets et des personnages débouche toujours sur une déduction-interprétation.

Au bout du compte l'effet-sujet du narrateur nous met en présence d'une figure d'observateur à l'esprit de déduction rigoureux, mais que sa perception spatiale des êtres et des choses et la façon qu'il a d'interpeller le protagoniste transforment en un double plus rationnel et plus conscient de ce dernier. Cette remise en cause, l'un par l'autre, de l'effet-personnage et de l'effet-narrateur, signale un projet parodique que la prise en compte de la dimension intertextuelle du passage va confirmer.

LA DIMENSION INTERTEXTUELLE : LE DÉTOURNEMENT DES MODÈLES

Si l'on se réfère à la classification proposée par Genette, on peut considérer ce passage comme un cas d'hypertextualité. Ce texte de Butor se greffe sur plusieurs hypotextes qu'il imite et transforme dans une visée très nettement parodique. L'incipit dans un compartiment de chemin de fer est en effet un procédé rebattu du roman traditionnel. Parmi les hypotextes de ce passage, on pourrait citer le début de *Boule de suif* ou celui de *L'Idiot*. Dans les deux cas, les premières pages du récit permettent une présentation progressive et détaillée des personnages principaux rassemblés, pour la plus grande commodité du narrateur, dans un espace clos (une diligence dans la nouvelle de Maupassant, un train dans le roman de Dostoïevski). Le détournement parodique tient, en grande partie, à l'importance que le narrateur-descripteur accorde aux objets par rapport aux personnages.

D'une façon plus générale, c'est toute la tradition du roman psychologique qui est, ici, caricaturée. Tout en donnant – conformément aux principes du roman classique – l'ensemble des informations qui permettent de reconstituer le drame du protagoniste (son âge, sa situation sentimentale, familiale et sociale), le texte les détourne de leur fonction en prenant systématiquement le contre-pied des procédures habituelles. Le portrait psychologique est subordonné à la description spatiale et non l'inverse (voir la structure de la phrase); le monologue intérieur, présenté à la deuxième personne, porte sur les gestes et mouvements du héros (on est loin du drame intérieur, cliché du récit psychologique); les motifs traditionnels du voyage et du temps qui passe, accompagnés de symboles quelque peu lourds – la valise « sombre » du protagoniste (section 1) et la serviette « noire » de l'inconnu (section 3) – sont tournés en dérision.

Cette dimension intertextuelle joue plusieurs rôles. Elle assume d'abord une *fonction éthique* dans la mesure où elle témoigne de la culture du narrateur qui connaît ses classiques et peut, dès lors, s'amuser à les détourner. L'autorité de ce dernier et la complicité qui l'unit au lecteur en sortent renforcées.

L'intertextualité a aussi une *fonction herméneutique*. Le repérage des hypotextes de Maupassant ou de Balzac – spécialiste s'il en fut des descriptions explicatives – est essentiel à la compréhension du passage qui se présente comme une réécriture parodique de ces illustres modèles.

La *fonction ludique* est également évidente. Une grande partie du plaisir de la lecture consiste à retrouver les hypotextes sur lesquels se greffe le texte de Butor.

La *fonction critique* ne fait, elle non plus, pas de doute, le narrateur s'en prenant, par le biais de la référence intertextuelle, à une série de clichés romanesques et, indirectement, à l'esthétique dont ils relèvent.

Enfin, il n'est pas exclu que la *fonction métadiscursive* de l'intertextualité soit également présente. En dénonçant les procédés romanesques qui balisent la lecture des textes classiques, le narrateur ne tente-t-il pas de faire réfléchir le lecteur sur les réflexes conditionnés que suscite habituellement le récit ?

L'INTENTION IRONIQUE : LE PASTICHE
DU ROMAN D'ANALYSE

Les rôles actantiels du discours ironique, tels qu'ils ont été identifiés par Ph. Hamon, sont aisément repérables dans ce passage. Le narrateur est bien sûr l'ironisant dont l'ironisé (c'est-à-dire la cible) est le roman psychologique de facture classique. Le destinataire se dédouble ainsi en un lecteur naïf ne percevant pas les allusions intertextuelles et l'humour du passage et un lecteur complice parfaitement conscient de l'intention parodique. L'opposant se révèle être la norme romanesque (et les habitudes de lecture qu'elle a engendrées) qui invite traditionnellement le romancier à mettre l'accent sur les personnages plutôt que sur les lieux, sur les sentiments plutôt que sur les sensations, sur les pensées plutôt que sur les objets. L'adjuvant se présente comme la nouvelle norme esthétique proposée par ce texte, nouvelle norme d'un « nouveau roman » invitant le lecteur à délaisser le réalisme classique pour s'intéresser à une « réalité préromanesque » à laquelle ne peut introduire qu'une nouvelle forme d'écriture.

L'ironie se signale essentiellement à travers le décalage entre la minutie de la description et l'absence d'intérêt romanesque (selon la norme en vigueur) de son objet. Quel besoin en effet d'informer le lecteur des moindres sensations corporelles du protagoniste ? L'emphase stylistique consistant, pour le narrateur, à vouvoyer son personnage est également un indice. Elle signale le détournement des techniques traditionnelles de représentation de pensées. Il suffirait que l'on remplace le « vous » par la première personne du singulier pour être en présence d'un monologue intérieur. C'est donc bien le personnage qui se parle à lui-même à travers ce « vous ». Tout se passe comme si M. Butor avait choisi de prendre à la lettre l'expression « débat intérieur » en mettant en scène un personnage s'adressant à lui-même comme à un tiers. Si les implications philosophiques d'un tel procédé (concernant, notamment, la conception du sujet) ne sont pas à négliger, l'intention ironique n'en demeure pas moins présente.

Déconstruction de la figure traditionnelle du narrateur, détournement parodique de la norme romanesque par le biais de la référence intertextuelle, ironie de l'écriture et des procédures narratives : autant de caractéristiques qui introduisent une nouvelle façon littéraire de la manière la plus efficace qui soit : en pastichant avec humour la façon précédente.

L'INSCRIPTION DU MOI : L'INCONSCIENT DU SUJET

Cette première page du roman nous présente le journal intime du protagoniste, un garagiste du nom d'Abel Tiffauges. On divisera le passage en trois sections :

SECTION 1

« *3 janvier 1938.* Tu es un ogre, me disait parfois Rachel. Un Ogre ? C'est-à-dire un monstre féerique, émergeant de la nuit des temps ? Je crois, oui, à ma nature féerique, je veux dire à cette connivence secrète qui mêle en profondeur mon aventure personnelle au cours des choses, et lui permet de l'incliner dans son sens.

Je crois aussi que je suis issu de la nuit des temps. J'ai toujours été scandalisé de la légèreté des hommes qui s'inquiètent passionnément de ce qui les attend après leur mort, et se soucient comme d'une guigne de ce qu'il en était d'eux avant leur naissance. L'en deçà vaut bien l'au-delà, d'autant plus qu'il en détient probablement la clé. Or moi, j'étais là déjà, il y a mille ans, il y a cent mille ans. Quand la terre n'était encore qu'une boule de feu tournoyant dans un ciel d'hélium, l'âme qui la faisait flamber, qui la faisait tourner, c'était la mienne. »

SECTION 2

« Et d'ailleurs l'antiquité vertigineuse de mes origines suffit à expliquer mon pouvoir surnaturel : l'être et moi, nous cheminons depuis si longtemps côte à côte, nous sommes de si anciens compagnons que, sans nous affectionner particulièrement, mais en vertu d'une accoutumance réciproque aussi vieille que le monde, nous nous comprenons, nous n'avons rien à nous refuser.

Quant à la monstruosité…

Et d'abord qu'est-ce qu'un monstre ? L'étymologie réserve déjà une surprise un peu effrayante : *monstre* vient de *montrer*. Le monstre est ce que l'on montre – du doigt, dans les fêtes foraines, etc. Et donc plus un être est monstrueux, plus il doit être exhibé. Voilà qui me fait dresser le poil, à moi qui ne peux vivre que dans l'obscurité et qui suis convaincu que la foule de mes semblables ne me laisse vivre qu'en vertu d'un malentendu, parce qu'elle m'ignore. »

SECTION 3

« Pour n'être pas un monstre, il faut être semblable à ses semblables, être conforme à l'espèce, ou encore être à l'image de ses parents. Ou alors avoir une progéniture qui fait de vous dès lors le premier chaînon d'une espèce nouvelle. Car les monstres ne se reproduisent pas. Les veaux à six pattes ne sont pas viables. Le mulet et le bardot naissent stériles, comme si la nature voulait couper court à une expérience qu'elle juge déraisonnable. Et là je retrouve mon éternité, car elle me tient lieu à la fois de parents et de progéniture. Vieux comme le monde, immortel comme lui, je ne puis qu'avoir un père et une mère putatifs, et des enfants d'adoption. »

M. Tournier, *Le Roi des Aulnes*, Paris, Gallimard, coll. « Folio », 1970, p. 13-14.

EXPLICATION

Ce texte, à travers de nombreux indices, se donne à lire comme le discours d'un mythomane. L'exégèse psychanalytique devrait donc se révéler particulièrement efficace. C'est ce qu'on va tenter de vérifier en dégageant les enjeux psychologiques de ce monologue. Les remarques prendront la forme d'une analyse linéaire.

Dès le début, le passage de l'« ogre » (avec un « o » minuscule) à l'« Ogre » (avec un « O » majuscule) pointe la problématique centrale du texte : celle de l'image, c'est-à-dire de l'identité. Le narrateur, Abel Tiffauges, n'est-il qu'un pauvre hère, cible des moqueries de sa compagne Rachel (un *o*gre) ou se présente-t-il, au contraire, comme un être mythique et prestigieux (un *O*gre) ? Les indications de jour, de mois et d'année (*« 3 janvier 1938 »*), signaux traditionnels du journal intime, invitent, en situant le texte sur un plan réaliste, à retenir la première hypothèse. Le comportement du personnage répondrait ainsi à une logique psychologique aisément identifiable : blessé dans son identité par la condamnation sans appel de sa compagne, il réagirait en se donnant une identité merveilleuse autrement gratifiante. Notons, à ce propos, la mauvaise foi du « c'est-à-dire » qui, loin de rendre compte de la signification des paroles de Rachel, se présente comme une réécriture par Tiffauges de la réalité.

Le problème, c'est qu'en reconstruisant son identité grâce à une métaphore, Tiffauges se condamne à vivre *à travers une image*, c'est-à-dire *dans l'imaginaire*. Exclu de l'échange, de la relation à l'autre (la phrase liminaire de Rachel a valeur d'exclusion), Tiffauges, comme « l'enfant au miroir » dans la théorie lacanienne, prend l'image pour la réalité. Et c'est bien un individu déconnecté du réel, coupé du monde et des autres, que révèlent les interrogations qui suivent. Condamné au soliloque, le personnage ne dialogue plus qu'avec lui-même. La référence à « la nuit des temps » est significative. Rachel, on l'apprendra plus tard, reproche à Tiffauges ses piètres performances d'amant. Or, se relier imaginairement au monde du commencement revient à nier la sexualité. Dévalorisé sexuellement, Tiffauges se rattache au monde d'avant la différence des sexes. La force d'autoconviction du personnage transparaît dans le caractère péremptoire du discours (voir les nombreux présents d'affirmation). Conformément à la logique fantasmatique de la compensation, Tiffauges, « impuissant » dans ses relations avec Rachel, s'invente une « puissance » absolue sur le cours des choses. La capacité à transformer un jugement négatif venant de l'extérieur en un autoportrait positif se révèle être, dès ce premier paragraphe, au fondement de la psychologie du personnage.

Le second paragraphe de la section 1 s'ouvre sur un discours à forte teneur subjective. Le recours à un vocabulaire évaluatif (« scandalisé », « légèreté », « comme d'une guigne ») donne l'image d'un individu ancré si fermement dans ses principes et sa vision des choses qu'on soupçonne que l'enjeu de son journal n'est pas uniquement philosophique. L'attirance pour « l'en deçà », pour les temps nébuleux d'avant la naissance du monde, témoigne d'un désir de régression. L'argumentation affiche son artificialité, se donnant pour ce qu'elle est : le discours d'un mythomane. Sous l'allure rationnelle du propos, le raisonnement tourne à vide. La causalité que Tiffauges voit à l'œuvre dans le réel ne semble exister que dans son esprit. Ainsi, « l'antiquité vertigineuse de [ses] origines », censée expliquer son « pouvoir surnaturel », n'est admissible que si l'on admet préalablement ce pouvoir. L'abondance des constructions logiques dans la fin du paragraphe (« si longtemps... que », « si anciens... que », « en vertu de... nous ») ne suffit pas à masquer la vacuité du raisonnement. L'hypothétique intimité de Tiffauges avec « l'être » a, là encore, valeur de symptôme. Une fois de plus, il s'agit d'expliquer une insuffisance (l'incapacité d'un rapport à l'autre singulier, en l'occurrence Rachel) par une qualité extraordinaire (l'habitude d'un rapport au tout, l'« être »).

Conformément à la logique mythomaniaque, Tiffauges s'efforce, tout au long du passage, de redéfinir le monde en termes appropriés, c'est-à-dire adaptés à sa situation psychologique. On apprend ainsi (section 2) que, si

« monstre » vient de « montrer », c'est parce que la monstruosité est moins dans le monstre que dans le regard extérieur. Ce qui intéresse Tiffauges dans l'étymologie du terme, c'est le lien qu'elle semble suggérer entre la marginalité, l'image et le regard des autres. Il apparaît clairement que l'enjeu est plus que linguistique : si l'on accepte l'analyse de Tiffauges, c'est la société qui est monstrueuse, et non le marginal. Dans le conflit entre déviance et ordre social, c'est la déviance qui est ici valorisée. Tout se passe comme si, exclu de l'échange « normal », Tiffauges consacrait toute son énergie à justifier l'« anormalité ». La métaphore animale « dresser le poil » suggère la différence qualitative qui sépare Tiffauges du reste de l'humanité. L'ambiguïté du verbe « ignorer » souligne le lien entre le rejet dont Tiffauges est l'objet et la conviction qu'il a de son identité surnaturelle. Si la société l'« ignore », c'est-à-dire le méprise, c'est parce que, selon lui, elle « ignore », c'est-à-dire ne sait pas, qu'il est en vérité un être légendaire.

Le dernier paragraphe (section 3) expose la logique qui sous-tend le mythe personnel – la mythomanie – de Tiffauges. Alors que la conformité est liée à la procréation et à la mortalité, la monstruosité suppose la stérilité, donc l'immortalité. Ce refus d'assumer le temps avec ses promesses d'usure et de mort témoigne de la difficulté du personnage à prendre en charge son passé. Le rejet final des parents réels est, à cet égard, particulièrement significatif. Il classe Tiffauges dans la catégorie des « enfants trouvés » telle qu'elle a été définie par Marthe Robert *(Roman des origines et origines du roman)*. On sait que, selon Freud, chaque enfant, dans la période qui précède la crise œdipienne, se persuade qu'il est né de parents extraordinaires et que ses parents biologiques ne sont que des parents d'adoption. Cette fable, précise Marthe Robert, permettrait à l'enfant de surmonter la première crise infantile. Tiffauges, qui déclare n'« avoir qu'un père et une mère putatifs », semble en être resté à ce stade infantile marqué par le narcissisme et le primat de l'imaginaire.

La référence à l'Ogre est, à cet égard, éclairante. L'Ogre, figure légendaire, dont l'activité essentielle est la dévoration (il est, avant tout, « amateur de chair fraîche »), renvoie au *stade oral*. Durant cette période (qui se caractérise par la confusion des deux sens du verbe « aimer » : affection et dévoration), la bouche joue un rôle primordial : l'enfant, aimant ce qu'il mange, veut manger ce qu'il aime.

Ce passage témoigne donc de la logique particulière d'un adulte mythomane qui, ne pouvant supporter les blessures du réel, s'invente une identité qui le fait régresser à un stade infantile.

Il serait possible de se conformer à la méthode préconisée par Mauron en se demandant si, dans le reste du livre (et de l'œuvre de Tournier), on retrouve les mêmes structures qui, dès lors, correspondraient certainement à des éléments fondamentaux de la biographie de l'auteur. Mais cela nous entraînerait bien au-delà de la perspective modeste de cet ouvrage.

L'INSCRIPTION DE L'HISTOIRE : LA VOIX DE LA SOCIÉTÉ

Nous allons analyser ce texte à partir des propositions avancées par P. V. Zima dans *L'Ambivalence romanesque. Proust, Kafka, Musil* (Lang, 1988). L'auteur rappelle que, sur le plan sociologique, *La Recherche* représente le milieu des rentiers et des nobles, autrement dit la « classe de loisir » qui vit du capital accumulé. Ces caractéristiques socio-économiques impriment leur marque à la vie culturelle des personnages, qui s'organise autour de la « conversation mondaine ». Si nombre de figures de *La Recherche* pratiquent ces formes extrêmes du narcissisme que sont le snobisme et le dandysme, c'est parce que le loisir dont elles bénéficient leur permet de se consacrer au culte de leur personnalité. La conversation mondaine, qui apparaît dans la société des salons parisiens autour de 1900, fait donc figure de sociolecte. Cette dimension sociale de la « parole » s'oppose, sur le plan du langage, à l'« écriture ». Nous reviendrons sur cette dichotomie qui exprime les problèmes et les contradictions internes à la réalité socio-historique.

Le passage, extrait de *Sodome et Gomorrhe*, se situe à La Raspelière, à la fin d'une soirée chez les Verdurin.

« M. et Mme Verdurin nous conduisirent dehors. La Patronne fut particulièrement câline avec Saniette afin d'être certaine qu'il reviendrait le lendemain. "Mais vous ne m'avez pas l'air couvert, mon petit, me dit M. Verdurin, chez qui son grand âge autorisait cette appellation paternelle. On dirait que le temps a changé." Ces mots me remplirent de joie, comme si la vie profonde, le surgissement de combinaisons différentes qu'ils impliquaient dans la nature, devait annoncer d'autres changements, ceux-là se produisant dans ma vie, et y créer des possibilités nouvelles. Rien qu'en ouvrant la porte sur le parc avant de partir, on sentait qu'un autre "temps" occupait depuis un instant la scène ; des souffles frais, volupté estivale, s'élevaient dans la sapinière (où jadis Mme de Cambremer rêvait de Chopin) et presque imperceptiblement, en méandres caressants, en remous capricieux, commençaient leurs légers nocturnes. Je refusai la couverture que les soirs suivants je devais accepter, quand Albertine serait là, plutôt pour le secret du plaisir que contre le danger du froid. On chercha en vain le philosophe norvégien. Une colique l'avait-elle saisi ? Avait-il eu peur de manquer le train ? Un aéroplane était-il venu le chercher ? Avait-il été emporté dans une assomption ? Toujours est-il qu'il avait disparu sans qu'on eût eu le temps de s'en apercevoir, comme un dieu. "Vous avez tort, me dit M. de Cambremer, il fait un froid de canard. – Pourquoi de canard ? demanda le docteur. – Gare aux étouffements, reprit le marquis. Ma sœur ne sort jamais le soir. Du reste elle est assez mal hypothéquée en ce moment. Ne restez pas en tout cas ainsi tête nue, mettez vite votre couvre-chef. – Ce ne sont pas des étouffements *a frigore*, dit sentencieusement Cottard. – Ah ! alors, dit M. de Cambremer en s'inclinant, du moment que c'est votre avis… – Avis au lecteur !" dit le docteur en glissant ses regards hors de son lorgnon pour sourire. »

Proust, *Sodome et Gomorrhe* (1922), Paris,
Gallimard, coll. « Folio », 1989, p. 365.

COMMENTAIRE

Nous allons proposer une analyse sociocritique du texte en nous centrant sur les trois dimensions du sociolecte : le lexique, le code et la mise en discours.

LE RÉPERTOIRE LEXICAL

Ce passage met en regard deux rapports au langage bien différenciés.

Nous avons d'abord le sociolecte de la « mondanité », composé de clichés et de formules toutes faites. Qu'il s'agisse d'expressions stéréotypées (« froid de canard », « avis au lecteur ») ou d'un vocabulaire technique (« étouffements *a frigore* »), on a, dans les deux cas, affaire à un lexique « commun » (à tous les sens du terme), débarrassé de toute marque individuelle ou subjective. Ce lexique commun est la transcription verbale d'un code commun, qui détermine le comportement de la plupart des personnages. M. et Mme Verdurin obéissent ainsi au code de la politesse : raccompagner les invités sur le seuil. Même la sollicitude de M. Verdurin n'est qu'apparente : l'affectif « mon petit » n'a rien d'authentique ; il est, comme l'explique le narrateur, autorisé par le « grand âge » du personnage.

Aux antipodes du discours « commun » de la mondanité, le texte présente le vocabulaire « original » de l'artiste. Ce dernier exprime une sensibilité propre (« surgissement », « souffle », « volupté », « méandres », « remous », « nocturnes »), en communion avec l'énergie des forces naturelles. Significativement, ce langage personnel se construit sur le détournement des langages sociaux. Le narrateur réutilise en effet à sa façon – dans un sens métaphorique – les lexiques technique (« aéroplane ») et religieux (« assomption », « dieu ») pour évoquer, sur le mode humoristique, la brutale disparition du philosophe norvégien. L'enjeu est de rénover le sens des mots et la vision du monde qu'ils véhiculent en donnant une autre signification au langage social.

C'est donc parce que le langage de Marcel est celui d'un écrivain qu'il réinterprète, à sa façon, les formules stéréotypées. En témoigne tout ce qu'il investit dans une formule aussi banale que « le temps a changé ». Arrachant le terme au lexique météorologique, il voit d'abord le temps comme une force naturelle ouvrant le champ des possibles. Ce passage du temps climatique au temps originel se fait, significativement, par le biais de la musique, c'est-à-dire de l'art (voir la référence à Chopin et la mention des « légers nocturnes »). L'artiste sacrifie spontanément les dimensions conceptuelle et référentielle des unités lexicales au profit de ce qu'elles évoquent à l'imaginaire. On remarquera que le mot « temps » conduit, par associations, à Albertine et au plaisir sensuel : pour l'écrivain, le langage est étroitement lié aux processus associatifs de la mémoire.

Il apparaît donc que, sur le plan lexical, le narrateur oppose le « *nom* unique et inéchangeable » de l'artiste au « *mot* éphémère et abstrait » du causeur.

LE CODE

Sur le plan du code, ce passage est emblématique de la structure sémantique de *La Recherche* dans la mesure où il est régi par l'opposition entre *parole* et *écriture*. Le langage du narrateur et celui des personnages s'opposent en effet point par point.

On opposera d'abord la « référentialité » du discours des causeurs (termes techniques ou stéréotypés) à la valorisation du signifiant qui marque l'écriture du narrateur. On notera, par exemple, les procédures destinées à « faire durer » le moment extatique de communion avec la nature : le recours à l'imparfait (qui a pleinement, ici, sa valeur de présent du passé), la longueur de la phrase (qui tranche avec la brièveté des échanges mondains), l'insertion de parenthèses (qui ralentit un peu plus le rythme de la lecture). Le travail du matériau langagier se manifeste également sur le plan des sonorités. Le « e » muet de « légers nocturnes », terminant la phrase, suggère l'ouverture sur un autre plan d'existence. On verra dans la sensualité des allitérations en /s/ (« des souffles frais, volupté estivale, s'élevaient dans la sapinière ») la confirmation que ce qui est une sensation pénible pour les autres – le « froid de canard » – est une sensation de plaisir pour Marcel. C'est parce que l'expérience de l'artiste est enracinée dans le sensible qu'elle est du côté du temps qui dure par opposition au temps qui fuit. C'est ce que signifie par un autre biais l'anecdote du philosophe norvégien, métaphysicien pressé qui disparaît lorsqu'il est question d'une relation concrète avec les forces naturelles : ce contrepoint grotesque fait bien apparaître l'opposition des registres.

Si le discours du narrateur est profond et durable (grâce à l'inscription que permet l'écriture), il est également, à l'inverse de celui des personnages, authentique. Les propos des causeurs sont en effet marqués par un décalage – perceptible grâce à l'omniscience du narrateur (qui n'a, étrangement, aucun mal à savoir ce que Mme Verdurin pense réellement de Saniette) – entre l'apparence et la réalité.

Plus globalement, la parole apparaît comme enfermée dans le « dedans » alors que l'écriture est ouverte sur le « dehors ». La mise en scène est, de ce point de vue, particulièrement expressive : la sortie du salon Verdurin permet de mettre en regard l'intérieur et l'extérieur, autrement dit l'ordre social et l'ordre naturel. L'artiste semble du côté de la nature, de l'ouverture et d'une certaine libération, tandis que le mondain évolue dans un espace social, fermé et contraignant.

Ce passage fait donc apparaître, pour reprendre les termes de V. Descombes (*Proust. Philosophie du roman*, Paris, Éd. de Minuit, 1987), le triomphe de la « rhétorique de soi » sur la « rhétorique du monde ». Cela se traduit, sur le plan des attitudes, par le refus de Marcel de se couvrir. Ce comportement insolite montre que l'univers de Marcel n'est pas celui des autres. Ils veulent l'habiller (le soumettre aux habitus sociaux), alors que lui veut rester en contact avec la nature. Le désir de nouveauté de Marcel (« combinaisons différentes », « possibilités nouvelles ») s'oppose clairement au goût du rituel (c'est-à-dire de la répétition) propre aux Verdurin. L'instinct artistique se présente comme une alternative à l'intelligence mondaine.

Au niveau idéologique, refuser le langage « commun » et normé, c'est refuser une communication dégradée par les lois de l'offre et de la demande. La littérature, ultime espace où le langage soit encore autonome, apparaît comme la seule alternative à une conversation médiatisée par la valeur d'échange. Si le discours du causeur n'est qu'un prétexte au « succès » mondain, l'écriture, en tant que pratique esthétique, conserve une valeur intrinsèque. À l'opposition parole/écriture correspond donc une opposition, sociologiquement révélatrice, entre valeur d'échange et valeur d'usage.

C'est pourquoi l'écriture commence avec Combray (voir le début de *La Recherche*) : la famille bourgeoise reste un des rares espaces dont les valeurs n'ont pas été viciées par les lois du marché.

LA MISE EN DISCOURS

Sur le plan de l'énonciation, la critique d'une parole mondaine engluée dans les règles et les normes s'étend à une remise en cause de la parole narrative traditionnelle, elle aussi soumise à un code par trop explicite. Cela se traduit, au niveau de l'écriture, par un refus du récit chronologique linéaire et de la causalité narrative. Le discours du narrateur obéit en effet à une logique associative (paratactique) étroitement liée à la mémoire involontaire. Le passage se présente comme une série de variations suscitées par le changement de temps : la juxtaposition des impressions subjectives l'emporte clairement sur l'enchaînement événementiel. Plus généralement, l'entrelacement des points de vue, l'alternance intérieur/extérieur, le vagabondage de l'imagination (les causes possibles de la disparition du philosophe norvégien) apparaissent comme des alternatives au modèle balzacien du récit.

Sur le plan de l'énoncé, la structure actantielle qui régit chaque discours est révélatrice des valeurs qu'il véhicule. On peut, pour s'en convaincre, opposer le schéma actantiel du causeur à celui de l'artiste.

Le « causeur » (représenté, dans notre passage, par les Verdurin, M. de Cambremer ou Cottard) se présente comme un *sujet* dont la quête a pour *objet* le succès mondain, c'est-à-dire l'impression produite sur les autres. Le causeur cherche à être reconnu, que ce soit comme autorité (Mme Verdurin), figure paternelle (M. Verdurin), homme d'expérience (M. de Cambremer), professionnel (Cottard). Pour nous contenter d'un exemple, Mme Verdurin, « la Patronne », est clairement présentée à travers les relations de pouvoir qu'elle entretient avec le petit clan ; ce sont ces relations qui la définissent (et non l'affectivité), comme en témoigne l'inauthenticité de son attitude « câline » envers Saniette. Le *destinateur* du discours mondain est donc le narcissisme et, au-delà, la réalité sociale à son origine : le loisir qui caractérise la classe des rentiers. Le *destinataire* comprend non seulement les autres, mais aussi le moi défini comme « être-pour-un-autre ». On ne saurait mieux dire que le discours mondain est un discours de l'aliénation. De ce point de vue, le comportement de Mme Verdurin vis-à-vis de Saniette est symptomatique : la « Patronne », bien qu'affichant son mépris pour Saniette, a besoin de ce dernier pour éprouver son propre pouvoir. Le causeur s'appuie, dans sa quête du succès, sur la valeur d'échange de discours réduits au rang d'*adjuvants* : la sollicitude, la tendresse, la santé, le langage ne sont, dans notre passage, que de simples prétextes permettant de briller. Dans cette perspective, la singularité incommunicable du discours de l'écrivain fait figure d'*opposant*.

À l'inverse, le schéma actantiel de l'artiste se décline comme suit. Le *sujet* est incarné par le narrateur dont la quête a pour *objet* la vérité du moi, l'essence des choses. La nature fait office de *destinateur* : le vent apparaît comme un « messager de l'ailleurs », un « agent provocateur » (Jean-Pierre Richard) faisant affluer l'intériorité à la surface. Si Marcel veut avoir froid, c'est parce qu'il désire se laisser pénétrer par les forces naturelles. Comme le montre le rapprochement avec le plaisir érotique, les impressions sont d'abord la conséquence des sensations. Dans cette quête des profondeurs, le langage mondain est un *opposant* et l'écriture un *adjuvant*. Le *destinataire* comprend l'artiste lui-même et les autres « moi » authentiques (entendons par là ceux qui n'existent pas seulement pour autrui) : il s'agit des lecteurs capables de communier avec l'écrivain (ou susceptibles d'acquérir cette capacité) grâce au contact avec l'écriture.

On voit donc que l'opposition entre deux rapports au temps (le temps comme force de renouvellement ; le temps comme répétition du même) s'exprime à travers deux rapports au langage : le nom comme support de rêverie, le mot comme stéréotype. Ce conflit entre la « rhétorique du moi » et la « rhétorique du monde » exprime, sur le plan sociologique, les contradictions de la « classe de loisir » qui, prise dans la logique des valeurs d'échange, garde la nostalgie des valeurs d'usage propres à la société préindustrielle.

LA CODIFICATION TEXTUELLE DE LA LECTURE

Ce texte, extrait du chapitre X de la deuxième partie, nous présente un rendez-vous nocturne entre Emma et Rodolphe.

« C'était sous la tonnelle, sur ce même banc de bâtons pourris où autrefois Léon la regardait si amoureusement, durant les soirs d'été. Elle ne pensait guère à lui maintenant !

Les étoiles brillaient à travers les branches du jasmin sans feuilles. Ils entendaient derrière eux la rivière qui coulait, et, de temps à autre, sur la berge, le claquement des roseaux secs. Des massifs d'ombre, çà et là, se bombaient dans l'obscurité, et parfois, frissonnant tous d'un seul mouvement, ils se dressaient et se penchaient comme d'immenses vagues noires qui se fussent avancées pour les recouvrir. Le froid de la nuit les faisait s'étreindre davantage ; les soupirs de leurs lèvres leur semblaient plus forts ; leurs yeux, qu'ils entrevoyaient à peine, leur paraissaient plus grands et, au milieu du silence, il y avait des paroles dites tout bas qui tombaient sur leur âme avec une sonorité cristalline et qui s'y répercutaient en vibrations multipliées.

Lorsque la nuit était pluvieuse, ils s'allaient réfugier dans le cabinet aux consultations, entre le hangar et l'écurie. Elle allumait un des flambeaux de la cuisine, qu'elle avait caché derrière les livres. Rodolphe s'installait là comme chez lui. La vue de la bibliothèque et du bureau, de tout l'appartement enfin, excitait sa gaieté ; et il ne pouvait se retenir de faire sur Charles quantité de plaisanteries qui embarrassaient Emma. Elle eût désiré le voir plus sérieux, et même plus dramatique à l'occasion, comme cette fois où elle crut entendre dans l'allée un bruit de pas qui s'approchaient.

— On vient ! dit-elle.

Il souffla la lumière.

— As-tu les pistolets ?

— Pourquoi ?

— Mais... pour te défendre, reprit Emma.

— Est-ce de ton mari ? Ah ! le pauvre garçon !

Et Rodolphe acheva sa phrase avec un geste qui signifiait : "Je l'écraserais d'une chiquenaude."

Elle fut ébahie de sa bravoure, bien qu'elle y sentît une sorte d'indélicatesse et de grossièreté naïve qui la scandalisa.

Rodolphe réfléchit beaucoup à cette histoire de pistolets. Si elle avait parlé sérieusement, cela était fort ridicule, pensait-il, odieux même, car il n'avait, lui, aucune raison de haïr ce bon Charles, n'étant pas ce qui s'appelle dévoré de jalousie ; – et, à ce propos, Emma lui avait fait un grand serment qu'il ne trouvait pas non plus du meilleur goût.

D'ailleurs, elle devenait bien sentimentale. Il avait fallu échanger des miniatures, on s'était coupé des poignées de cheveux, et elle demandait à présent une bague, un véritable anneau de mariage, en signe d'alliance éternelle. Souvent elle lui parlait des cloches du soir ou des *voix de la nature* ; puis elle l'entretenait de sa mère, à elle, et de sa mère, à lui. »

Flaubert, *Madame Bovary* (1857), Paris, Le Livre de poche, 1972, p. 199-200.

COMMENTAIRE

On tentera d'examiner la façon dont les structures textuelles « programment » la lecture du passage.

LA STRATÉGIE DU TEXTE : L'INVITATION À UNE DOUBLE LECTURE

Le plaisir de la lecture tient, pour une grande part, à l'équilibre ménagé entre les procédures de l'emprise affective (qui favorisent la participation) et les techniques de distanciation (qui poussent au recul critique). L'épisode s'adresse autant à l'intelligence qu'à la sensibilité du lecteur.

LA PARTICIPATION AU JEU ROMANESQUE

Le passage suscite une forte impression référentielle. Les personnages (la femme adultère éprise de lyrisme, l'amant cynique et hypocrite) sont parfaitement vraisemblables : leur conduite, conforme au portrait que le texte a, depuis le début, tracé de chacun d'eux, respecte la logique narrative. Le cadre conventionnel du rendez-vous amoureux (un banc, sous la tonnelle, par une nuit étoilée) suscite un sentiment de déjà lu qui conforte l'impression de reconnaissance. Les renvois intertextuels aux épisodes galants légués par la littérature, le recours au discours rapporté (qui fait souvent l'impasse sur les formules déclaratives) et la prédominance de la scène sur le sommaire renforcent encore l'immersion fictionnelle.

Mais le texte joue aussi sur la séduction fantasmatique : il sollicite le voyeurisme du lecteur, témoin omniscient de cet échange amoureux.

Si la participation est ainsi confortée, le passage, parallèlement, présente une série de procédures qui s'emploient, au contraire, à casser l'illusion.

LA DISTANCIATION

L'intelligence du lecteur est invitée à goûter le ridicule de la situation et l'ironie du narrateur. La référence appuyée aux conventions usées du récit amoureux, le recours à des procédés typographiques comme les italiques (les « *voix de la nature* ») témoignent clairement d'une prise de distance. Mais l'ironie la plus mordante est à chercher dans le contraste entre le lyrisme sentimental auquel aspire Mme Bovary (elle rêve de serments éternels et de duel aux pistolets) et le prosaïsme bourgeois de la scène, souligné par la localisation (le « cabinet aux consultations », le « hangar » et l'« écurie », espaces fort peu poétiques) et la conversation, sans grand romantisme, sur les mères. L'oscillation entre les points de vue empêche, en outre, le lecteur d'en adopter un en particulier. Pour reprendre la terminologie de Iser, on peut dire que ce texte propose une coordination des perspectives *par opposition*. L'opposition entre le point de vue d'Emma et le point de vue de Rodolphe entraîne la relativisation des perspectives l'une par l'autre. Ajoutons que les deux personnages sont eux-mêmes distanciés par le narrateur. On notera, à ce propos, les modalisateurs (« les soupirs de leurs lèvres leur *semblaient* plus forts », « leurs yeux […] leur *paraissaient* plus grands ») et le recours constant au psycho-récit à dissonance marquée (les pensées des personnages sont rapportées ironiquement par un narrateur omniscient qui nous invite à adopter sa position).

Cet extrait permet donc, à la fois, l'investissement imaginaire (on « croit » aux personnages) et le jeu de l'intelligence sensible à l'ironie du narrateur.

Ce lecteur « complet », visé par le texte, peut être décrit plus précisément à travers la performance et la compétence requises par le passage.

LE PORTRAIT DU LECTEUR : PERFORMANCE ET COMPÉTENCE

LA PERFORMANCE DU LECTEUR

On a vu que, selon Umberto Eco, le lecteur construisait le sens en actualisant l'un après l'autre les différents niveaux du texte.

Le déchiffrement des *structures discursives* ne pose pas de problème majeur, encore qu'on pourrait s'interroger sur le référent du « banc de bâtons pourris » qui semble davantage mentionné pour ses connotations de dégradation et de prosaïsme que pour sa valeur dénotative. Il en va de même pour l'évocation de la nature : manifestement décrite dans la perspective d'Emma, elle est plus à lire comme métaphore érotique (« bombaient », « frissonnant », « se dressaient », « recouvrir ») que comme référence objective au paysage. Le hangar et l'écurie, de même, sont à interpréter sur le plan connotatif – pour ce qu'ils charrient de platitude sordide.

Les *structures narratives* se laissent facilement dégager à deux réserves près. D'abord la linéarité globale de l'intrigue est remise en cause par un jeu de répétitions. Le rendez-vous avec Rodolphe est présenté comme l'écho des soirées avec Léon : la vie d'Emma, engluée dans un ressassement névrotique, semble ne plus pouvoir avancer. D'autre part, le statut du passage dans l'économie générale du récit fait problème : oscillant entre le mode itératif et le mode singulatif, on ne sait s'il est à lire comme un sommaire évoquant le rituel qui s'est instauré entre les deux amants ou comme une scène de premier plan représentant un des tournants de l'histoire. L'épisode, d'abord narré à l'imparfait (à valeur durative d'abord, itérative ensuite), se poursuit avec le passé simple (« comme cette fois où elle crut entendre »), pour revenir, dans les dernières lignes, à l'imparfait.

C'est cependant avec l'interprétation des *structures actantielles* que la lecture devient vraiment complexe. Il n'est guère aisé de dégager le rôle actantiel des personnages présents dans ce passage. Si Emma, après les premiers chapitres, est vite devenue le sujet de la quête narrative, comment situer les personnages de Rodolphe et de Charles ? *A priori*, Rodolphe pourrait apparaître comme un adjuvant de Mme Bovary dans sa quête d'un amour idéal conforme aux clichés du roman sentimental : c'est en tout cas ainsi que le voit Emma qui l'imagine capable de défendre sa flamme dans un duel aux pistolets. Mais le texte indique clairement que ce n'est pas là, loin s'en faut, le rôle que Rodolphe entend jouer. Aux antipodes de toutes les conventions du roman d'amour, il ne hait pas son rival, n'éprouve aucune jalousie, trouve grotesque l'idée même de duel et commence, semble--t-il, à s'ennuyer des manières « romanesques » de sa maîtresse. Délibérément ancré dans le réel et acceptant sans cas de conscience le prosaïsme de l'adultère bourgeois, Rodolphe, tel qu'il est présenté par le narrateur, serait donc plutôt un opposant à Emma. Le statut actantiel de Charles n'est pas moins ambigu. Officier de santé satisfait de son sort et cantonnant son épouse dans le cadre limité de la vie de province, il est perçu par Emma comme un opposant à ses aspirations. Le texte le montre cependant passif et n'intervenant jamais pour empêcher les rendez-vous illicites de son épouse. Significativement, il dort pendant la rencontre nocturne entre Emma et Rodolphe. Dès lors, par la facilité avec laquelle il s'efface du récit au moment opportun, n'est-il pas en fait un adjuvant de la quête amoureuse d'Emma ? Le schéma actantiel est loin d'être clair et contribue, par sa complexité, à l'intérêt du roman.

Les *structures idéologiques* sont, en conséquence, également problématiques. Si, comme nous l'avons vu, l'ironie du narrateur à l'égard d'Emma ne fait aucun doute, Rodolphe n'apparaît pas pour autant comme positif. Curieusement, alors que l'effusion lyrique est dénoncée chez Emma, c'est l'absence de lyrisme qui semble condamnée chez Rodolphe. L'« indélicatesse » et la « grossièreté » qu'Emma sent chez Rodolphe (on remarquera l'absence, cette fois, de modalisateur) semblent confirmées par le narrateur. Le manque de tact du personnage (il ne se rend pas compte que ses plaisanteries sur Charles sont blessantes pour Emma) et son incapacité à déchiffrer la psychologie de sa maîtresse (il ne sait si elle parle ou non sérieusement lorsqu'elle évoque le duel) accentuent son caractère antipathique. Rodolphe apparaît ainsi comme négatif parce qu'il refuse le jeu qui rend Emma ridicule mais poignante. Il est, on le voit, délicat de dégager avec précision l'axiologie du texte.

Si la lecture du passage fait problème, c'est que le texte requiert une compétence qui n'est pas forcément partagée par tous.

LA COMPÉTENCE DU LECTEUR

Si le *dictionnaire de base* nécessaire à la compréhension ne pose pas de difficulté particulière, la connaissance des *règles de coréférence* est indispensable pour interpréter correctement le passage. Le démonstratif initial (« ce banc ») et le déictique temporel (« maintenant ») n'ont de sens que si l'on prend pour repère la situation d'Emma : ce faisant, ils nous placent d'emblée dans la perspective du personnage. De même, le « on » de la dernière phrase (« on s'était coupé des poignées de cheveux ») doit être compris comme désignant Emma et Rodolphe, signalant ainsi la distance que prend ce dernier (et, derrière lui, le narrateur) par rapport à ce rituel amoureux un peu trop « littéraire ».

La capacité à repérer les *sélections contextuelles et circonstancielles* est, également, essentielle. Le vocabulaire usé du roman sentimental a, dans le contexte de ce récit, une portée ironique qu'il est nécessaire d'avoir à l'esprit pour ne pas se méprendre sur le sens du texte. Ainsi, les références à « la tonnelle », aux « soirs d'été », à « la rivière qui coul [e] », aux « cloches du soir » et aux « *voix de la nature* » sont-elles à interpréter, à l'horizon de l'ensemble du roman, comme parodiques.

La connaissance de l'*hypercodage rhétorique et stylistique* est indispensable pour identifier le point de vue de tel ou tel personnage derrière une narration pourtant hétérodiégétique. Le premier paragraphe est ainsi narré dans la perspective d'Emma, comme l'indiquent le démonstratif (« ce même banc »), l'intensif (« si amoureusement ») et le déictique temporel (« maintenant »). Le dernier paragraphe, comme en témoigne le recours au style indirect libre est, au contraire, marqué par la perspective de Rodolphe : les jugements de valeur négatifs sur la conduite et les goûts d'Emma ne peuvent qu'être mis sur son compte (« elle devenait bien sentimentale. Il avait fallu échanger des miniatures, on s'était coupé des poignées de cheveux »). Là encore, un déictique temporel (« à présent ») montre que le point de vue du narrateur cède la place à celui du personnage. L'aptitude à distinguer le mode de la voix dans le style semi-direct de Flaubert fait partie de la compétence requise chez le lecteur de *Madame Bovary*.

La familiarité avec les *scénarios communs et intertextuels* est elle aussi sollicitée : la saveur du passage tient largement à la neutralisation des uns par les autres. Le texte, simultanément, se donne à lire sur un plan réaliste (comme une scène de l'adultère bourgeois) et sur un plan littéraire (à travers les multiples allusions à l'esthétique rebattue du roman sentimental). La première lecture invite à développer des scénarios communs, la seconde des scénarios intertextuels. Rodolphe semble être en charge des premiers et Emma des seconds. C'est en effet le personnage de Rodolphe qui nous rappelle le prosaïsme de la scène et sa plate réalité d'adultère provincial. Il invite ainsi à une lecture réaliste fondée sur le scénario « infidélité conjugale d'une femme de province qui profite, la nuit, du sommeil de son mari ». Scénario commun, dont la banalité exclut *a priori* toute conclusion tragique. En revanche, Emma, par la façon dont elle vit la situation, renvoie intertextuellement à toutes les héroïnes passionnées des romans d'amour et s'inscrit dans une intrigue où la passion exacerbée ne peut déboucher que sur l'effusion de sang. À travers elle sont réactivés les grands scénarios des amours tragiques : Hélène et Pâris, Héloïse et Abélard, Roméo et Juliette, Paul et Virginie, etc. Si la familiarité avec ces deux types de scénarios est nécessaire à la bonne compréhension du passage, c'est qu'ils se remettent mutuellement en question. L'identification d'Emma au rôle de l'héroïne passionnée est telle (et tellement sincère) qu'elle interdit une lecture strictement réaliste. Mais, d'un autre côté, les allusions au prosaïsme, voire à la vulgarité de la scène, sont trop insistantes pour que le lyrisme d'Emma n'apparaisse pas comme totalement décalé. Les scénarios communs empêchent les scénarios intertextuels d'être développés jusqu'au bout, tout en étant eux-mêmes, dans leur actualisation, gênés par les scénarios intertextuels.

La *compétence idéologique* requise chez le lecteur de *Madame Bovary* est difficile à déterminer. H.R. Jauss *(Pour une esthétique de la réception)* a tenté, au moyen d'une analyse socio-historique, de dégager les principales caractéristiques du lectorat contemporain de Flaubert. Il n'est pas question, ici, d'entrer dans une analyse aussi fouillée. Remarquons simplement que le texte, se gardant de tout jugement moral, suppose un lecteur plus sensible au ridicule du romanesque sentimental qu'à la faute que représente l'adultère. Précisons que ce lecteur, plutôt cynique et amoral, n'est pas pour autant insensible au drame d'Emma dont le texte l'invite parfois à partager les sentiments. Les valeurs d'un lecteur particulier sont cependant toujours susceptibles de venir contredire le projet de l'auteur (le roman, on le sait, valut à Flaubert un procès pour « offense à la morale publique et à la religion »).

La performance et la compétence du lecteur ainsi dégagées, on peut s'interroger sur l'expérience que procure la lecture du passage.

L'EXPÉRIENCE DU LECTEUR : RECUL CRITIQUE ET DÉVELOPPEMENT

LE RECUL CRITIQUE

Nous avons montré l'importance des procédures de distanciation mises en œuvre par le texte. Le recul critique est favorisé par l'ironie du narrateur et le jeu entre les points de vue. Le lecteur, confronté à des perspectives différentes qui s'annulent mutuellement, est conduit à une position de recul qui les relativise toutes. Si la séduction n'est pas absente (le passage nous confronte à une scène archétypale), le texte amène le lecteur à équilibrer ses investissements par un travail de distanciation. La lecture, loin de conduire à la régression, est donc, dans ce passage, une expérience enrichissante.

LA LECTURE LITTÉRAIRE

On peut considérer que ce passage appelle une lecture *littéraire* dans la mesure où il satisfait aux trois critères dégagés plus haut (voir *supra*, p. 171-172).

Madame Bovary fait éclater les frontières génériques. Le lecteur peut à la fois goûter le charme des romans sentimentaux, dont le narrateur utilise les clichés, et le mordant d'une écriture ironique. Il y a bien, simultanément, le plaisir d'une culture et de sa transgression.

Le texte offre également une pluralité d'interprétations : on peut le lire comme le récit réaliste d'une scène d'adultère bourgeois, le drame d'une sensibilité exacerbée qui se heurte aux frontières de la réalité, un jeu parodique du narrateur avec les clichés romanesques ou une étude de caractères. Le lecteur, oscillant entre distance et participation, retrouve ainsi un rôle actif qui fait de la lecture une expérience à part entière.

Enfin, pour reprendre les termes de M. Picard, la « fonction modélisante » de la lecture est loin d'être négligeable : le rapport amoureux, s'il n'est pas toujours fondé sur un malentendu aussi flagrant que celui auquel on assiste ici, ne peut jamais compter sur une transparence totale. L'autre garde une part de mystère et d'opacité toujours susceptible de remettre en question l'illusion d'une communion affective. En expérimentant à la lecture, et sur le mode imaginaire, une telle situation, le sujet ressort plus conscient de son rapport au texte.

LE PLAISIR NARRATIF : ÉMOTION ET INTÉRÊT

Anna Karénine est une jeune femme de la haute société de Saint-Pétersbourg. Elle tombe amoureuse de Vronski, un officier brillant, mais frivole. La fortune de Vronski leur permet d'avoir une existence indépendante. Mais Anna ne supporte pas d'avoir abandonné son enfant et trahi son mari. Ce climat pesant provoque entre les amants une incompréhension réciproque qui obscurcit leur union. Anna, en proie aux plus vifs tourments, et prise dans un engrenage dont elle ne peut se délivrer, décide de mettre fin à ses jours.

« D'un pas rapide et léger elle descendit les marches et, postée près de la voie, elle scruta les œuvres basses du train qui la frôlait, les chaînes, les essieux, les grandes roues de fonte, cherchant à mesurer de l'œil la distance qui séparait les roues de devant de celles de derrière.

"Là, se dit-elle en fixant dans ce trou noir les traverses recouvertes de sable et de poussière, là, au beau milieu ; il sera puni et je serai délivrée de tous et de moi-même."

Son petit sac rouge qu'elle eut quelque peine à détacher de son bras, lui fit manquer le moment de se jeter sous le premier wagon : force lui fut d'attendre le second. Un sentiment semblable à celui qu'elle éprouvait jadis avant de faire un plongeon dans la rivière s'empara d'elle, et elle fit le signe de la croix. Ce geste familier réveilla dans son âme une foule de souvenirs d'enfance et de jeunesse ; les minutes heureuses de sa vie scintillèrent un instant à travers les ténèbres qui l'enveloppaient. Cependant elle ne quittait pas des yeux le wagon, et lorsque le milieu entre les deux roues apparut, elle rejeta son sac, rentra sa tête dans ses épaules et, les mains en avant, se jeta sur les genoux sous le wagon, comme prête à se relever. Elle eut le temps d'avoir peur. " Où suis-je ? Que fais-je ? Pourquoi ? " pensa-t-elle, faisant effort pour se rejeter en arrière. Mais une masse énorme, inflexible, la frappa à la tête et l'entraîna par le dos. "Seigneur, pardonnez-moi ! " murmura-t-elle, sentant l'inutilité de la lutte. Un petit homme, marmottant dans sa barbe, tapotait le fer au-dessus d'elle. Et la lumière qui pour l'infortunée avait éclairé le livre de la vie, avec ses tourments, ses trahisons et ses douleurs, brilla soudain d'un plus vif éclat, illumina les pages demeurées jusqu'alors dans l'ombre, puis crépita, vacilla et s'éteignit pour toujours. »

Tolstoï, *Anna Karénine* (1877), trad. Franç.,
Paris, Gallimard, Coll « Folio », Tome II, 1972, p. 391-392.

COMMENTAIRE

Examinons quels sont, dans ce texte, les sources de l'intérêt et les ressorts de l'intensité émotionnelle.

L'INTÉRÊT

Nous retrouvons dans cet extrait les deux moteurs habituels de l'intérêt narratif : l'inattendu et la complexité.

L'INATTENDU

La principale question posée par ce passage est de savoir si Anna va ou non réussir son suicide. La tension narrative est donc, ici, fondée sur le suspense. Le narrateur mentionne plusieurs obstacles afin de maintenir l'incertitude. Le suicide est reporté une première fois, à cause d'un détail pratique, le « petit sac rouge qu'elle eut quelque peine à détacher de son bras ». Après qu'elle s'est jetée sous le train, la gestuelle décrite (Anna est « comme prête à se relever ») laisse imaginer une issue autre que la mort. Le sentiment de la durée (« Elle eut le temps d'avoir peur. "Où suis-je ? Que fais-je ? Pourquoi ?" pensa-t-elle, faisant effort pour se rejeter en arrière »), paradoxal vu l'imminence du choc, peut laisser penser qu'un événement imprévu – comme le brusque arrêt du train – a changé la donne. Enfin, le fait qu'Anna continue à parler (« "Seigneur, pardonnez-moi !" murmura-t-elle ») après la collision brutale avec la machine suggère un instant qu'elle est simplement blessée.

LA COMPLEXITÉ

La complexité de l'extrait tient aux causes susceptibles d'éclairer le désir de suicide. Plusieurs raisons pourraient expliquer la décision d'Anna de mettre fin à ses jours. La pensée formulée au deuxième paragraphe – « il sera puni, et je serai délivrée de tous et de moi-même » – donne un certain nombre d'indications. Anna veut se venger de Vronski qui est parti (« il sera puni »), échapper au mépris collectif (« je serai délivrée de tous ») et à sa propre culpabilité (« de moi-même »). À ces raisons, exprimées consciemment, on peut sans doute ajouter la douleur d'être séparée de son fils, le désespoir consécutif au départ de son amant, l'incapacité à supporter la solitude, le désir d'en finir avec une souffrance affective et morale. Aucune de ces raisons ne s'impose de manière exclusive. C'est à chaque lecteur de choisir celle qui lui semble déterminante, voire de les accepter toutes.

L'ÉMOTION

Pour intensifier l'émotion, le texte joue sur la proximité, l'improbabilité et la gradualité.

LA PROXIMITÉ

La proximité est d'abord obtenue par la focalisation interne : la scène est présentée, du début à la fin, à travers le point de vue d'Anna. Cette immixtion dans les pensées d'une jeune femme sur le point de se suicider crée une forte empathie entre elle et le lecteur : nous épousons chacune de ses pensées, de ses angoisses, de ses hésitations – comme si sa conscience était notre conscience. Ajoutons que nous sommes à la fin du roman et que le lien affectif avec Anna, personnage éponyme, est allé en se consolidant au fil des pages. Le texte exploite, en outre, la proximité culturelle (la grande dame russe est une figure familière aux lecteurs de Tolstoï), spatiale (l'histoire se passe pour l'essentiel en Russie) et temporelle (l'époque de l'histoire racontée est contemporaine de celle de l'écriture).

L'IMPROBABLE

L'intensité émotionnelle se nourrit également d'une forme d'improbable. Ce suicide est d'autant plus dramatique qu'il ne va guère de soi. Le narrateur ne cesse de rappeler les obstacles, extérieurs ou intérieurs, qui auraient dû empêcher Anna de se donner la mort. Outre les difficultés pratiques évoquées plus haut, Anna doit vaincre des obstacles psychologiques, comme la peur (« Un sentiment semblable à celui qu'elle éprouvait jadis avant de faire un plongeon dans la rivière s'empara d'elle ») ou la nostalgie (« Ce geste familier réveilla dans son âme une foule de souvenirs d'enfance et de jeunesse ; les minutes heureuses de sa vie scintillèrent un instant à travers les ténèbres qui l'enveloppaient »). Elle doit également passer outre l'interdit religieux pesant sur le suicide : « elle fit le signe de la croix » ; « Seigneur, pardonnez-moi ! ».

LA GRADUALITÉ

Pour renforcer l'émotion, le texte met en place un « effet de mur » : la perspective de la mort se rapproche progressivement. Pour le faire sentir, le narrateur nous immerge dans l'action en exploitant deux grandes valeurs du passé simple. La première est la successivité (les faits exprimés se passent les uns après les autres, conformément à la flèche du temps) : « elle rejeta son sac, rentra sa tête dans ses épaules et, les mains en avant, se jeta sur les genoux sous le wagon, comme prête à se relever ». Le second effet du passé simple est de renvoyer à un « premier plan » (qui se détache d'un arrière-plan évoqué à l'imparfait). C'est très net dans le premier paragraphe :

« D'un pas rapide et léger elle descendit les marches et, postée près de la voie, elle scruta les œuvres basses du train qui la frôlait, les chaînes, les essieux, les grandes roues de fonte, cherchant à mesurer de l'œil la distance qui séparait les roues de devant de celles de derrière. »

Plus loin, l'effet de zoom montre qu'on se rapproche de l'échéance : « Mais une masse énorme, inflexible, la frappa à la tête et l'entraîna par le dos ». Le mur est finalement atteint : « Et la lumière qui pour l'infortunée avait éclairé le livre de la vie, avec ses tourments, ses trahisons et ses douleurs, brilla soudain d'un plus vif éclat, illumina les pages demeurées jusqu'alors dans l'ombre, puis crépita, vacilla et s'éteignit *pour toujours* (je souligne) ».

Parallèlement à l'effet de mur (négatif), il est possible de dégager dans ce passage un « point de mire » (positif). Cette pécheresse qui se punit elle-même, donc consciente de sa faute, n'annonce-t-elle pas, par son comportement, une société conforme aux principes religieux, autrement dit l'idéal social rêvé par Tolstoï ? Rappelons que, tout au long du roman (qui, dans les premiers brouillons, était intitulé *Deux mariages, deux couples*), l'auteur oppose le calme bonheur du ménage honnête formé par Lévine et Kitty aux humiliations et aux déboires qui accompagnent la passion coupable de Vronski et d'Anna. Alors que Lévine et Kitty incarnent une quête spirituelle arrivée à terme, Anna et Vronsky représentent une recherche en cours, incertaine, tâtonnante et confuse. Se heurtant aux sollicitations encore aveugles et dispersées de leur conscience, ils sont hantés par l'impératif moral, mais n'arrivent pas à s'y soumettre. Si la faute, par la souffrance qu'elle provoque, contient en elle-même sa propre punition, le suicide peut apparaître comme une source de purification.

BIBLIOGRAPHIE

ADAM (Jean-Michel), *Le Texte narratif*, Paris, Nathan, 1985.

ADAM (Jean-Michel) et PETITJEAN (André), *Le Texte descriptif*, Paris, Nathan, 1989.

BAL (Mieke), *Narratologie*, Utrecht, HES, 1984.

BARONI (Raphaël), *La Tension narrative – suspense, curiosité et surprise*, Paris, Éd. du Seuil, 2007.

BARTHES (Roland)*et al.*, *Poétique du récit*, Paris, Éd. du Seuil, 1977.

BELLEMIN-NOËL (Jean), *Vers l'inconscient du texte*, Paris, PUF, 1979.

—, *Psychanalyse et littérature*, Paris, PUF, 2002.

BREMOND (Claude), *Logique du récit*, Paris, Éd. du Seuil, 1973.

CHARLES (Michel), *Rhétorique de la lecture*, Paris, Éd. du Seuil, 1977.

COHN (Dorrit), *La Transparence intérieure*, trad. fse, Paris, Éd. du Seuil, coll. « Poétique », 1981.

COURTÈS (Joseph), *Introduction à la sémiotique narrative et discursive*, Paris, Hachette, 1976.

CROS (Edmond), *La Sociocritique*, Paris, L'Harmattan, 2003.

DEL LUNGO (Andréa), *L'Incipit romanesque*, Paris, Éd. du Seuil, coll. « Poétique », 2003.

DUCHET (Claude), « Pour une socio-critique », *Littérature*, n° 1, 1971.

ECO (Umberto), *Lector in fabula*, trad. fse, Paris, Grasset, 1985.

GENETTE (Gérard), *Figures* III, Paris, Éd. du Seuil, coll. « Poétique », 1972.

—, *Palimpsestes*, Paris, Éd. du Seuil, coll. « Poétique », 1982.

—, *Nouveau discours du récit*, Paris, Éd. du Seuil, coll. « Poétique », 1983.

—, *Seuils*, Paris, Éd. du Seuil, coll. « Poétique », 1987.

GOFFMAN (Erwin), *Les Rites d'interaction*, Paris, Éd. de Minuit, 1974.

GOLDMANN (Lucien), *Matérialisme historique et création culturelle*, Paris, Anthropos, 1971.

GREIMAS (A.-J.), *Sémantique structurale*, Paris, Larousse, 1966 (rééd. Paris, PUF, coll. « Formes sémiotiques », 1986).

GRIVEL (Charles), *Production de l'intérêt romanesque*, Paris-La Haye, Mouton, 1973.

HAMON (Philippe), « Clausules », *Poétique*, n° 24, 1975.

—, *Introduction à l'analyse du descriptif*, Paris, Hachette, 1981.

—, *Le Personnel du roman*, Genève, Droz, 1983.

—, *L'Ironie littéraire. Essai sur les formes de l'écriture oblique*, Paris, Hachette, 1996.

HUBIER (Sébatien) et DOMINGUEZ LEIVA (Antonio), *Revue d'Études Culturelles*, n° 1, « Érotisme et ordre moral », Dijon, Abell, mai 2005.

ISER (Wolfgang), *L'Acte de lecture*, trad. fse, Bruxelles, Mardaga, 1985.

JOUVE (Vincent), *L'Effet-Personnage dans le roman*, Paris, PUF, coll. « Écriture », 1992.

KERBRAT-ORECHIONI (Catherine), *L'Énonciation. De la subjectivité dans le langage*, Paris, Armand Colin, 1980.

LARIVAILLE (Paul), « L'analyse (morpho)logique du récit », *Poétique*, n° 19, 1974.

LARROUX (Guy), *Le Mot de la fin. La clôture romanesque en question*, Paris, Nathan, 1995.

MAURON (Charles), *Des métaphores obsédantes au mythe personnel. Introduction à la psychocritique*, Paris, José Corti, 1962.

PAVEL (Thomas), *La Pensée du roman*, Paris, Gallimard, 2003.

PICARD (Michel), *La Lecture comme jeu*, Paris, Éd. de Minuit, 1986.

PRINCE (Gerald), « Introduction à l'étude du narrataire », *Poétique*, n° 14, avril 1973.

PROPP (Vladimir), *Morphologie du conte*, trad. fse, Paris, Éd. du Seuil, coll. « Points », 1970.

SCHAEFFER (Jean-Marie), « La catégorie du romanesque », *Le Romanesque*, G. Declercq et M. Murat (dir.), Paris, Presses de la Sorbonne Nouvelle, 2004, p. 291-302.

SCHOENTJES (Pierre), *Poétique de l'ironie*, Paris, Éd. du Seuil, coll. « Points », 2001.

SPERBER (Dan) et WILSON (Deirdre), « Les ironies comme mentions », *Poétique*, n° 36, 1978.

TODOROV (Tzvetan), *Qu'est-ce que le structuralisme ?*, t. II, *Poétique*, Paris, Éd. du Seuil, coll. » Points », 1968.

ZIMA (Pierre V.), *Manuel de sociocritique*, Paris, L'Harmattan, 2000.

INDEX DES CRITIQUES ET DES THÉORICIENS

Composition réalisée par Belle Page

260074 – (II) – (1) – OSB 80°– BTT

Dépôt légal : février 2015 - Suite du tirage : novembre 2015

Date du dépôt légal de la 1re édition : novembre 1999

Achevé d'imprimer par Dupli-Print

N° d'impression : 2015110217

www.dupli-print.fr

Imprimé en France